Le Ramat de la typographie

Dixième édition

Aurel Ramat
Anne-Marie Benoit

Le Ramat de la typographie

Édition 2012
ISBN 978-2-9813513-0-2
Dixième édition

Dépôt légal - Bibliothèque et Archives nationales du Québec, 2012
Dépôt légal - Bibliothèque et Archives Canada, 2012
La première édition est parue en 1982.

Couverture : Anne-Marie Benoit

Édition
Anne-Marie Benoit éditrice
Téléphone : 514-623-6360
Courriel : ambenoit.ramat@gmail.com
Site Web : www.ramat.ca

Diffusion
Diffusion Dimedia inc.
539, boulevard Lebeau
Saint-Laurent (Québec) H4N 1S2
Téléphone : 514-336-3941
Télécopie : 514-331-3916
Courriel : general@dimedia.qc.ca

• Nous avons rédigé le contenu de ce livre avec le plus grand soin. Nous déclinons donc toute responsabilité pour toute erreur ou omission qui aurait pu être préjudiciable à qui que ce soit.
Aurel Ramat et Anne-Marie Benoit

Parties de ce livre

	Page	Nombre de pages
Avant-propos	3	1
Introduction	4	3
ABC de typographie	7	28
Abréviations	35	26
Anglicismes	61	14
Capitales	75	36
Coupures	111	4
Informatique	115	14
Italique	129	10
Nombres	139	8
Orthographe	147	42
Ponctuation	189	20
Typographie anglaise	209	6
Exercices	215	10
Annexes	225	10
Table des matières	235	4
Index	239	12

Avant-propos

Aurel Ramat a écrit un livre qui, au moment de sa création, répondait à un besoin pressant au Québec. Ce livre est tombé à point nommé, puisque, avec l'arrivée des ordinateurs personnels, chacun et chacune a dû se familiariser avec les notions de la mise en page, donc avec les règles typographiques. Malgré l'évolution rapide des traitements de texte, Aurel Ramat a su se mettre à jour continuellement dans ses observations et dans l'énoncé de ses règles, et ce, avec une incroyable méticulosité.

Aurel Ramat ne se contente pas d'énoncer les règles typographiques, mais il les transmet avec passion. Non seulement il sait capter l'attention de son auditoire, mais il sait le faire rire. Ainsi, il est venu, à quelques reprises, rencontrer mes étudiantes et étudiants de la formation en révision. Visiblement impressionnés par son dynamisme, sa jovialité et, bien entendu, l'étendue de son savoir, ils l'écoutaient avec une attention soutenue, sans toutefois hésiter à lui poser des questions.

Je prends la relève d'Aurel Ramat avec enthousiasme, car je sais qu'il est là pour me conseiller et me rassurer. Avant de faire sa connaissance, j'avais déjà bénéficié de sa grande générosité : toutes les connaissances en typographie que j'ai acquises grâce à son livre. Au fil du temps, il est devenu un ami que j'affectionne beaucoup et que j'admire, particulièrement pour son humour candide, sa droiture et sa finesse d'esprit.

Je prends sa relève bien humblement. Il me confie son ouvrage : je m'engage à en prendre bien soin.

Anne-Marie Benoit

Introduction

La typographie

Aujourd'hui, le mot *typographie* a deux significations.

D'abord, il désigne la présentation visuelle d'un imprimé : on qualifiera donc de «belle typographie» un imprimé agréable à regarder, où les caractères ont été judicieusement choisis et les espaces blancs harmonieusement répartis. Plaisir des yeux : tel est le but d'une belle typographie.

Le mot *typographie* désigne aussi les règles typographiques, c'est-à-dire celles qui sont présentées dans ce livre. Ces règles, quand elles sont bien appliquées, donnent au texte une évidente distinction, et en rendent la lecture facile et agréable. Leur bon emploi évite souvent des incertitudes et des contresens.

Clarté, simplicité et efficacité

La clarté a été bonifiée par l'ajout d'éléments graphiques (flèches, puces, encadrés...) qui complètent l'exactitude et la précision des termes et des règles.

La simplicité a été le premier souci d'Aurel Ramat et sera le mien aussi. Je n'ai pas voulu faire une grammaire du chapitre sur l'orthographe, donc je n'y ai pas expliqué des règles trop compliquées. Je n'ai choisi que les règles indispensables à une écriture correcte. De plus, la présentation de ces règles dans une typographie soignée en facilite la compréhension.

L'efficacité, enfin, est le fruit de la longue carrière d'Aurel Ramat devant un clavier. Voici les principes qui guident la mise en page de cet ouvrage : chaque règle est autonome et peut se lire séparément ; aucun paragraphe ne s'étale sur deux pages ; toutes les pages commencent par un titre ou un sous-titre ; quand deux pages concernent un seul thème, elles sont en vis-à-vis ; les seuls textes qui sont en retrait de deux picas sont les exemples ; l'index n'a qu'un seul numéro pour une seule question ; enfin, la table des matières peut servir de plan pour un cours.

Nouvelle orthographe

La nouvelle orthographe a fait de nombreux gains depuis la dernière édition de ce livre. De peu connue elle est passée à bien connue : elle est entrée dans l'usage de beaucoup de francophones. Il n'est donc plus nécessaire d'en justifier l'usage.

Le texte de ce livre est écrit en nouvelle orthographe. Comme vous pourrez le constater, peu de mots s'en sont trouvés modifiés. L'orthographe traditionnelle est indiquée entre crochets.

Remerciements

Je remercie toutes les personnes qui ont soutenu, depuis trente ans, Aurel Ramat dans son travail et qui ont ainsi contribué à son ouvrage.

Principales caractéristiques de cette dixième édition

- Deux nouveaux chapitres s'ajoutent aux précédents : *Anglicismes* et *Informatique.*
- Dans l'index, on obtient une réponse immédiate pour :
  - les mots qui restent toujours écrits avec des majuscules ;
  - le pluriel des noms en apposition : *bénéfice, avec t.u., inv. = déjeuners-bénéfice* ;
  - le pluriel des mots composés : *arc-en-ciel, s n l* (ces trois lettres sont les dernières de chaque élément quand le mot est au pluriel = *arcs-en-ciel*).
- Sont par ordre alphabétique :
  - les chapitres dans les entêtes : *Abc de typographie, Abréviations, Anglicismes...*
  - la *Ponctuation* : *Accolades, Apostrophe, Arobas, Astérisque, Barre oblique...*
  - les *Difficultés orthographiques* : *Accaparer, Accents, Aide-, Attendu, Aucun...*
  - tous les titres et sous-titres de l'*Informatique* : *Définitions, Écriture, Pages web...*

Anne-Marie Benoit

Bibliographie

Abrégé du Code typographique à l'usage de la presse, 2e édition, Paris, CFPJ, 1989.

Antidote RX, Montréal, Druide informatique, 2006.

ARCHAMBAULT, Ariane, et Jean-Claude CORBEIL. *La cuisine au fil des mots,* Montréal, Québec Amérique.

ASSELIN, Claire, et Anne McLAUGHLIN. *Apprentissage de la grammaire du français écrit. Méthode pratique. Module 1,* 2e édition, Éditions Grammatix inc., 2003.

ASSELIN, Claire, et Anne McLAUGHLIN. *Apprentissage de la grammaire du français écrit. Méthode pratique. Module 2,* 3e édition, Éditions Grammatix inc., 2009.

BOUDREAU, Denise, et Constance FOREST. *Le Colpron : Dictionnaire des anglicismes,* Montréal, Beauchemin, 1998 (réimpr. 2007).

BRODEUR, France. *Vocabulaire du prépresse,* Montréal, Institut des communications graphiques du Québec, 2001.

Code typographique, 16e édition, Paris, Fédération CGC de la communication, 1989.

CONTANT, Chantal. *Grand vadémécum de l'orthographe moderne recommandée : cinq millepattes sur un nénufar,* Montréal, Éditions De Champlain S. F., 2009.

De l'emploi de la majuscule, 2e édition, Fichier français de Berne, 1973.

DOPPAGNE, Albert. *La bonne ponctuation : clarté, efficacité et précision de l'écrit,* Bruxelles, De Boeck–Duculot, 2006.

DOPPAGNE, Albert. *Majuscules, abréviations, symboles et sigles : pour une toilette parfaite du texte,* Paris, Duculot, 1998.

DREYFUS, John, et François RICHAUDEAU. *La chose imprimée,* Paris, CEPL, 1977.

DRILLON, Jacques. *Traité de la ponctuation française,* Paris, Duculot, 1991.

GOUVERNEMENT DU QUÉBEC. *Commission de toponymie du Québec,* <http://www.toponymie.gouv.qc.ca>.

GREVISSE, Maurice, et André GOOSSE. *Le bon usage,* 14e édition, Bruxelles, De Boeck–Duculot, 2007.

GREVISSE, Maurice. *Le français correct : guide pratique,* 5e édition, révisée et actualisée par Michèle Lenoble-Pinson, Paris, Éditions Duculot, 1998.

Guide du rédacteur (Le), Ottawa, Bureau de la traduction, 1996.

GUILLOTON, Noëlle, et Hélène CAJOLET-LAGANIÈRE. *Le français au bureau,* 6e édition, Québec, Les Publications du Québec, 2005.

HANSE, Joseph, et Daniel BLAMPAIN. *Nouveau dictionnaire des difficultés du français moderne,* 5e édition, Bruxelles, De Boeck–Duculot, 2005.

LAROUSSE. *Dictionnaires et encyclopédie,* <http://www.larousse.fr>.

LE FUR, Dominique, et Jennifer ROSSI. *Vérifiez votre orthographe*, Paris, Le Robert, 2010.

LEJEUNE, Paule. *Les reines de France,* Éditions Vernal/Philippe Lebaud, 1989.

Lexique des règles typographiques en usage à l'Imprimerie nationale, 3e édition, Paris, Imprimerie nationale, 2002.

MALO, Marie. *Guide de la communication écrite,* Montréal, Québec Amérique, 1996.

MASSON, Michel. *L'orthographe : guide pratique de la réforme,* Paris, Éditions du Seuil, 1991.

MILLERAND, Florence, et Odile MARTIAL. *Guide pratique de conception et d'évaluation ergonomique de sites Web*, Montréal, Centre de recherche informatique de Montréal (CRIM), 2001.

OFFICE QUÉBÉCOIS DE LA LANGUE FRANÇAISE. *Banque de dépannage linguistique,* <http://www.oqlf.gouv.qc.ca/ressources/bdl.html>.

OFFICE QUÉBÉCOIS DE LA LANGUE FRANÇAISE. *Le grand dictionnaire terminologique,* <http://www.gdt.oqlf.gouv.qc.ca>.

PARMENTIER, Michel. *Dictionnaire des expressions et tournures calquées sur l'anglais,* Sainte-Foy, Les Presses de l'Université Laval, 2006.

PÉCHOIN, Daniel, et Bernard DAUPHIN. *Dictionnaire des difficultés du français,* Librairie Larousse, 2001.

Petit Larousse illustré (Le), Paris, Larousse, 2012.

Québécois... pour mieux voyager (Le), Montréal, Ulysse, 2010.

ROBERT, Paul. *Le Petit Robert : Dictionnaire alphabétique et analogique de la langue française,* Paris, Le Robert, 2012.

Robert & Collins Senior (Le) : Dictionnaire français-anglais et anglais-français, Paris, Le Robert, 2005.

Répertoire des avis linguistiques et terminologiques (mai 1979 à septembre 1989), Office québécois de la langue française, Les Publications du Québec.

ROUX, Paul. *Lexique des difficultés du français dans les médias,* 3e édition, Montréal, Les Éditions *La Presse,* 2004.

ROY, DANIEL. *Langue au chat,* <http://www.langueauchat.com>.

Système international d'unités (SI), Bureau de normalisation du Québec, norme NQ 9990-901, 92-10-10.

TANGUAY, Bernard. *L'art de ponctuer,* 3e édition, Montréal, Québec Amérique, 2006.

Trésor de la langue française informatisé, Paris, 1971-1994, <http://atilf.atilf.fr>.

UNIVERSITÉ DU QUÉBEC À MONTRÉAL. *Guide de féminisation,* <http://www.instances.uqam.ca/Guides/Pages/GuideFeminisation.aspx>.

VACHON-L'HEUREUX, Pierrette, et Louise GUÉNETTE. *Avoir bon genre à l'écrit,* Québec, Les Publications du Québec, 2007.

VILLERS, Marie-Éva de. *Multidictionnaire de la langue française,* 5e édition, Montréal, Québec Amérique, 2009.

Abc de typographie

Abrégé historique

La langue française

- LE ROMAN. En 58 avant Jésus-Christ, Jules César envahit la Gaule. Vaincus, les Gaulois adoptent la langue des Romains, le latin. Après 400 ans de paix, les Francs, les Huns et les Arabes envahissent tour à tour la Gaule et apportent avec eux des mots nouveaux. Ainsi prend naissance une nouvelle langue : le roman.
- SERMENTS DE STRASBOURG. En 842, Charles le Chauve signe avec son frère Louis le Germanique un pacte d'assistance contre leur frère Lothaire. Le serment de Strasbourg est le premier texte historique en langue romane, qui deviendra le français.
- TRAITÉ DE VERDUN. En 843, ce traité met fin aux hostilités entre les trois frères. Après la mort de Charlemagne, roi des Francs, son petit-fils Charles le Chauve reçoit la partie occidentale de l'empire. C'est la première fois que le mot *France* est utilisé.

Le livre manuscrit

- PÉRIODE MONASTIQUE (842-1257). Ce sont les moines qui possèdent le monopole du livre. Dans chaque monastère existe un *scriptorium,* c'est-à-dire un atelier dans lequel les scribes écrivent sous la dictée d'un des leurs. Leur écriture est gothique. Les enlumineurs décorent les livres. On écrit sur du parchemin. L'orthographe des moines est phonétique : ils écrivent *doi, lou, ier.*
- PÉRIODE LAÏQUE (1257-1440). La Sorbonne est créée en 1257. Les praticiens (fonctionnaires, greffiers et écrivains publics) vont remplacer les moines dans le domaine de l'écriture. Ils utilisent alors le papier, apparu en France vers 1250. Les lunettes sont inventées en 1280, facilitant ainsi la lecture. Les scribes sont maintenant payés à la lettre. Pour augmenter leur salaire, ils ajoutent de nombreuses lettres inutiles et ils écrivent *avecques, deffense, chappelle.* Enfin, pour montrer leur grande connaissance du latin, ils écrivent *doigt* (digitus), *loup* (lupus), *hier* (heri).

Le quinzième siècle

- GUTENBERG. Né à Mayence (Allemagne), Gutenberg s'installe à Strasbourg, où il invente la typographie en 1440, c'est-à-dire l'impression par caractères mobiles en plomb. De retour à Mayence, il y imprime la Bible en caractères gothiques.
- INCUNABLES. Les incunables sont les livres imprimés avant l'an 1500. Premier livre imprimé : la Bible, à Mayence, par Gutenberg en 1455. En Italie : *De Oratore,* de Cicéron, à Subiaco en 1465 (première utilisation du caractère romain, qui remplacera le gothique). En France, en latin : *Epistolarum libri,* de Gasparin de Bergame, à la Sorbonne en 1470. La première pièce de théâtre imprimée en France : *La farce de maitre Pathelin,* d'un auteur inconnu, jouée en 1464, imprimée en 1470.

Le seizième siècle

- ALDE MANUCE, typographe à Venise, invente en 1501 (avec Francesco Griffo) les premiers caractères penchés, appelés *lettres vénitiennes,* ou *aldines,* puis *italiques.*
- GEOFROY TORY, typographe, écrit en 1529 le premier code typographique français, le *Champ fleury,* dans lequel il dessine des caractères basés sur le visage humain. Il y suggère les accents, la cédille et le *point crochu,* qui deviendra l'apostrophe.
- JACQUES DUBOIS, grammairien français, propose en 1531 qu'on distingue **i** et **j,** ainsi que **u** et **v.** À cette époque, les lettres **u** et **v** en bas-de-casse s'écrivent **u,** et on prononce selon la position de la lettre dans le mot (*subjet, scauoir*). En capitales, les lettres **U** et **V** s'écrivent **V.** En outre, en 1532, Jacques Dubois invente l'accent circonflexe, d'abord pour marquer les diphtongues (les *boîs*). Peu de temps après, l'accent circonflexe sera utilisé pour remplacer des **s** non prononcés (*teste* = *tête*).

À l'aéroport, un va-et-vient continuel ne cesse pas d'arrêter.

- ROBERT ESTIENNE, le plus célèbre d'une famille d'imprimeurs, introduit les accents en 1530. Il épouse la jolie Perrette Bade, dont il aime la ligne, la taille et le caractère. En 1539, il publie un dictionnaire français-latin contenant pour la première fois tous les mots de la langue française. Il est le premier lexicographe français.
- ÉTIENNE DOLET, typographe, écrit *La punctuation de la langue francoyse* en 1540. Il y propose la ponctuation moderne et les accents diacritiques : *a/à, la/là, du/dû.*
- LE LIVRE. Jusqu'à 1529, le livre n'a pas de titre. Il est désigné par les premiers mots du texte (*incipit*). Le texte est dense, on fait rarement un retour à la ligne. Les pages ne sont pas numérotées, seule la feuille porte l'indication : FEUIL. L (feuille 50 recto). Les auteurs ne sont pas payés : ils écrivent pour la gloire.
- LE TYPOGRAPHE ne doit pas se marier pendant son apprentissage. Ensuite, il doit faire son tour de France dans différentes imprimeries. Il a le droit de porter l'épée et il a la réputation d'être un coureur de jupons.
- FRANÇOIS Ier, par l'ordonnance de Villers-Cotterêts en 1539, ordonne : « Tous les actes de justice doivent être rédigés en français et non plus en latin. » Le seizième siècle est considéré comme l'âge d'or de l'imprimerie.

Le dix-septième siècle

- LITTÉRATURE. C'est *le Grand Siècle,* le siècle de la langue classique. On admire les anciens, de même qu'on met l'accent sur la pureté et la clarté du style.
- PREMIER JOURNAL. Le 30 mai 1631, Théophraste Renaudot crée le premier journal hebdomadaire en France : *La Gazette de France* (de l'italien *gazzetta,* monnaie vénitienne qui représente le prix au numéro du premier journal paru à Venise).
- ORTHOGRAPHE. L'Académie française est créée en 1635 par le cardinal de Richelieu. Elle sera l'organisme officiel de l'orthographe et publiera un dictionnaire tous les cinquante ans environ. La première édition du dictionnaire sort en 1694.
- GUILLAUME, typographe, invente en 1670 les *crochets courbes,* qu'on appellera plus tard les *guillemets* (d'après son nom).

Le dix-huitième siècle

- LITTÉRATURE. C'est le siècle des philosophes ou *Siècle des Lumières.* On écrit sur les fondements du droit, sur la morale et sur le gouvernement des États.
- QUATRIÈME ÉDITION. En 1762, l'Académie fait entrer les lettres **j** et **v** dans son dictionnaire. Jacques Dubois avait proposé cela 231 ans plus tôt (voir page précédente).
- FRANÇOIS-AMBROISE DIDOT invente le point typographique en 1775. Puis il crée le caractère Didot, qui est à la base de la typographie française. En 1777 parait le premier quotidien français : *Le Journal de Paris.*
- FLEURY MESPLET, typographe à Lyon, arrive à Montréal en 1776. En 1778, il lance *La Gazette du commerce et littéraire,* le premier journal imprimé à Montréal.

Le dix-neuvième siècle

- LITTÉRATURE. Le romantisme triomphe. C'est la victoire du sentiment sur la raison. C'est l'expression de la sensibilité, l'évasion dans le rêve, l'exotisme et l'amour.
- KOENIG invente en 1810 l'encrage par rouleaux et le cylindre. La fonderie William Caslon crée le premier caractère bâton en 1816.
- ORTHOGRAPHE. À partir de 1832, sous Louis-Philippe, l'orthographe devient obligatoire pour accéder aux fonctions publiques.
- SIXIÈME ÉDITION. En 1835, l'Académie publie la sixième édition de son dictionnaire. On y remplace la graphie **oi** par **ai** partout où elle est prononcée **è** (*avoit = avait*). En 1856, Pierre Larousse écrit son premier dictionnaire, l'ancêtre du *Petit Larousse.*

Citez deux mammifères volants. — La chauve-souris et l'agent de bord.

Glossaire de la typographie

✣ Dans les sous-titres suivants, en caractères gras, quand deux termes sont unis par **ou,** le premier est celui utilisé par Word, le second est le terme traditionnel que l'on peut trouver dans d'autres ouvrages d'imprimerie (ex. *police* dans Word, *fonte* ailleurs).

Famille de caractères

Les caractères typographiques sont classés en plusieurs familles, selon la forme des lettres. Certaines familles ont des lettres qui se terminent par une patte au bout de leur jambage, alors que les autres ont des jambages qui ressemblent à des bâtons. Il est inutile d'apprendre tous les noms des familles. Il suffira d'en distinguer deux sortes :

— Caractères **avec empattements.** (Les termes *sérif* et *sansérif* sont des anglicismes.)
— Caractères **sans empattements,** appelés **bâtons** ou de la famille des **linéales.**

Police ou fonte

Une police est déterminée par le nom du caractère, la plupart du temps par le nom de son inventeur. Une police peut être composée dans tous les corps et fractions de corps (demi-points dans Word). Le Times New Roman est une police **avec empattements.** Le Verdana, dont les lettres n'ont pas d'empattements, est une police **linéale** (ou **bâton**).

Times New Roman Verdana

Taille ou corps

En général, le corps est déterminé en points et en fractions de point (en demi-points en traitement de texte). C'est l'espace entre la partie la plus haute et la plus basse des lettres. Dans l'exemple qui suit, le corps est la distance entre le haut du **T** et le bas du **g** (plus un petit blanc appelé **talus,** qui évitera que ces lettres ne se touchent si elles se trouvent l'une au-dessous de l'autre). Il est préférable de ne pas utiliser plusieurs corps différents dans la même ligne.

Typographie

Ligne de base

La ligne de base est le trait imaginaire qui longe la partie basse des lettres sans tenir compte de leur jambage inférieur (ou jambage descendant). Ainsi, ces lettres sont : **g, j, p, q, y.** Les lettres comprenant un jambage supérieur (ou jambage ascendant) sont : **b, d, f, h, k, l, t.** Les lettres sans jambage sont : **a, c, e, i, m, n, o, r, s, u, v, w, x, z.** Tous les caractères, dans tous les corps, s'alignent toujours sur la ligne de base.

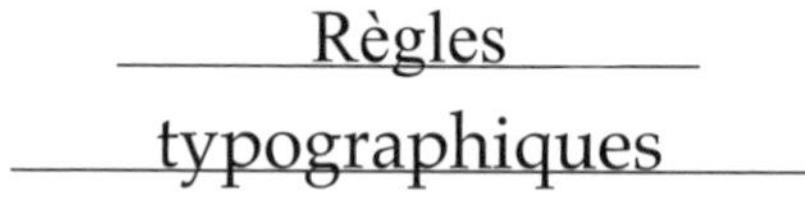

Interligne

L'interligne est la distance verticale entre les lignes de base de deux lignes (dans l'exemple ci-dessus : 20 pt). Il est déterminé en points et en fractions de points, comme le corps. Quand l'interligne est le même que le corps, on dit que la composition est *solide.* L'écriture 10/12,3 signifie un corps de 10 pt interligné à 12,3 pt.

On règle l'interligne dans **Paragraphe**. L'interligne **Simple** est toujours de 20 % supérieur au corps employé. On n'a donc pas besoin de le régler. L'interligne **Exactement** est le plus précis et se règle en points et en dixièmes de point. (Ce texte est interligné à exactement 9,6 points.) Les autres choix sont moins utiles.

Style ou face

Une même police possède plusieurs styles (ou faces). Le caractère peut être droit (romain), penché (italique), plus maigre ou plus gras. Dans Word, le maigre romain se nomme *normal.* Dans ce livre, le mot *face* remplace le mot *style,* qui signifie également un style de paragraphe. Voici les différentes faces :

MAIGRE ROMAIN *MAIGRE ITALIQUE* **GRAS ROMAIN** ***GRAS ITALIQUE***

Œil du caractère

L'œil (pluriel : œils) est le dessin du caractère imprimé. En typographie, l'œil reçoit l'encre, c'est l'élément imprimant. Les noms des deux polices dans l'exemple ci-dessous sont composés dans le même corps, soit en 10 points. Mais le Verdana semble plus gros que le Garamond. C'est que leur œil est différent.

Garamond Verdana

Échelle ou chasse

L'échelle (ou chasse) est la largeur d'un caractère. Elle peut être condensée ou élargie par déformation horizontale de la lettre. Elle se définit en pourcentage dans **Police > Espacement > Échelle.** En traitement de texte, elle est difficile d'emploi, car cela dépend du logiciel et aussi de l'imprimante utilisée. Je ne conseille pas de changer la chasse pour tout un texte, car le fait de déformer les lettres ne produit pas un très bel effet.

Espacement ou approche

L'approche est l'espace entre les lettres d'un mot. Je conseille de ne pas modifier exagérément l'approche originale. Un texte comprenant des mots dont les lettres ont été écartées ou rapprochées est désagréable à lire. En cas de manque de place, il vaut mieux changer la chasse quand le logiciel le permet. L'approche peut aussi se changer pour une lettre seulement ; on l'appelle alors **approche de paire** ou **crénage,** et elle est souvent automatique. L'approche se règle en points et en fractions de point.

Mesures typographiques

Le **pica** (abréviation **pi** invariable) est l'unité de mesure typographique utilisée en Amérique. Il est égal à **4,21 mm.** On utilise le pica pour désigner la longueur des lignes, la hauteur des pages et les cellules d'un tableau. Il sert aussi à déterminer les retraits. Dans Word, ces mesures sont indiquées par défaut en centimètres (cm).

Le **point** (abréviation **pt** invariable) est la douzième partie du pica. Il y a donc 12 points dans un pica. On utilise le point pour désigner le corps et l'interligne. On l'utilise aussi pour ajouter du blanc avant ou après un titre ou un paragraphe.

Justification

Ce terme a deux significations. On dit que les lignes sont justifiées quand elles sont pleines. On appelle aussi *justification* la longueur des lignes d'un paragraphe, y compris les retraits. Par exemple, ce paragraphe-ci est justifié sur 26 picas.

Soulignement

Le soulignement servait en dactylographie à remplacer l'italique. En typographie, on a recours aux différentes faces pour faire ressortir des mots, et aux corps plus gros pour les titres. On utilise très rarement le soulignement, surtout parce que l'on ne peut pas éloigner le trait, et que ce trait coupe les jambages des lettres. De plus, de nos jours, le soulignement est réservé aux hyperliens en informatique.

Cadre

Un cadre est le **filet** (bordure) que l'on place autour d'un texte sélectionné ou d'un dessin. Quand il s'agit d'une annonce, on la nomme *un encadré.*

Cadratin et demi-cadratin

Le cadratin est un carré imaginaire de surface non imprimée, égale au corps. En traitement de texte, il est devenu inutile. En général, les chiffres de 0 à 9 ont la même largeur, qui est égale au demi-cadratin. On emploie donc ce dernier pour faire des alignements de chiffres de **début** de ligne. Il se trouve dans les **Caractères spéciaux** (avec les **Symboles**).

Espaces sécables et insécables

En typographie, le mot *espace* est féminin quand il désigne l'espace entre les mots. Il est masculin quand on l'emploie pour désigner un espace non imprimé. Par exemple, il y a **une** espace sécable entre les mots de cette ligne, et il y a **un** espace (ou un **blanc**) de 10 points avant les titres en 8,5 points de cette page.

Espace sécable

On obtient l'espace sécable (ou **justifiante**) en tapant sur la barre d'espacement. Quand le texte est justifié (comme dans le présent paragraphe), les espaces entre les mots n'ont pas toutes la même largeur d'une ligne à l'autre. L'ordinateur **justifie** les lignes à une espace sécable ou à un trait d'union pour en faire des lignes **pleines,** excepté la dernière, qui est une ligne **creuse.**

Espace insécable

L'espace insécable est appelée ainsi parce qu'elle ne peut pas être coupée en fin de ligne. Par exemple, on utilise une espace insécable entre un nombre et le symbole qui le suit pour éviter que ces deux éléments ne se trouvent sur deux lignes différentes, exemple : 25 kg (ce qui n'est pas permis). Généralement, l'espace insécable garde la même largeur, même dans une ligne justifiée. Dans un texte en drapeau à gauche ou à droite, l'espace insécable a la même largeur qu'une espace sécable. En Word, on l'obtient en faisant **Symboles > Caractères spéciaux > Espace insécable.** Sur un PC, le raccourci est **Ctrl+Maj+barre d'espacement**, tandis que sur un Mac : **Cmd+barre d'espacement.**

Espace fine

L'espace fine (toujours insécable) est égale au quart du cadratin, mais cela dépend des polices. Elle doit se placer devant les signes **! ? ; »** et les appels de note, ainsi qu'après le signe **«,** quand il s'agit de typographie de qualité. Voici un moyen de programmer l'espace fine dans Word une fois pour toutes.

1. Dans un nouveau document, faites **Style > Normal.**
   Mettez le zoom à 200 % et cliquez sur ¶ pour voir les caractères non imprimables.
2. Tapez une espace insécable : **Symboles > Caractères spéciaux > Espace insécable (Ctrl+Maj+barre d'espacement** ou **Cmd+Maj+barre d'espacement).** Sélectionnez-la.
3. Faites **Police > Espacement > Échelle 40 % > OK.**
4. Dans **Correction automatique,** l'espace est à droite, même si on ne la voit pas.
5. Cochez **Texte mis en forme.**
6. Dans **Remplacer,** tapez deux fois **=** ou bien deux fois un autre signe que vous n'utilisez pas dans votre texte.
7. Cliquez sur **Ajouter,** puis sur **OK.**

Pour voir si le chiffre de 40 % est acceptable, vérifiez sur papier, non sur l'écran. Avec l'échelle à environ 40 %, l'espace fine sera proportionnelle au corps employé. Au lieu du signe =, vous pouvez choisir un autre signe jamais utilisé en double. Écrivez d'abord **bonjour!** et insérez l'espace fine entre le **r** et le **!** ensuite en tapant deux fois le signe que vous avez choisi.

Paragraphe

Dans les logiciels qui comportent du traitement de texte, un paragraphe est le texte compris entre deux frappes de la touche **Entrée**. Cette touche est montrée à l'écran par un **pied-de-mouche** (¶). On peut faire un **saut de ligne** (**Maj+Entrée**) à l'intérieur d'un paragraphe. On se sert d'un saut de ligne à l'intérieur d'un style de paragraphe, quand on veut aller à la ligne sans sortir du style. Ou, dans un tri, on s'en sert pour que la ligne suivante reste solidaire et n'aille pas se placer à son rang alphabétique.

Mise en forme de caractères

Mettre en forme des caractères, c'est leur affecter les caractéristiques suivantes.

police	Arial, Helvetica, Verdana, Times, Garamond...
taille ou corps	en points et fractions de point
style ou face	normal (romain), italique, gras, gras italique
soulignement	aucun, continu, mots, double, pointillés...
couleur	automatique, noir, bleu, blanc...
attributs	barré, exposant, indice, majuscule...
espacement	échelle, espacement, position sur la ligne, crénage

Mise en forme de paragraphes

Mettre en forme des paragraphes, c'est leur affecter les caractéristiques suivantes.

alignement	gauche, centré, droite, justifié
niveau hiérarchique	corps de texte, niveau 1, niveau 2...
retrait	à gauche, à droite, de première ligne
espacement	avant et après le paragraphe, en picas ou en points
interligne	en points et fractions de point

Hiérarchie des subdivisions

Taille ou corps

En général, on utilise des corps différents par ordre décroissant. Il ne faut pas exagérer le nombre de niveaux et se limiter à six niveaux pour un livre de taille moyenne. Le présent livre comporte quatre niveaux, dont les trois premiers paraissent dans la table des matières. Les titres 3 et 4 sont présents dans cette page.

Style ou face

En général, on utilise le gras pour les titres ; le romain maigre y est rarement utilisé. L'italique gras sert à mettre une partie en évidence dans un titre en gras. L'italique gras ou maigre peut aussi être utilisé comme subdivision d'un titre en gras.

Casse

On peut composer les titres de chapitres (à condition qu'ils soient très courts) tout en capitales. Mais il vaut mieux utiliser les bas-de-casse avec une capitale initiale (définitions page 77). En effet, maintenant que les sigles en général se composent en capitales sans points abréviatifs, on risquerait de ne pas les distinguer dans un titre tout en capitales.

Alignement

Un titre centré a toujours plus d'importance qu'un titre au fer à gauche.

Retrait (*renfoncement*)

Un retrait (*renfoncement* est un anglicisme) est un espace blanc qu'on laisse à gauche, à droite ou des deux côtés pour détacher une partie du texte par rapport à la justification.

> Par exemple, ce texte de trois lignes est en retrait de deux picas à gauche et de deux picas à droite. Dans Word, on augmente ou on diminue le retrait par **Paragraphe > Retrait**.

Il était cloué sur son lit d'hôpital par deux coups de couteau au bras.

Glossaire de l'imprimerie

Voici des termes d'imprimerie qui vous permettront de mieux communiquer avec votre imprimeur quand vous lui donnerez votre manuscrit pour l'impression. Les traductions en anglais de ces entrées sont entre parenthèses.

Accroche (*catching*)
L'accroche est le titre d'une annonce, d'un chapitre ou d'une affiche dont l'impact rédactionnel et visuel permet d'accrocher le lecteur.

Achevé d'imprimer (*colophon*)
L'achevé d'imprimer est un texte situé à la fin d'un ouvrage, dans lequel sont notés l'imprimeur, son adresse et la date de l'impression du livre.

Angle de trame (*screen angle*)
L'angle de trame est l'orientation de la ligne de points de trame. Une orientation correcte permet d'éviter le moirage lorsque deux demi-tons sont superposés.

Assombrissement (*darkening*)
L'assombrissement, ou **surexposition,** est une exposition d'une durée supérieure à celle requise par la sensibilité du support. Elle peut être voulue pour faire ressortir des détails dans les zones foncées.

Base de données (*data base*)
Par exemple, une base de données concernant une personne comporte ses nom, prénom, profession, adresse, numéros de téléphone et de télécopie, adresse de courriel, de site, etc. Chaque élément se nomme une donnée, le tout formant une base de données.

Blanchir (*whiten*)
On blanchit un texte en ajoutant de l'espace avant et après les titres, et aussi en augmentant l'interligne du texte par des points ou des fractions de point.

Bleus ou tierce (*final proof*)
Les épreuves que l'imprimeur envoie au client, pour que celui-ci en fasse la dernière lecture et en vérifie l'ordre des pages et la mise en page, sont appelées *bleus* ou *tierces.*

Bon à tirer (*final corrected proof*)
Le bon à tirer est le dernier jeu d'épreuves, qui a reçu l'approbation du client. Étant satisfait de ces épreuves, le client les signe.

Bourdon (*omission*)
Un bourdon est l'omission d'un mot ou d'un passage entier. Sur l'épreuve, le correcteur marque par **voir copie X** l'endroit où l'omission s'est produite. Sur la copie, il entoure le texte omis en le désignant d'une croix encerclée ⊗. Si une deuxième omission se produit, il utilise deux croix, etc.

Calandrage (*calendering*)
On appelle *calandrage* l'action mécanique qui consiste à lisser le papier entre deux rouleaux, deux cylindres.

Champ (*field*)
Un champ est un ensemble de codes servant à insérer dans un document certains éléments qui seront automatiquement mis à jour. Le champ **Page** donnera à chaque page son numéro (folio).

Inventeur d'un produit amaigrissant cherche grossiste.

Chapeau (*introductory paragraph*)
Courte introduction en tête d'un article de journal ou de revue, le chapeau est souvent composé sur deux ou trois colonnes ; il est parfois en gras.

Chemin de fer (*preview*)
Word appelle cela *Aperçu avant impression.* En réduisant le zoom à 10 %, on peut avoir sur l'écran jusqu'à 24 pages ou plus pour vérifier leur placement et autres détails.

Code barres (*bar code*)
Le code barres, formé de barres verticales, est imprimé sur l'emballage d'un article (ou la couverture d'un livre), et permet son identification, l'affichage de son prix et la gestion du stock. Il peut être décodé au moyen d'un lecteur optique.

Contraste (*contrast*)
Le contraste est le réglage des parties sombres et des parties claires, en noir comme en couleurs.

Coquille (*mistake*)
On n'a jamais trouvé de façon certaine l'étymologie de ce mot. Une coquille, ou **perle,** est une erreur par laquelle des lettres ou des syllabes (ou même des symboles) sont substitués à d'autres, ce qui résulte parfois en une phrase amusante.

Cul-de-lampe (*tailpiece*)
Le cul-de-lampe est une vignette placée à la fin d'un chapitre, et dont la forme triangulaire rappelle le fond des lampes d'église. Il a la forme d'un triangle ayant la pointe en bas.

Dégradé (*graduated surface*)
Le dégradé est une surface dont la densité des couleurs s'estompe ou se renforce progressivement.

Dessin au trait (*line work*)
On appelle dessin au trait un document prêt à reproduire sans devoir le tramer.

Détourage (*outlining*)
Le détourage est la délimitation du contour d'un objet par élimination du fond.

Doublon (*double*)
Un texte qui a été, par erreur, composé deux fois est appelé *doublon.* Le correcteur doit entourer la seconde partie en la marquant du signe de correction *déléatur* (*enlever*).

Encart (*insert*)
L'encart est un feuillet, carton ou cahier que l'on imprime à part et que l'on insère à l'intérieur d'une publication après son achèvement. Il ne faut pas le confondre avec le *hors-texte*.

Épair (*look-through*)
On appelle *épair* l'aspect interne d'une feuille de papier qui est observée par son interposition entre une source lumineuse et l'œil.

Épreuve (*proof*)
L'épreuve est l'exemplaire imprimé avant tirage et auquel on apporte les corrections à effectuer.

Exergue (*epigraph*)
L'exergue est le texte que l'on met en évidence au début d'un ouvrage ou d'un article pour expliquer ce qui suit. Ce texte peut être en retrait. Il peut être composé en romain ou en italique.

L'homme nous raconta toute la vérité, qui n'était qu'un tissu de mensonges.

Filigrane (*watermark*)
Le filigrane est la marque d'identification du papier, faite au cours de sa fabrication et visible seulement par transparence.

Fond perdu (*bleed*)
On nomme *fond perdu* l'illustration ou la matière imprimée qui excède les repères de coupe du papier.

Gaufrage (*embossing*)
Le gaufrage est une impression de motifs ornementaux ou de textes (en relief ou en creux), par exemple sur une couverture de livre.

Gouttière (*gutter*)
Espace blanc séparant les colonnes de journal, la gouttière peut comprendre une *ligne séparatrice,* qu'on appelle aussi *filet vertical.*

Grammage (*grammage*)
Le grammage équivaut à la masse (poids) en grammes par mètre carré d'un papier ou d'un carton.

Habillage *(wrap around)*
Habiller un hors-texte, c'est permettre au texte de l'entourer. Si c'est un court texte qui est habillé, ce dernier s'appelle une *mortaise.*

Hors-texte (*out-text*)
Dans un livre, un hors-texte signifie tout ce qui est hors texte : les tableaux, les graphiques, les photos, les dessins, les images, les illustrations et les encadrés.

Image vectorielle (*vector graphics*)
L'image vectorielle est le traitement graphique de l'image par segments de lignes ou de courbes par opposition aux points (droites, cercles, rectangles ou courbes).

Imposition (*imposition*)
Les pages sont disposées suivant un plan précis afin de se trouver dans l'ordre naturel quand la feuille de papier imprimée est pliée à son format.

Jaquette (*dust jacket*)
La jaquette est une chemise de protection amovible d'un livre et comprend deux rabats. Elle est utilisée comme support publicitaire.

Légende (*caption*)
La légende est le texte qui accompagne une image, un dessin, une illustration ou une photographie et qui en donne l'explication ou le commentaire. On dit aussi **bas de vignette.**

Logiciel de PAO (*Desktop publishing software*)
Le logiciel de publication assistée par ordinateur (PAO) permet de contrôler la typographie, pour créer des mises en pages soignées de textes et d'illustrations.

Logotype (*logo*)
Le logotype, ou **logo,** est le symbole graphique pour identifier un produit ou une société.

Mémoire cache (*cache memory*)
C'est une mémoire tampon de faible quantité qui sert à réduire le temps de traitement.

Moirage (*moire*)
Il y a moirage quand il y a surimpression incorrecte des angles de trames des demi-tons.

Numérisation (*scanning*)
Quand on numérise un document, on en fait le balayage en deux dimensions et on le convertit en image par points afin d'en permettre la manipulation électronique.

Offset (*offset*)
L'offset est un procédé d'impression à plat par double décalque de la forme d'impression, d'abord sur le blanchet de caoutchouc, puis de celui-ci sur le papier.

Pagination (*pagination*)
La pagination est le fait de donner un numéro (folio) à chaque page. En général, on ne met pas de folio au début des chapitres ni aux pages liminaires, mais ce n'est pas une obligation. Les sauts de page *automatiques* sont ceux qui sont insérés par l'ordinateur quand la page est pleine. Les sauts de page *manuels* sont ceux insérés par l'opérateur à l'endroit de son choix.

Pantone (*Pantone matching system*)
C'est la marque déposée d'un échantillon de couleurs étalonnées couramment utilisé.

Prologue (*prologue*)
Le prologue est un avant-propos, un bref avertissement dont on fait précéder un ouvrage. Il peut servir aussi à narrer des évènements antérieurs à ceux qui se déroulent dans l'œuvre.

Quadrichromie (*four color process*)
Pour imprimer des images en couleurs, il faut préparer quatre plaques (cyan, magenta, jaune et noir). Les images sont ensuite imprimées en surimpression.

Recouvrement (*trapping*)
Le recouvrement consiste à prévoir le chevauchement des couleurs adjacentes, les plus claires dans les plus foncées, pour compenser les variations de repérage.

Repères (*marks*)
Les repères sont de petits symboles, dans la marge, qui facilitent la superposition des couleurs ou, dans un document, qui indiquent le format, la pliure, etc.

Repérage (*register*)
Le repérage consiste en la superposition parfaite des différents films ou plaques d'impression monochromes pour la reproduction d'une image couleur.

Saturation (*saturation*)
C'est la quantité de blanc ou de gris dans une couleur évaluée par rapport à sa luminosité.

Tirage (*print run*)
Le tirage est l'ensemble des exemplaires qui ont été imprimés et leur diffusion.

Trame (*screen*)
La trame est la structure de points de taille variable utilisée pour simuler une photographie à tons continus, ou en couleurs, ou en noir et blanc.

Vignette (*vignette*)
La vignette est une petite illustration servant à décorer un livre : cul-de-lampe, fleuron, etc.

Quand il y a des problèmes dans le monde, l'ONU envoie des casquettes bleues.

Correction d'épreuves

Corrections à l'encre

On marque à l'encre noire les fautes commises par rapport à la copie originale. Ces corrections ne sont pas facturées au client. On marque à l'encre rouge les changements que l'auteur doit effectuer par rapport au texte original. Ces changements sont facturés.

Corrections au crayon

Quand on a un doute sur l'orthographe d'un mot ou sur la construction d'une phrase, on attire l'attention de l'auteur en marquant au crayon effaçable le mot ou le passage en question et en inscrivant dans la marge un point d'interrogation **encerclé.** Si l'auteur considère que la correction se justifie, il la marque à l'encre rouge ; sinon, il efface l'annotation.

Place des signes de correction

Les signes de correction se mettent dans la marge, du côté le plus rapproché de la faute. Quand il y a plusieurs fautes dans la même ligne, on marque les signes successivement, en s'éloignant du texte. Cette méthode est la méthode internationale.

✤ Toutefois, si les textes à corriger sont peu chargés de fautes, on peut alors utiliser la méthode suivante : si l'on veut, par exemple, un **o** à la place d'un **a,** on barre le **a** et, sans lever le crayon, on marque un **o** dans la marge, sans autre signe.

Nombre de lectures en correction

Il faut faire deux lectures : la première consiste à découvrir les fautes d'orthographe et de typographie. Il faut lire les numéros de téléphone en les prononçant à voix basse. La seconde lecture consiste à relire le texte sans s'occuper des fautes qu'on a déjà mentionnées. Cette seconde lecture permet de s'attacher au fond et non plus à la forme, et elle dure environ le quart du temps de la première. Il ne faut pas se contenter de la lecture sur l'écran, il faut lire sur les épreuves, c'est-à-dire sur le texte imprimé.

Relecture des passages corrigés

Quand la correction d'un mot n'a pas fait changer la fin de la ligne, le *corrigeur,* c'est-à-dire la personne qui exécute les corrections, ne marque aucune indication. Mais si la correction a fait changer la fin de la ligne, il doit marquer d'une accolade le texte jusqu'à la fin du paragraphe. Cela signifiera au correcteur qu'il devra relire les nouvelles lignes pour en vérifier les coupures. Il faut toujours se rappeler que, si le correcteur ne comprend pas un texte, les lecteurs ne comprendront pas non plus.

Indications à l'auteur

Quand le correcteur veut transmettre une indication à l'auteur ou à l'opérateur, il doit s'assurer que cette indication ne sera pas interprétée comme un texte à composer. Toutes ses indications sont donc encerclées. Par exemple, quand il veut que l'opérateur compose le signe **?** dans le texte, il marque le signe **?** non encerclé dans la marge. S'il veut seulement attirer l'attention de l'auteur, il écrit le signe ⓘ(?).

Vérification des pages et des notes

Il faut vérifier si la pagination est correcte, si l'index et la table des matières renvoient aux bonnes pages, et si les notes correspondent bien aux appels de notes. Il est très exaspérant de rencontrer un * à la fin d'un mot sans trouver ce qu'il désigne.

Vérification des hors-textes

On doit vérifier si tous les hors-textes (photos, dessins, etc.) sont bien marqués de leur lettre d'identification et si cette dernière correspond à celle de la maquette.

Regarde dans l'eau, il y a une grenouille sur un mini-phare.

Vérification des énumérations

Dans les énumérations horizontales ou verticales, le correcteur doit bien vérifier si les chiffres ou les lettres d'énumération se suivent correctement. Par exemple, dans les énumérations 1. 2. 4. ou bien a) b) d), il y a des erreurs, car 3. et c) ont été sautés. La ponctuation ainsi que la syntaxe de l'énumération doivent aussi être vérifiées.

Vérification des dates

Le correcteur doit prendre garde aux transpositions dans les dates (*1897* au lieu de *1987*). Il doit aussi vérifier si la date est correcte. Par exemple, la date *mardi 28 décembre 1994* comporte une erreur. Si c'est le mot *mardi* qui est correct, il faudra mettre *27 décembre*. Si c'est *28 décembre* qui est correct, il faudra mettre *mercredi*. Cette vérification des jours de la semaine dans les dates éloignées est maintenant possible avec le logiciel Antidote, ou dans un calendrier perpétuel d'Internet.

Vérifications diverses

La féminisation des noms de métiers et de fonctions doit être appliquée. Si on opte en plus pour la féminisation des textes, on doit la faire de façon uniforme. Il faut aussi que la quantité des exemples au féminin soit à peu près égale à celle des exemples au masculin. Enfin, il faut s'assurer que le système international d'unités est bien utilisé.

Uniformité des abréviations

Si le texte comporte des abréviations, on doit vérifier que le même mot est abrégé de la même façon dans tout l'ouvrage.

Les noms propres

Puisqu'il n'y a pas de règle d'orthographe qui s'applique aux noms propres, il faut respecter leur graphie officielle, par exemple *Longueuil* (la ville). Le correcteur veillera à ce que les noms propres soient bien transcrits chaque fois qu'ils figurent dans le texte.

Les capitales

Quand on corrige les épreuves, on doit s'assurer qu'un style d'emploi des capitales est suivi tout le long de l'ouvrage. Les capitales sont une source d'ennuis pour un opérateur, car leur emploi dépend souvent des circonstances.

Soulignement sous les mots

Casse : deux traits pour petites capitales, et trois traits pour capitales.
Face : un trait pour italique et romain, et un trait ondulé pour gras et maigre.

Lecture attentive du texte

Souvent, on parcourt un texte en ne lisant qu'une partie du mot et en devinant le reste. C'est le défaut qu'on doit éviter : en correction d'épreuves, on doit lire toutes les lettres. On ne doit jamais changer la copie si on n'est pas absolument certain de l'initiative qu'on prend. On doit enfin faire approuver par l'auteur tout changement qu'on propose.

Correction d'un mot

Après avoir corrigé ou changé un mot dans une phrase (par exemple avoir choisi un synonyme), il faut relire la phrase entière, car ce changement peut avoir modifié les accords dans cette phrase. Il faut aussi vérifier les bourdons et les doublons (voir pages 14 et 15).

Doute et humilité

Ce sont deux qualités que doivent posséder un bon correcteur et une bonne correctrice. Ils doivent constamment mettre en doute leurs connaissances afin de toujours s'améliorer. Ils ne doivent surtout pas se vanter de ne jamais faire de fautes.

Correction d'épreuves : signes

Ces signes peuvent comporter des variantes selon l'utilisateur.

cadratin	demi-cadratin	espace fine	espace sécable #
espace insécable #	trait d'union	trait d'union insécable	trait d'union conditionnel (=)
changer une lettre /é	changer un mot deux	insérer une lettre u	insérer un mot une
enlever une lettre	enlever un mot	enlever et espacer #	point
virgule	apostrophe	exposant 2	indice 2
joindre	rapprocher sans joindre	transposer des mots	transposer des lettres
tiret long 1	tiret court ½	faire suivre	faire un alinéa
réduire le blanc	augmenter le blanc	déplacer un ou des mots mot	nettoyer

C'est la foire des veaux et des cochons.Venez nombreux.

Correction d'épreuves : signes

Ces signes peuvent comporter des variantes selon l'utilisateur.

pousser à droite	pousser à gauche	centrer	justifier
]	[	] [	[ ]
retrait à gauche 18 pt]	retrait à droite [18 pt	retrait des deux côtés 18 pt] [18 pt	supprimer les retraits | |
sur ligne précédente le	sur ligne suivante et	sur page précédente	sur page suivante
aligner verticalement ||	aligner horizontalement =	aligner sur la gauche	aligner sur la droite
voir copie V. copie X	ne rien changer bon	questionner l'auteur ?	ligaturer oeuvre lig.
capitales la cap.	bas-de-casse Le bdc	petites capitales Les p.c.	capitales et bas-de-casse cap. / bdc
romain *ceci* rom.	italique this ital.	maigre **sur** m.	gras avec gr.
augmenter l'approche espacer	diminuer l'approche resserrer	lettrine lettrine	signature du correcteur OK Untel

Des tresses à chien sont aussi ridicules que des Natacha.

Texte à corriger

6 pt

RECETTES DE CUISINE

6 pt

Choux d'Espagne à la sauce Picador

Achetez un kilogramme de choux d'Espagne en vous les faisant envoyer franco. Arrosez-les de rhum en « céro » après les avoir coupés en quatres dans un bolaro. Faites chauffer sur flamenco quelques pésétas bien tendres que vous aurez réduites en poudre à l'aide de trois bonnes et solides casse-tagnettes.

Lorsque la cuisson des choux vous siéra mélangez le tout, passez à travers une mantille et d'une arrosez sauce PICADOR. Vous pouvez accompagner d'un nid d'hirondelle d'Halgo.

Recette féminine

Il s'agit lè d'une recdtte venant de Virginie Préparez avec clémence une julienne bien claire dans une sauce blanche, avant dy faire fondre une rose.

Laissez bien chauffer au bain marie en y ajoutant des pétales de marguerite, des crêpes Suzette, madeleine et une clémentine. Tournez avec constance.

MENUISERIE

Si vous avez une com mode avec quatre tiroirs, voici une méthode pour pour en obtenir de multiples avantages:

1. Enlevez les tiroirs ;
2. Placez-les à côté de la commode;
3. Superposez les tiroirs les uns sur les autres ;
4. mettez une cale de bois de 10 cm entre eux.

Vous avez ainsi la disponibilité de vos tiroirs et aussi de la commode dont vous povez faire un très beau coffre en défonçant le dessus, ou un meuble à étagères,

celles-ci se trouvant aux endroits des tiroirs.

Correction : texte corrigé (en nouvelle orthographe : *pésétas* et *mures*)

RECETTES DE CUISINE

Choux d'Espagne à la sauce Picador

Achetez un kilogramme de choux d'Espagne en vous les faisant envoyer franco. Arrosez-les de rhum en « céro » après les avoir coupés en quatre dans un boléro. Faites chauffer sur flamenco quelques pesetas bien mûres que vous aurez réduites en poudre à l'aide de deux bonnes et solides castagnettes.

Lorsque la cuisson des choux vous siéra, mélangez le tout, passez à travers une mantille et arrosez d'une sauce Picador. Vous pouvez accompagner d'un nid d'hirondelle ou d'un nid d'Halgo.

Recette féminine

Il s'agit là d'une recette venant de Virginie. Préparez avec clémence une julienne bien claire dans une sauce blanche, avant d'y faire fondre une rose.

Laissez bien chauffer au bain-marie en y ajoutant des pétales de marguerite, des crêpes Suzette, une madeleine et une clémentine.

Tournez avec constance.

MENUISERIE

Si vous avez une commode avec quatre tiroirs, voici une méthode pour en obtenir de multiples avantages :

1. Enlevez les tiroirs ;
2. Placez-les à côté de la commode ;
3. Superposez les tiroirs les uns sur les autres ;
4. Mettez une cale de bois de 10 cm entre eux.

Vous avez ainsi la disponibilité de vos tiroirs et aussi de la commode dont vous pouvez faire un très beau coffre en défonçant le dessus, ou un meuble à étagères, celles-ci se trouvant aux endroits des tiroirs.

Alignement des paragraphes

En alinéa

Alinéa zzzz zzz zzzz zzz zzz zzzz zzzz zzz zzzz zz zzzz zzzzz zzzzzzz zzzz zzz zzzz z zzzz zzzzz zzzzzzzz zzzz zzz zzz.

Alinéa zzzz zzz zzzzz zzz zzzz zzzz zzz zzzz zz zzzz zzzzz zzzzzzz zzzz zzz zzzz z zzzz zzzzz zzz zzzz zzz zzz.

Alinéa zzzz zzz zzzz zzz zzzz zzzz zzz zzzz zz zzzz zzzzz zzzzzzz zzzz zzz zzzz zz zzzzz zzzzz zzzzz zzzz zzz zzz.

Centré

Paragraphe zzzz zzz zzzz zzz zzz zzz zzz zzzzzzz zzzzz zzzzzzz zzzz zzz zzzz zzzzzzzzzz zzzzz zzzzzzzz zzzz zzz zzz.

Paragraphe zzzz zzz zzzzz zzz zzzz zz zzzz zzz zzz zz zz zzzz zzzzz zzzzzzz zzzz zzz zzzz z zzzzzzzz zzz zzzz zzz zzz.

Paragraphe zzzz zzz zzzz zzz zzzz zzzz zzzzzzzzzz zzzzz zzzzz zzz zzzzz z zzzz zzzzz zzzzz zzzz zzz zzz.

En drapeau à gauche

Paragraphe zzzz zzz zzz zzz zzz zzz zzz zz zzzz zz zzzz zzzzz zzzzzzz zzzz zzz zzzz zzzz zzzzz zzzzzzzz zzzz zzz zzz.

Paragraphe zzzz zzz zzz zzz zzz zzzz zzz zzzz zz zzzz zzzzz zzzzzzz zzzz zzz zzz zzzz zzzzz zzz zzzz zzz zzz.

Paragraphe zzzz zzz zzzz zzz zzzz zzzz zzz zzzz zz zzzz zzzzz zzzzzzz zzzz zzz zzz z zzzz zzzzz zzzzz zzzz zzz zzz.

Au carré

Paragraphe zzzz zzz zzzz zzz zzz zzzz zzzz zzz zzzz zz zzzz zzzzz zzzzzzz zzzz zzz zzzz z zzzz zzzzz zzzzzzzz zzzz zzz zzz.

Paragraphe zzzz zzz zzzzz zzz zzzz zzzz zzz zzzz zz zzzz zzzzz zzzzzzz zzzz zzz zzzzz z zzzz zzzzz zzz zzzz zzz zzz.

Paragraphe zzzz zzz zzzz zzz zzzz zzzz zzz zzzz zz zzzz zzzzz zzzzzzz zzzz zzz zzzz zz zzzz zzzzz zzzzz zzzz zzz zzz.

En sommaire simple

Paragraphe zzzz zzz zzzz zzz zzz zzzzzz zzzz zzzz zz zzzz zzzzz zzzzzzz zz zzz zzz z zzzz z zzzz zzzzz zzzzzzzz zzzz.

Paragraphe zzzz zzz zzz zzz zzzz zzzzz zzz zzzz zz zzzz zzzzz zzzzzzz zzzzz zzzzz zzzz zzzz zzzzz zzz zzzz zzz zzz.

Paragraphe zzzz zzz zzz zzz zzzz zzzzz zzz zzzz zz zzzz zzzzz zzzzzzz zzzzz zzzzz zzzz zzzz zzzzz zzz zzzz zzz zzz.

En pavé

Paragraphe zzzz zzz zzzz zzz zzz zzzz zzzz zzz zzzz zz zzzz zzzzz zzzzzzz zzzz zzz zzzz zzzz zzzz zzzzz zzzzzz zzz zzz zzzzz zz.

Paragraphe zzzz zzz zzzzz zzz zzzz zzzz zzz zzzz zz zzzz zzzzz zzzzzz zzzz zzz zzzz zz zzzz zzz zzz zzzz zzz zz zzzz zzz zz zzzz.

Paragraphe zzzz zzz zzzz zzz zzzz zzzz zzz zzzz zz zzzz zzzzz zzzzzzz zzzz zzz zzzz z zzzz zzzzzz zzzzz zzzz zzz zz zzzz z zz zzz.

En drapeau à droite

Paragraphe zzzz zzz zzzz zzz zzz zzz zzz zzzz zz zzzz zzzzz zzzz zzzz zzz zzzz z zzzz zzzzz zzzzzzzz zzzz zzz zzz.

Paragraphe zzzz zzz zzz zzz zzzz zzzz zzz zzzz zz zzzz zzzzz zzzzzzz zzzz zzz zzzz z zzzz zzzzz zzz zzzz zzz zzz.

Paragraphe zzzz zzzzz zzzzz zzzz zzz zz zzzz zzz zzzz zz zzzz zzzzz zzzzzzz zzzzzz zzzzz zzzz zzzzz zzzzz zzzz zzz zzz.

Au carré avec rentrée

Paragraphe zzzz zzz zzzz zzz zzz zzzz zzzz zzz zzzz zz zzzz zzzzz zzzzzzz zzzz zzz zzzz zz zzzz zzzzz zzzzzzzz zzzz zzz zzz.

Paragraphe zzzz zzz zzzzz zzz zzzz zzzzz zzz zzzz zz zzzz zzzzz zzzzzzz zzzz zzz zzzz zz zzzz zzzzz zzz zzzz zzz zzz.

Paragraphe zzzz zzz zzzz zzz zzzz zzzz zzzz zzzz zz zzzz zzzzz zzzzzzz zzzz zzz zzzzzzz zz z zzzz zzzzz zzzzz.

Dans toutes ces compositions, on peut utiliser les coupures de mots (césures) ou non. On appelle ici *Alinéa* et *Paragraphe* le fait d'aller à la ligne par la touche **Entrée** (↵).

Je suis heureux de pouvoir vous serrer la main de vive voix.

Détails des alignements

En alinéa

Quand on fait dans Word un retrait de première ligne **positif** au début d'un paragraphe (**Paragraphe > Retrait > De 1re ligne > Positif**), cela s'appelle un *alinéa.* Le texte compris entre deux retraits positifs se nomme aussi *alinéa.* On peut faire un saut de ligne à l'intérieur d'un alinéa. En fait, les mots *alinéa* et *paragraphe* sont synonymes, mais l'alinéa comporte un retrait positif.

En sommaire simple

On fait un retrait de première ligne **négatif** par **Paragraphe > Retrait > De 1re ligne > Négatif.** L'exemple est avec un texte justifié. On peut aussi le faire avec un texte en drapeau à gauche. On appelle cet alignement *sommaire simple,* qui ne comporte généralement pas de signes d'énumération.

Centré

On obtient cet alignement en cliquant sur l'icône **centré** de la barre de mise en forme. Le texte n'est donc pas justifié. On ne fait aucun retrait de première ligne. Il est préférable de ne pas faire de coupure de mots. Pour plus de clarté, on peut mettre un léger espace blanc entre les paragraphes.

En pavé

Toutes les lignes sont pleines. Donc, faire un blanc entre les paragraphes est souhaitable. Cet alignement est très rarement utilisé. Par exemple, un employeur peut vous demander de faire un pavé, quelle que soit la longueur des lignes. Il faut alors faire de nombreux essais en changeant soit le corps, soit la justification. Un exemple de texte en pavé se trouve sur la première de couverture du livre *Lexique des règles typographiques en usage à l'Imprimerie nationale.*

En drapeau à gauche

On obtient cet alignement en cliquant sur l'icône **aligner à gauche** de la barre de mise en forme. Le texte n'est pas justifié. On peut faire un retrait positif de première ligne à tous les paragraphes, mais c'est moins beau. Il est préférable de mettre un blanc entre les paragraphes sans retrait. Cette composition s'appelle aussi **au fer à gauche,** ou **au fer** (en souvenir du fait que les lignes de plomb touchaient le cadre en fer).

En drapeau à droite

On obtient cet alignement en cliquant sur l'icône **aligner à droite** de la barre de mise en forme. Le texte n'est pas justifié. On ne fait pas de retrait positif de première ligne. Il est préférable de ne pas faire de coupure de mots, mais on peut mettre un blanc avant ou après les paragraphes. On appelle aussi cette composition **au fer à droite.**

Au carré

Il n'y a aucun retrait de première ligne. Le texte est justifié, mais on peut aussi le faire en drapeau à gauche. Dans cet alignement au carré, il est conseillé de mettre un blanc avant ou après les paragraphes, afin d'en distinguer le commencement au cas où la dernière ligne du paragraphe précédent serait pleine. Ce livre est composé **au carré,** et il y a en général un blanc de trois points entre les paragraphes.

Au carré avec rentrée

Le premier paragraphe est sans retrait de première ligne. Les paragraphes suivants sont en retrait positif. Après chaque sous-titre, le premier paragraphe sera sans retrait de première ligne. Le texte peut être justifié ou en drapeau à gauche. Généralement, quand on a un retrait positif de première ligne, il est préférable de choisir un alignement justifié.

Énumérations verticales

Les énumérations verticales sont parfois appelées **listes verticales.** Chaque partie peut être précédée soit d'un numéro, soit d'une lettre, soit d'une puce.

✤ Une **puce** (*bullet*) est un signe typographique que l'on utilise devant les parties d'une énumération verticale pour les mettre en valeur. Principales puces : ● ■ ◆ (obtenues notamment dans la police Wingdings).

Ponctuation des énumérations

Capitale initiale aux parties

Si l'on considère que la phrase est interrompue entre la proposition d'introduction et le début de l'énumération, on met une capitale à chaque partie. On utilise de préférence les signes comportant un point (**I. A. 1.**). On met un point-virgule entre chaque partie, quelle que soit la ponctuation interne, et un point final à la fin de l'énumération. Les subdivisions d'une partie, qui forment une énumération secondaire, prennent un bas-de-casse initial et sont séparées par une virgule.

Instructions aux élèves le jour de l'examen :

1. Présentez votre lettre de convocation ;
2. Préparez le matériel nécessaire :
   — papier,
   — crayon,
   — gomme à effacer ;
3. Rassemblez-vous dans la cour. Les numéros des classes vous seront donnés sur place.

Bas-de-casse initial aux parties

Si l'on considère que la phrase n'est pas interrompue entre la proposition d'introduction et le début de l'énumération, on met un bas-de-casse au début de chaque partie. On utilise surtout les signes sans point : **a) 1° —.** La lettre est en italique ou en romain, et la parenthèse est toujours en romain. On peut supprimer le deux-points après *devront*.

Le jour de l'examen, les élèves devront

a) présenter leur lettre de convocation ;
b) préparer le matériel nécessaire :
   — papier,
   — crayon,
   — gomme à effacer ;
c) se rassembler dans la cour. Les numéros des classes seront donnés sur place.

Syntaxe des énumérations

Toutes les parties doivent rester dans la même catégorie grammaticale.

Impératifs	**Infinitifs**	**Noms**
Présentez la lettre	Présenter la lettre	Présentation de la lettre
Rassemblez-vous	Se rassembler	Rassemblement
Ne fumez pas	Ne pas fumer	Interdiction de fumer

Commentaires

L'idée de l'emploi du point-virgule est de montrer que, quand l'énumération s'étend sur plusieurs pages, elle n'est pas finie tant que l'on ne rencontre pas le point final. Mais, si l'énumération s'étend sur une seule page, on peut utiliser un point à la fin de chaque partie qui forme une phrase complète. Dans une annonce en gros caractères dans un journal, un magazine ou une revue, on peut ne rien mettre du tout.

La grammaire ne sert à rien, puisqu'elle est trop compliquée à comprendre.

Notes et appels de note

Note

On appelle *note* la partie qui se met au bas de la page pour expliquer un mot ou une phrase du texte. Elle se compose dans un corps plus petit et elle est généralement séparée du texte par un petit trait, à gauche, d'une longueur d'environ un huitième de la justification. Les notes peuvent aussi se placer en fin de chapitre ou à la fin du livre. (Les **gloses** sont des textes qu'on imprime dans la marge intérieure ou la marge extérieure, en petits caractères, afin de commenter le texte vis-à-vis.)

Appel de note

On désigne par *appel de note* le signe, la lettre ou le chiffre qui se place dans le texte après la partie à expliquer.

Formes de l'appel de note

L'appel de note pourra être : un astérisque, un chiffre supérieur sans parenthèses, un chiffre supérieur entre parenthèses supérieures, ou un chiffre normal entre parenthèses.

texte * texte [2] texte [(3)] texte (4)

Formes de la note

Le signe, le chiffre ou la lettre qui se place au début de la note est suivi d'une espace insécable ou mieux d'un taquet de tabulation, et il doit être le même que celui de l'appel de note correspondant. Toutefois, quand l'appel de note est un chiffre supérieur sans parenthèses, on peut utiliser dans la note un chiffre normal suivi d'un point (voir note 1 page 31).

Choix des appels de note

Travaux scientifiques

On utilise les astérisques dans les travaux scientifiques, parce que les chiffres supérieurs risqueraient d'être confondus avec des exposants. On met un astérisque pour la première note, deux pour la deuxième, trois pour la troisième, avec un maximum de trois par page. Dans ce cas, il faut éviter, dans l'ouvrage, de donner aussi à l'astérisque la signification de *voir ce mot.*

Travaux ordinaires

Dans les travaux ordinaires, on utilisera de préférence les chiffres supérieurs sans parenthèses.

Place et face de l'appel de note

L'appel de note se place **toujours avant la ponctuation,** qu'il se rapporte au mot qui précède ou à la phrase. Le point abréviatif reste toujours collé à l'abréviation (voir le dernier exemple). L'appel de note est détaché du mot qui le précède par une **espace fine** si le logiciel le permet, sinon il est collé au mot. Il reste toujours en romain maigre.

La face de la ponctuation qui suit dépend des règles de la face de la ponctuation présentées à la page 190. Dans l'exemple en gras, l'appel est en romain maigre, et la ponctuation basse qui suit est en gras. Dans l'exemple en italique, si l'on n'a pas l'espace fine, on colle l'appel et la ponctuation haute, qui reste en italique, et l'appel est en romain.

exemple [2]**.** exemple [2] : exemple [2] ? exemple [2])
exemple *, exemple [2] ; exemple [2] » exemple [2]/
exemple [2]... *exemple* [2] *!* exemple [2] — exemple, etc.[2].

✤ Autant que possible, il faut éviter de placer un appel de note dans un titre.

Le croque-mort a enterré sa vie de garçon en buvant une bière.

Livre

Ordre classique de subdivisions

Voici l'ordre classique pour un livre comportant six subdivisions. En français, toutes ces subdivisions portent un nom, qui est donné ici en face du signe d'énumération. Bien noter le point après le signe des trois premières subdivisions. En anglais, les styles sont tirés du livre *Canadian Style,* page 212, et du *Chicago Manual of Style,* page 207. Les trois premières subdivisions sont identiques pour les trois styles.

Style en français	Canadian Style	Chicago Style
I. Chapitre	I. Text	I. Text
A. Section	A. Text	A. Text
1. Article	1. Text	1. Text
a) Paragraphe	a. Text	*a*) Text
1° Alinéa		(1) Text
— Sous-alinéa		(*a*) Text

Ordre numérique international de subdivisions

Voici l'ordre numérique international. Les subdivisions devraient se limiter à quatre.

1.	Chapitre
1.1.	Chapitre 1. Section 1.
1.1.1.	Chapitre 1. Section 1. Article 1.
1.1.1.1.	Chapitre 1. Section 1. Article 1. Paragraphe 1.
1.2.1.	Chapitre 1. Section 2. Article 1.
1.2.2.	Chapitre 1. Section 2. Article 2.
2.	Chapitre 2.
2.1.	Chapitre 2. Section 1.

Papiers

Formats internationaux des papiers

Largeur sur longueur

A1	594 × 841 mm	A4	210 × 297 mm	Letter	215,9 x 279,4 mm
A2	420 × 594 mm	A5	148 × 210 mm	Legal	215,9 x 355,6 mm
A3	297 × 420 mm	A6	105 × 148 mm	Executive	184,1 x 266,7 mm

Qualités des papiers d'impression

Bouffant	Papier sans apprêt, granuleux. Augmente le volume du livre.
Couché	Très lisse et destiné aux impressions fines.
Offset	Destiné à l'impression offset. Il est lisse et non brillant.
Frictionné	Comme l'offset, mais lisse sur une seule face, pour affiches.
Satiné	Papier demi-brillant, doux et lisse sur les deux faces.
Parafiné	Papier d'emballage utilisé pour emballer des aliments.

Cahiers

Un cahier est une grande feuille de papier qui est imprimée, pliée, découpée au format et assemblée, constituant une partie d'un livre. Ce livre contient 7 cahiers de 32 pages.

Plis	Feuillets	Pages	Désignation		Dimensions
1	2	4	in-folio	in-f°	de 355 à 500 mm de haut
2	4	8	in-quarto	in-4	de 255 à 350 mm de haut
3	6	12	in-six	in-6	de 230 à 250 mm de haut
3	8	16	in-octavo	in-8	de 200 à 225 mm de haut
4	12	24	in-douze	in-12	de 120 à 195 mm de haut
4	16	32	in-seize	in-16	moins de 100 mm de haut

Livre : terminologie

Entête ou titre courant

L'entête est un texte qui est répété au haut des pages, souvent sur la même ligne que le folio. Ce texte peut comporter le titre du livre et celui du chapitre sur toutes les pages, ou encore le titre du livre sur les pages paires et celui du chapitre sur les pages impaires. En général, on ne met pas d'entête ni de folio sur la première page d'un chapitre.

Blanc de grand fond et blanc de petit fond

Le blanc de grand fond, ou marge extérieure, est la marge qui se trouve du côté opposé à la reliure du livre. Quant au blanc de petit fond, ou marge intérieure, c'est la marge qui se trouve du côté de la reliure.

Blanc de pied et blanc de tête

Le blanc de pied est la marge du bas, c'est-à-dire la distance entre le bord du papier et la matière imprimée quand la page est pleine, incluant éventuellement le folio. Le blanc de tête, quant à lui, est la marge du haut, soit la distance entre le bord du papier et la matière imprimée quand la page est pleine, incluant l'entête.

Hauteur de page

La hauteur de page est la distance entre la première et la dernière ligne d'une page pleine, excluant l'entête.

Hauteur du rectangle d'empagement

La hauteur du rectangle d'empagement est la distance entre la première et la dernière ligne d'une page pleine, incluant l'entête.

Couverture

Une couverture comporte quatre pages qu'on nomme ainsi : *première de couverture, deuxième de couverture,* etc. La plupart du temps, la deuxième et la troisième ne sont pas imprimées.

Dos ou épine

Le *dos* est la partie contenant la ligne verticale qui peut s'écrire de bas en haut ou de haut en bas. Le terme *épine* (au lieu de *dos*) est un calque de l'anglais *spine,* mais il faut constater qu'il est très employé dans les imprimeries du Québec.

Folios

Ce sont les numéros de pages. Les pages de droite ont des numéros impairs (*belles pages*). Les pages de gauche ont des numéros pairs (*fausses pages*).

Pages de garde

Ce sont des feuilles non imprimées et non numérotées en début et en fin d'un livre.

Tome et volume

Dans l'usage, les termes *tome* et *volume* sont souvent confondus : leur emploi peut varier d'un éditeur à l'autre, voire d'une édition à l'autre.

Tranche

Quand le livre est relié, il faut le couper en épaisseur sur trois côtés (rognage). Chaque côté coupé est une tranche : la *tranche de tête* (en haut), la *tranche de queue* (en bas) et la *tranche de gouttière,* celle qui est opposée au dos. Dans les éditions de luxe, ces tranches sont parfois colorées en or. On dit alors : « livre doré sur tranches ».

Mes ennuis ont commencé quand j'ai planté ma tante au bord de la rivière.

Signification des signes

La plupart de ces signes peuvent être utilisés dans un courriel en format **Enrichi.** Une **puce** (*bullet*) est un signe typographique utilisé devant les parties d'une énumération verticale pour les mettre en valeur.

@	*a* commercial ou arobas
🖃	adresse postale du destinataire
🖂	adresse de retour
∠	angle
≈	approximativement égal à
*	astérisque, multiplié par
✈	avion
🕮	carnet d'adresses
#	carré (sur téléphone)
¢	cent (monnaie)
✂	ciseaux (couper ici)
✓	coche
☑	coche encadrée
≡	congru à
∧	conjonction
⊃	contient
©	copyright, tous droits réservés
[	crochet ouvrant
]	crochet fermant
☒	croix encadrée
°	degré
∅	diamètre
≠	différent de
∨	disjonction
/	divisé par, ou oblique
÷	divisé par
=	égal à
⇔	équivaut à
⊂	est inclus dans
€	euro
«	guillemet ouvrant
»	guillemet fermant
“	guillemet anglais ouvrant
”	guillemet anglais fermant
"	guillemets droits
⇒	implique
∞	infini
∩	intersection
£	livre anglaise
®	marque déposée, ou MD
′	minute d'angle
-	moins et trait d'union
×	multiplié par (chiffres)
⊄	n'est pas inclus dans
¬	négation
†	obèle (décès)
‡	obèle double
⊙	option
§	paragraphe
&	perluète ou esperluette
π	pi (3,1416)
±	plus ou moins
%	pour cent
‰	pour mille
⊗	produit tensoriel
∃	quantificateur existentiel
∀	quantificateur universel
√	racine ou radical
♲	recyclage
∪	réunion
″	seconde d'angle
✍	signature
⊕	somme directe
<	strictement inférieur à
>	strictement supérieur à
→	tend vers la droite
←	tend vers la gauche
↓	tend vers limite du bas
↑	tend vers limite du haut
~	tilde
—	tiret sur cadratin
–	tiret sur demi-cadratin
¥	yen japonais

PRINCIPALES PUCES

■	carré plein
□	carré vide
★	étoile pleine
☆	étoile vide
♦	losange étroit
◆	losange large
●	rond plein
○	rond vide

Saisie

Définition

De plus en plus, les auteurs qui ne connaissent pas la typographie[1] composent leur texte dans un fichier de traitement de texte sur un support (cédérom, clé USB) qu'ils donnent à l'imprimeur pour que ce dernier en fasse la mise en page. L'auteur peut aussi envoyer son fichier à l'imprimeur par courriel. Ce fichier se nomme la **saisie** ou la **copie.** On désigne aussi cette étape la *frappe au kilomètre.*

Barre d'espacement en saisie

On n'utilise jamais la barre d'espacement pour déplacer le curseur (point d'insertion). Pour cela, il faut utiliser les flèches de direction du clavier ou cliquer dans le texte. En dactylographie, la barre d'espacement donnait un espace blanc fixe ; en traitement de texte, elle donne un blanc qui peut varier de largeur quand on compose en texte justifié. Il ne faut donc jamais essayer d'aligner du texte en utilisant la barre d'espacement ; il est préférable d'utiliser une tabulation.

Clavier et accents en saisie

On fournit à l'imprimeur une épreuve imprimée du clavier qu'on utilise en tapant chaque touche, afin qu'il sache où se trouvent les accents sur notre propre clavier. On tape en majuscules, en gras ou en italique tout ce qui doit être imprimé ainsi. On n'utilise jamais la lettre **l** pour désigner le chiffre **1.**

Ligatures en saisie

On doit utiliser la ligature **œ,** sauf dans les mots suivants et leur famille : *groenlandais, moelle* et *moellon*, plus tous les mots avec un préfixe finissant par **o** suivi d'un **e** : *coefficient, coentreprise, coercition, coexistence, écoemballage, gastroentérite,* etc. Pour la ligature **æ,** l'usage est flottant : *curriculum vitae* ou *vitæ,* etc. Les ligatures **ﬁ** et **ﬂ** n'existent pas dans toutes les polices. (Il n'y a pas de règles pour les noms propres.)

Fins de ligne en saisie

On compose le texte en drapeau à gauche (non justifié). On n'appuie pas sur la touche **Entrée** à la fin de chaque ligne, car c'est l'ordinateur qui s'en charge. On appuie sur la touche **Entrée** seulement pour commencer un nouveau paragraphe. On ne coupe pas par un trait d'union les mots en fin de ligne.

Insertion de texte dans une saisie

Pour insérer du nouveau texte, on met le curseur (point d'insertion) à l'endroit désiré et on tape le nouveau texte.

Notes en saisie

On compose toutes les notes en fin de volume. Elles seront placées correctement et au bon endroit par l'imprimeur.

Ponctuation en saisie

On n'utilise pas la barre d'espacement avant **? ! ;** sinon chacun de ces signes risque de se trouver au début de la ligne suivante. Il faut coller ces signes au mot qui les précède, car une espace insécable serait trop grande. Devant **»** et **:** on met une espace insécable. (On obtient l'espace insécable en faisant **Symboles > Caractères spéciaux > Espace insécable.**) Les règles d'espacement de la ponctuation en typographie se trouvent à la page 191.

1. Cette page ne concerne que les personnes qui désirent ne pas s'occuper de typographie et qui comptent sur leur imprimeur pour le faire.

Mon mari sera prochainement opéré d'une hernie fiscale.

Mise en page

La maquette de l'imprimé

Le maquettiste fait d'abord un croquis pour indiquer la position des titres, des textes et des photos. Pour cela, il met un chiffre arabe encerclé sur le croquis afin d'indiquer la position d'un texte, et il met le même chiffre arabe encerclé sur l'épreuve du texte en question. Puis il met une lettre capitale encerclée sur le croquis, et il met la même lettre capitale encerclée à l'arrière de la photo.

Choix de la famille de caractères

Il existe des caractères sans empattements (bâtons) et des caractères avec empattements. On peut mélanger les deux familles dans une page, mais on ne doit pas le faire dans la même ligne. Les caractères sans empattements servent à des textes administratifs et sont à l'abri des modes. Les caractères avec empattements sont plus variés.

Choix de la police

Il y a peu de différence entre les polices de caractères bâtons. Parmi les polices avec empattements, le choix dépend de la préférence. En général, on utilise un caractère bâton pour les titres, et un caractère avec ou sans empattements pour le texte.

Choix de l'œil de la police

Même si elles sont composées dans le même corps, certaines polices paraissent plus grosses que d'autres. Une police d'un œil plus petit n'aura pas besoin d'un interlignage plus grand que le corps, alors qu'une police d'un œil plus gros aura besoin d'un supplément d'interlignage pour faciliter la lecture. Ce paragraphe est composé en Verdana 7 points, mais, comme l'œil du Verdana est très gros, j'ai dû adopter un interligne de 9,6 points pour rendre le texte très lisible.

Graphiques et photos

On utilisera de préférence un format rectangulaire pour les photos. Les visages seront dirigés vers l'intérieur de la page, mais ce n'est pas une obligation. Un graphique doit être placé le plus près possible du texte auquel il se rapporte.

Texte dans la mise en page

On ne doit pas accepter à la fin des lignes justifiées trop de lettres ou de mots semblables, ni de traits d'union à la suite, ni de mot coupé à la fin d'un paragraphe. Le retrait des alinéas doit être proportionnel à la justification. Il sera de 8 à 10 % environ de cette dernière, soit un retrait d'environ 2 picas (0,84 cm) pour des lignes de 20 picas (8,4 cm). Il faut éviter les répétitions d'un même mot, ainsi que les mots banals : *faire, il y a,* etc.

Titres dans la mise en page

Dans un journal ou un magazine, il faut éviter de placer des titres de la même police, de la même taille et de la même face à côté l'un de l'autre, surtout s'il n'y a pas de ligne séparatrice pour les dissocier. Dans un titre centré, la longueur des lignes doit aller en diminuant. Les mots courts (*à, car, de, en, et, il, le, la, ni, or, ou, par, si, sur, un...*) se placent si possible au début d'une ligne plutôt qu'à la fin de la ligne précédente. Un sous-titre doit être plus près du texte qui le suit que de celui qui le précède. On ne met pas de point final dans un titre, même s'il y a une ponctuation à l'intérieur. On peut finir un titre par un point d'interrogation ou d'exclamation.

Choix du corps

Le corps minimal doit être de 10 points pour un roman et de 8 points pour un journal. Plus les lignes sont longues, plus on augmente l'interligne.

Passé simple de faire : je fus, tu fusses, il fut, nous fumons, vous fumez, ils futent.

Annonces encadrées
Les annonces encadrées se placent plutôt au bas des pages. Les filets (bordures) encadrant une annonce doivent être gras si les caractères à l'intérieur du cadre sont gras.

Alignement des sous-titres
Si l'on choisit un alignement justifié pour le texte, les sous-titres pourront être soit centrés, soit à gauche. Si l'on choisit un alignement du texte en drapeau à gauche, les sous-titres devront être à gauche. En général, l'alignement du texte que l'on aura choisi devra rester le même tout le long de l'imprimé ou du livre.

Alignement des tabulations
Quand il y a plusieurs tabulations dans la même page, il faut essayer d'aligner verticalement les taquets de tabulations, ce qui a été fait le plus souvent possible dans ce livre.

Colonnes dans un journal
Quand une colonne sort de la surface qui est couverte par le titre, elle ne doit pas commencer à une place plus haute que le titre. On ne doit pas accepter une ligne creuse en tête d'une colonne. On ne doit pas accepter non plus un début de paragraphe sur la dernière ligne d'une colonne ni d'une page. On doit parfois éviter de finir une colonne par une ligne creuse, pour que le lecteur ne pense pas que l'article est fini. Si la gouttière est étroite, on peut y placer un filet vertical. On appelle **filet** un trait d'une épaisseur (ou **graisse**) variable, ce que Word appelle une *ligne séparatrice.*

Répartition des blancs
Il est très important d'aérer les différents blocs de textes en prévoyant des espaces blancs entre eux. En fait, il vaut mieux réduire au besoin le corps du caractère afin d'augmenter les blancs. Un texte en petits caractères au milieu d'un grand espace blanc attirera davantage l'attention.

Aspect visuel des pages
On doit comparer deux pages en vis-à-vis afin d'en vérifier l'aspect visuel. Il faut vérifier les **lézardes,** les **rues** et les **cheminées** : ce sont des lignes blanches et souvent larges (causées par les espaces entre les mots) qui semblent séparer une portion de texte en deux ou plusieurs morceaux. Les lézardes sont zigzagantes, les rues sont obliques, tandis que les cheminées sont verticales.

Texte en fin de chapitre
La dernière page d'un chapitre doit comporter au moins six lignes de texte.

Titre en fin de page
Quand un titre (ou un sous-titre) se trouve en fin de page, il faut au moins trois lignes de texte au-dessous de lui.

Blanc entre les paragraphes
Quand le texte est composé en alinéas renfoncés, c'est-à-dire que la première ligne est en retrait de un ou plusieurs picas, comme dans un roman, il est inutile d'ajouter du blanc entre les paragraphes. Mais, si la première ligne n'est pas en retrait, il faudra mettre du blanc avant ou après le paragraphe, afin d'en faire ressortir le début.

Veuve et orpheline
Une veuve est la dernière ligne d'un paragraphe qui se trouve au sommet d'une page ou d'une colonne. Une orpheline est la première ligne d'un paragraphe qui se trouve au bas d'une page ou d'une colonne. Dans les deux cas, il faut au moins deux lignes.

Pourriez-vous me dire si mon assurance-vol garantit le vol des antivols?

Marche

La marche (ou *protocole de composition*) est la feuille d'instructions typographiques que le maquettiste donne au compositeur. La marche a remplacé la préparation de copie. Voici celle concernant ce livre. (Le chiffre après l'oblique indique l'interligne en points.)

Mesures de la page

Horizontalement.................... 26 picas
Hauteur de page .... 46 picas (excluant l'entête)

Titres

Titre 1 .... Verdana italique 44 pt centré
Titre 2 .... Verdana 12/13 pt gras centré, esp. av. 0, apr. 10
Titre 3 .... Verdana 8,5/10 pt gras à gauche, esp. av. 10, apr. 1
Titre 4 .... Verdana 7/10 pt gras à gauche, esp. av. 7, apr. 1

Texte

Police.................................. Verdana
Taille................................... 7 pt
Interligne .... 9,6 pt
Supérieures (exposants).......... 5,5 pt, décalage haut 2 pt
Alignement........................... au carré
Exemples .... 7/9,6 pt, retrait de 2 picas à gauche
Notes.................................. 6,5 pt
Index.................................. 6,5/7,6 pt sur 3 colonnes
Table des matières................. 6,5/10,7 pt sur 2 colonnes, 3 niveaux de titres
Perles .... Gill Sans, 9,5 pt dans un cadre en bas de page
Commandes de logiciel........... Futura medium, 7,8 pt
Balises HTML .... Courier New gras, 7,5 pt
Pages justifiées verticalement .. non

Instructions et références

Accents sur les capitales.......... oui, sauf sur les sigles
Coupures successives............. deux au maximum
Mots semblables.................... deux au maximum en fin de ligne
Lettres semblables................. trois au maximum en fin de ligne
Veuves et orphelines.............. aucune
Paragraphes.......................... aucun paragraphe ne s'étend sur deux pages
Toponymie........................... selon la Commission de toponymie du Québec
Féminisation .... selon l'Office québécois de la langue française
Noms propres .... selon *Le Petit Larousse illustré* et le *Dictionnaire Hachette*
Orthographe .... selon *Le Petit Robert,* le *Multidictionnaire de la langue française, Le bon usage* et le *Grand vadémécum de l'orthographe moderne recommandée*
Exemples .... en italique à l'intérieur du texte, en romain sur les lignes séparées

Statistiques comparées

Neuvième édition en 2008

Pages............................... 224
Paragraphes...................... 11 398
Lignes............................. 13 730
Mots 94 367
Caractères........................ 560 428
Entrées d'index 2 117

Dixième édition en 2012

Pages.............................. 256
Paragraphes...................... 12 373
Lignes 14 598
Mots 100 339
Caractères 597 730
Entrées d'index.................. 2 161

Quand on ne veut pas être reconnu, on voyage en coquelicot.

Abréviations

Règles des abréviations

Définition de l'abréviation

Il convient de faire une distinction entre les trois termes suivants.

Abréviation. Une abréviation est la suppression de lettres d'un mot pour le raccourcir.

Symbole. Un symbole est une abréviation d'unité du système international ou d'unité monétaire, chimique, etc. Un symbole s'écrit sans point abréviatif et il est invariable.

Sigle. Un sigle est composé des initiales de plusieurs mots. Il s'écrit en capitales, sans accents, sans espaces, sans traits d'union et sans points abréviatifs. (Un acronyme est un sigle qui se lit comme un mot.)

Emplois des abréviations

On emploie les abréviations partout où la place est limitée, comme dans les petites annonces, les adresses, les notes et les dictionnaires. Dans un texte courant, il faut garder en mémoire qu'un mot abrégé est en quelque sorte une impolitesse (minime, il faut l'avouer) envers le lecteur. À part les titres de civilité, il faut éviter de commencer une phrase par une abréviation. On écrira *Par exemple,* et non *P. ex.*

Formation des abréviations

Par la lettre initiale seule

L'abréviation prend un point abréviatif quand elle n'est pas un symbole du système international d'unités. Elle s'écrit parfois en capitale, parfois en bas-de-casse.

M. (monsieur) v. (voir) t. (tome) t (symbole de tonne)

Par suppression des lettres finales

On utilise un point abréviatif, car la dernière lettre de l'abréviation n'est pas celle du mot entier. On place ce point abréviatif avant une voyelle, le plus souvent la première voyelle rencontrée. Il faut éviter si possible d'avoir dans le même ouvrage deux abréviations identiques pour deux mots différents.

hab. (habitant) ord. (ordinaire) ordonn. (ordonnance)

Par suppression des lettres intérieures

On supprime des lettres à l'intérieur du mot, surtout des voyelles. Il n'y a pas de point abréviatif si la dernière lettre de l'abréviation est celle du mot entier.

tjs (toujours) qqn (quelqu'un) qqch. (quelque chose)

Accents sur les capitales

On met les accents sur les capitales des abréviations.

Éts (Établissements) É.-U. (États-Unis)

Casse des abréviations

La casse des abréviations suit la même règle que celle des capitales.

Antiq. (Antiquité, l'époque) antiq. (antiquité, un objet)

Points abréviatifs

Quand les abréviations sont écrites entièrement ou en partie en bas-de-casse, on met un point abréviatif seulement si la dernière lettre de l'abréviation n'est pas celle du mot entier (à gauche). Quand elles sont écrites entièrement en capitales, on peut les écrire avec ou sans points abréviatifs (à droite).

qqf. (quelquefois), Sté (société) S.V.P. ou SVP

Homme sans histoires recherche éditeur pour devenir écrivain.

Espacement des abréviations

- Les abréviations dont les éléments n'ont **qu'une lettre** (qu'ils soient écrits en capitales ou en bas-de-casse) ne prennent pas d'espace entre les éléments.

C.P.	(case postale)	n.m.	(nom masculin)
E.V.	(en ville)	s.l.n.d.	(sans lieu ni date)

La méthode qui consiste à mettre une espace insécable entre les éléments ne comportant qu'une lettre tend à disparaitre parce que, si l'on utilise par erreur une espace normale, l'abréviation risque de se trouver sur deux lignes.

Exception : On met une espace insécable entre deux prénoms distincts abrégés.

P. E. Trudeau (Pierre Elliott Trudeau)

- Les abréviations dont au moins un des éléments n'a **pas qu'une lettre** (qu'ils soient écrits en capitales ou en bas-de-casse) prennent une espace entre les éléments.

C. pén.	(Code pénal)	dr. pén.	(droit pénal)
LL. AA.	(Leurs Altesses)	p. ex.	(par exemple)

Lettres supérieures ou exposants

On appelle *lettres supérieures,* ou *supérieures,* ou *exposants* les lettres de taille plus petite qui se placent en haut. (On appelle *indices* les signes ou lettres qui se placent en bas : H_2O.) Les parties finales des abréviations dont la dernière lettre est celle du mot entier s'écrivent de préférence en lettres supérieures.

✣ On doit toujours mettre en lettres supérieures les terminaisons qui se prononcent comme un mot et celles des rangs.

Cie M^{e} 3es r^{te} *ou* rte b^{d} *ou* bd S^{té} *ou* Sté

✣ On n'utilise pas le degré à la place de la lettre *o* en exposant, *secundo* et *numéro* ci-dessous.

2° (*et non :* 2°) n^{o} (*et non :* n°)

Pluriel et féminin des abréviations

Généralement, les abréviations sont invariables.

bull. (bulletins) mod. (modernes) art. (articles) lat. (latin, latine)

Certaines abréviations, particulièrement celles dont la dernière lettre est celle du mot entier, prennent la marque du pluriel. Les abréviations de fonctions au pluriel (*D^{rs}, D^{res}, p^{rs}, p^{res}*) sont peu utilisées. Il est préférable d'écrire le mot au long, avec un bas-de-casse initial : *J'ai vu les docteurs Dubé et Duc.*

1er	1ers	1re	1res	2^{e}	2^{es}	n^{o}	n^{os}
M^{e}	M^{es}	Cde	Cdes	r^{te}	r^{te}	2^{d}	2^{ds}

✣ Les parties finales ci-dessus qui sont en bas-de-casse, supérieures ou non, restent **toujours en bas-de-casse,** même dans un texte tout en capitales.

LE 1er COUREUR LE Dr DUPONT LES BILLETS N°s 7 ET 8

Ponctuation des abréviations

Le point abréviatif s'efface devant le point final et les points de suspension, mais il se maintient devant les autres ponctuations. On n'a jamais deux ni quatre points de suite.

Nous notons le lieu, la date, etc.
Voulez-vous noter le lieu, la date, etc. ?

Il faut utiliser l'abréviation *hab...*

Selon la tendance actuelle, les abréviations de *copie conforme, pièces jointes, post-scriptum et nota bene* s'écrivent en capitales, sans espace et sans points abréviatifs. Elles sont suivies soit d'un deux-points, soit d'un tiret long ou court. Le texte qui les suit commence par une capitale.

CC : M. Léo Roy (*ou :* CC — M. Léo Roy) PJ : Rapport... (*ou :* PJ — Rapport...)
PS : Merci encore pour votre... (*ou :* PS — Merci encore pour votre...)

Le tuyau d'échappement d'une auto s'appelle le « tuyau-texas ».

Abréviations courantes

Sans être une faute, l'écriture des sigles avec des points se perd lentement. Les abréviations sont invariables, sauf celles dont le féminin et le pluriel sont indiqués.

à reporter .... à/r.
à vue .... à/v.
accusé de réception .... A/R
acompte .... ac.
adjectif .... adj.
adresse .... adr.
adverbe .... adv.
ancien .... anc.
anglais .... angl.
année-lumière .... a.l.
annexe .... ann.
appartement .... app.
après Jésus-Christ .... apr. J.-C.
archives .... arch.
article .... art.
association .... assoc.
assurance .... ass.
aujourd'hui .... auj.
auteur .... aut.
aux soins de, au soin de .... a/s de
avant Jésus-Christ .... av. J.-C.
avenue .... av.
avis d'inscription .... AI
avis de paiement .... AP
bande dessinée .... BD
billet de banque .... B/B
bon chic bon genre .... BCBG
bon pour euros .... BP€
boulevard .... boul., bd
bulletin .... bull.
c'est-à-dire .... c.-à-d.
canton .... cant.
capitale (*majuscule*) .... cap.
caractère .... car.
ce qu'il fallait démontrer .... CQFD
chapitre .... chap.
chemin .... ch.
circulaire .... circ.
Code civil .... C. civ.
Code pénal .... C. pén.
collection .... coll.
colonne .... col.
commande, commandes .... Cde, Cdes
compagnie .... Cie
comptabilité .... compt.
comptable agréé .... CA, c.a.
compte courant .... c/c
compte nouveau .... c/n
compte ouvert .... c/o
contre (*en langue juridique*) .... c.
contre remboursement .... CR
copie conforme .... CC, c.c.
cuillère à café .... c. à c.
curriculum vitae CV
date .... d.
densité .... dens.
département .... dép.
deuxième, deuxièmes 2e, 2es
deuxièmement, secundo 2o
diplômé par le gouvernement .... DPLG
directeur, direction .... dir.
dito .... do
divers .... div.
document .... doc.
douzaine .... dz.
droit pénal .... dr. pén.
édifice .... édif.
éditeur .... édit.
édition .... éd.
en ville .... EV, E.V.
entièrement .... ent.
environ .... env.
équivalent .... équiv.
espèce .... esp.
établissements .... Éts
étage .... ét.
exception .... exc.
exclusivement .... excl.
exemple .... ex.
expéditeur .... exp.
facture .... fact.
faire suivre .... FS
fascicule .... fasc.
figure .... fig.
finance .... fin.
folio .... fol.
frais généraux .... FG
français (*adjectif*) .... fr.
franco .... fco
franco à bord .... FAB
général .... gén.
géographie .... géogr.
gouvernement .... gouv.
gras .... gr.
habitant .... h., hab.
histoire littéraire .... hist. litt.
hors commerce .... h.c.
hors service .... HS
hors texte (*préposition*) .... h.t.
hors-texte (*nom masculin*) .... h.-t.
immeuble .... imm.
inclusivement .... incl.

Une montre est divisée en douze fuseaux horaires d'égale intensité.

indirect .... ind.
individuel .... indiv.
information .... inf., info
informatique .... inform.
intérêt .... int.
international .... intern.
introduction .... introd.
italique .... ital.
judiciaire .... jud.
juridique .... jur.
largeur .... larg.
latin .... lat.
lettre de crédit LC
lettre de transport aérien .... LTA
lettre de voiture LV
linguistique .... ling.
livraison .... livr.
livre (*ouvrage*) .... liv.
locution .... loc.
longueur .... long.
manquant .... mq.
manuscrit, manuscrits .... ms, mss
maximal, maximum .... max.
mémoire .... mém.
mensuel .... mens.
message .... mess.
métrique .... métr.
minimal, minimum .... min.
mois .... m.
non déterminé .... n.d.
nota bene .... *NB,* N.B.
note de l'auteur .... NDA
note de la rédaction .... NDLR
note du traducteur .... NDT
notre référence .... N/Réf.
nouveau .... nouv.
ordonnance .... ordonn.
page, pages .... p.
par exemple .... p. ex.
par extension .... p. ext.
par intérim .... p.i.
par ordre .... p.o.
par procuration .... p.p.
paragraphe .... paragr., §
parce que .... p.c.q.
pièce jointe .... PJ, p.j.
place (toponyme) .... pl.
port dû .... PD
port payé .... PP
possible .... poss.
postscriptum .... PS, P.-S.
poste restante .... PR
pour .... pr
premier, premiers .... 1er, 1ers
première, premières .... 1re, 1res
premièrement, primo .... 1°

président-dir. général .... PDG, pdg
prix fixe .... PF
procès-verbal (*amende*) .... PV
programme .... progr.
quantité, quantités .... qté, qtés
quelqu'un .... qqn
quelque chose .... qqch.
quelquefois .... qqf.
quelques .... qq.
question .... Q.
quotient intellectuel .... QI
recommandé .... R/
référence .... réf.
répondez, s'il vous plait .... RSVP
réponse .... R.
résumé .... rés.
rez-de-chaussée .... RC
route .... r^{te}, rte
route nationale .... RN
sans date .... s.d.
sans lieu ni date .... s.l.n.d.
sans nom .... s.n.
sans objet .... s.o.
sans valeur .... s.v.
sauf erreur ou omission .... s.e.o.
second, seconde .... 2^{d}, 2^{de}
seconds, secondes .... 2^{ds}, 2des
section .... sect.
secundo .... 2°
semaine .... sem.
semestre .... sem.
siècle .... s.
s'il vous plait .... SVP, s.v.p.
société (*raison sociale*) .... Sté, $S^{té}$
succursale .... succ.
suivant .... suiv.
tarif spécial .... TS
taxe à la valeur ajoutée .... TVA
taxe de vente du Québec .... TVQ
taxe sur produits et services .... TPS
télécopie, télécopieur .... téléc.
téléphone .... tél.
téléphone cellulaire .... tél. cell.
tome .... t.
toujours .... tjs
tournez, s'il vous plait .... TSVP
toutes taxes comprises .... TTC
train à grande vitesse .... TGV
trimestre .... trim.
version originale .... VO
verso .... v^{o}
versus (*sauf en langue jur.*) .... vs
voir .... v. ou V.
voir aussi .... v.a.
volume .... vol.
votre ordre .... V/O

Cet été, à la mer, j'ai couru après une miette, mais elle s'est envolée.

Dates

Date écrite en lettres

Les noms du jour et du mois s'écrivent avec un bas-de-casse. Le quantième du jour (le 9 dans *9 avril*) et l'année s'écrivent en chiffres. On ne met pas de 0 devant un chiffre seul. L'article **le** se place avant le nom du **jour.**

La réunion a eu lieu le lundi 9 avril. (*et non :* lundi 09 avril)

✤ L'article **le** ne se place pas après le nom du jour.

le lundi 9 avril 2012 (*et non :* lundi, le 9 avril 2012)

Date écrite en chiffres

Domaine d'application

En principe, une date écrite toute en chiffres est réservée aux tableaux. Un moment précis à une seconde près est constitué des éléments suivants, dans cet ordre :

année, mois, jour, heure, minute, seconde

Nombre de chiffres

L'année est représentée par quatre chiffres et les autres éléments par deux chiffres. (Pour éviter toute confusion, il n'est pas conseillé d'écrire l'année avec deux chiffres.) En cas d'un chiffre inférieur à 10, on met un 0 (zéro) devant lui.

Numérotage des heures

Les heures sont numérotées de 00 à 24. Celles de 00 à 11 désignent le matin et celles de 12 à 24 désignent l'après-midi et la soirée. La journée débute à 00:00 (minuit) et elle finit à 24:00 (soit 00:00 du jour suivant).

21:30 à 22:00 Rangement du matériel
22:00 à 24:00 Ménage de l'immeuble

Secondes décimales

Après les secondes, on utilise les dixièmes, les centièmes ou les millièmes de seconde, précédés de la virgule décimale. Les dixièmes sont désignés par un seul chiffre, les centièmes par deux chiffres et les millièmes par trois chiffres.

12,3 (12 s 3 dixièmes) 12,03 (12 s 3 centièmes) 12,457 (12 s 457 millièmes)

Séparateurs

Entre les éléments des années, mois, jours, on met un trait d'union. On peut aussi remplacer les traits d'union par des espaces insécables, ou ne pas mettre d'espaces du tout. Word lit les deux premiers comme des *dates,* le troisième comme un *numérique,* et il fera le tri sans difficulté. Toutefois, l'écriture avec les traits d'union est la plus lisible, la plus rapide et la plus universelle. Voici trois façons d'écrire, par exemple, le 24 juin 2012 :

2012-06-24 2012 06 24 20120624

À la date, on peut accrocher l'heure et ses subdivisions. Entre les heures et les minutes, ainsi qu'entre les minutes et les secondes, on met un deux-points, sans espaces.

24 juin 2012 à quinze heures deux minutes neuf secondes trois millièmes
s'écrit :
2012-06-24-15:02:09,003

De cette façon, toute date postérieure (ne serait-ce que de **un** jour ou de **un** millième de seconde) est représentée par un nombre plus grand, et toute date antérieure est représentée par un nombre plus petit (ce qui ne serait pas le cas si l'on écrivait dans l'ordre jour-mois-année : 24-06-2012).

Et maintenant, ce n'est plus le juge qui vous interroge, c'est l'honnête homme.

Heures

Heure pour un moment précis

On utilise le symbole **h** (précédé d'une espace insécable) dans un texte courant et on applique le système des 24 heures, que l'on écrit **en chiffres.** On place un zéro devant les minutes si le chiffre est inférieur à 10, cela afin d'éviter toute confusion. Si l'heure ne comporte pas de minutes, on ne mentionne pas 00 et on peut écrire le mot *heures* en toutes lettres. Quand l'heure comporte des minutes, le symbole **h** est suivi d'une espace insécable. On n'utilise pas le symbole *min* dans ce cas.

> La réunion a eu lieu le jeudi 8 mars 2012 à 18 h (ou 18 heures).
> Les réunions ont eu lieu le jeudi 8 mars 2012 à 9 h et à 16 h à la mairie.
> Les réunions ont eu lieu le jeudi 8 mars 2012 à 9 h 05 et à 16 h 05 à la mairie.
> (*Certains préconisent* 9 h 5 *et* 16 h 5, *qui peuvent porter à confusion.*)

On utilise le deux-points (**:**), qui est la marque des soixantièmes, dans les tableaux. On peut aussi supprimer le deux-points. Les heures et les minutes ont deux chiffres.

> Bruxelles 06:00 (*ou* 0600) Porte 3

Heure pour une durée

Si le nombre est entier et est **entre un et neuf** inclus, on l'écrit **en lettres** ; on l'écrit en **chiffres à partir de 10.** Le mot *heures* ne s'abrège pas lorsqu'il indique la durée.

> La course a duré six heures en tout. La course a duré 18 heures en tout.

Si le nombre est complexe (comprenant des minutes), on l'écrit tout en chiffres et on utilise les symboles de temps, sans mettre de zéro devant les unités ni de virgules.

> La course a duré 6 h 5 min en tout. La course a duré 18 h 4 min en tout.

Dans les **sports,** la tendance est d'écrire les durées de temps comme les moments précis, c'est-à-dire dans les formes avec les deux-points. Cela prend moins de place.

> *Au lieu d'écrire :* 1. Jean Dupont ...... 2 h 3 min 12 s 6/100
> *on peut écrire :* 1. Jean Dupont 02:03:12,06

Heure exprimée avec des mots

Quand l'heure est exprimée avec les mots *demi, quart, trois quarts, midi* et *minuit,* les nombres s'écrivent en lettres. Le mot *heure* ne s'abrège pas.

> La réunion a commencé à dix heures moins le quart et s'est terminée vers onze heures et demie. Elle a donc duré une heure trois quarts. La prochaine réunion commencera à midi trente.

Erreurs à éviter

- 9h15 Tous les symboles doivent être séparés du nombre par une espace insécable. Si l'on met des espaces normales, on risque une séparation en fin de ligne.
- 9 H 15 Le *H* est le symbole de *henry,* unité de mesure d'inductance électrique.
- 9 h. 15 Le *h* est un symbole, donc il doit s'écrire sans point abréviatif.
- Les écritures *hr, hrs, hre, hres* sont fautives, de même que les termes *a.m.* et *p.m.,* qui sont des anglicismes.

Heure décimale

Pour transformer des heures et des minutes en heures et minutes décimales, on se sert de cette formule : minutes / 60 + heures (à droite). Par exemple :

> 8 h 15 min 15 / 60 + 8 = 8,25

Ex. : un travail de 9 h 45 min à 32,95 $/h = 45 / 60 + 9 = 9,75 * 32,95 = 321,26 $.

Madame, mademoiselle, monsieur

Ces titres sont des **titres de civilité.** On utilise le titre de *madame* pour toute femme, mariée ou non. Quand on s'adresse aux femmes, qu'elles soient mariées ou célibataires, on utilise *madame* plutôt que *mademoiselle.* On ne peut employer l'abréviation des titres de civilité que si ces titres sont suivis du nom ou de la fonction de la personne. On utilise de préférence les lettres supérieures (*Mme, Mmes*) quand c'est possible. Sinon, dans un texte courant ou dans un courriel, on peut utiliser les formes *Mme, Mmes.*

M. monsieur Mme madame MM. messieurs Mmes mesdames

Méthode Ramat

On écrit .... **Madame – Monsieur**
dans une adresse .... Monsieur Raoul Dupont, 23, rue Durand
dans un fairepart........................ Madame Ève Blais et Monsieur Luc Dubé...
au début d'un titre d'œuvre .... J'ai lu *Madame Bovary.*
s'il s'agit d'un personnage célèbre.. C'est un film sur Madame de Pompadour.

On écrit .... **madame – monsieur**
quand on parle de la personne ...... J'ai vu madame Li. (*travaux soignés, correspondance*)
quand on s'adresse à la personne .. Veuillez recevoir, madame, mes... (*correspondance*)
dans les constructions de politesse Non, monsieur, je n'ai pas vu madame. (*dialogue*)
quand après un article ou un adjectif Ce monsieur est mon oncle. C'est un beau monsieur.

On écrit .... **Mme – M.**
quand on parle de la personne ...... J'ai vu Mme Li. (*travaux ordinaires, correspondance*)
à l'intérieur d'un titre d'œuvre....... J'ai vu le film *Les palmes de M. Schutz.*

On écrit la fonction toujours avec un bas-de-casse initial
quand placée avant le nom .... J'ai vu la présidente Annie Gagnon.
quand placée après le nom .... Paul Simard, trésorier, était présent.
quand on parle de la personne ...... J'ai rencontré madame la directrice.
quand on s'adresse à la personne .. Veuillez agréer, monsieur le directeur, mes... (*corresp.*)

Méthode traditionnelle (trad.)

Cette méthode fait l'exception suivante : quand il s'agit de **correspondance** et que l'**on s'adresse à la personne,** on met une **capitale** initiale au titre de civilité et à la dénomination de fonction. Dans une lettre, on utilise la même formule dans l'appel (1.), le corps de la lettre (2.) et la salutation (3.).

1. Madame la Présidente,
2. Je vous informe, Madame la Présidente, que j'en ai parlé à madame Dupont.
3. Veuillez agréer, Madame la Présidente, mes respectueuses salutations.

Les règles de la méthode traditionnelle sont compliquées quand il s'agit de faire preuve de déférence. Pourtant, le fait d'écrire le titre de civilité *madame* ou *monsieur* au long, comme la méthode Ramat le propose, est déjà un signe de politesse. Il est donc inutile d'y ajouter une capitale. De plus, on se demande pourquoi on devrait être poli si l'on s'adresse à la personne, et moins poli si l'on parle d'elle. Voici le même exemple, selon la **méthode Ramat** :

1. Madame la présidente,
2. Je vous informe, madame la présidente, que j'en ai parlé à madame Dupont.
3. Veuillez agréer, madame la présidente, mes respectueuses salutations.

Avantages de la méthode Ramat

La méthode Ramat ne fait pas d'exception pour la correspondance. Qu'il s'agisse d'une lettre, d'une lettre à l'éditeur, d'un courriel, d'une note de service, d'un discours, d'un dialogue dans un roman ou dans une pièce de théâtre, la règle est la même partout quand on s'adresse à la personne. Cette méthode évite toute discrimination quant au rang des personnes à qui l'on s'adresse. Elle uniformise aussi l'écriture des fonctions. Enfin, cette méthode est semblable à celle du *Lexique des règles typographiques en usage à l'Imprimerie nationale,* ouvrage qui fait autorité dans les pays francophones[1].

Voici des phrases écrites selon la méthode traditionnelle

Quand on s'adresse à la personne : au long avec capitale initiale partout.
Quand on parle de la personne : abréviation du titre, et bas-de-casse à la fonction.
Les capitales changent selon que l'on s'adresse à la personne ou que l'on parle d'elle.

> Je vous informe, Monsieur le Premier Ministre du Canada, que j'ai rencontré M. le premier ministre de Belgique. Je lui ai dit : « Je vous assure, Monsieur le Premier Ministre de Belgique, que M. le premier ministre du Canada vous estime beaucoup. »
>
> Je vous informe, Monsieur, que madame est sortie.
>
> Veuillez agréer, Monsieur le Directeur, les salutations de Mme la présidente.

Voici les mêmes phrases écrites selon la méthode Ramat

Dans un travail soigné, le titre de civilité et la fonction s'écrivent au long, avec des bas-de-casse partout, que l'on s'adresse à la personne ou que l'on parle d'elle.

> Je vous informe, monsieur le premier ministre du Canada, que j'ai rencontré monsieur le premier ministre de Belgique. Je lui ai dit : « Je vous assure, monsieur le premier ministre de Belgique, que monsieur le premier ministre du Canada vous estime beaucoup. »
>
> Je vous informe, monsieur, que madame est sortie.
>
> Veuillez agréer, monsieur le directeur, les salutations de madame la présidente.

Dialogues

Dans les dialogues d'un roman, les deux méthodes sont les mêmes : bas-de-casse initial aux titres de civilité et aux fonctions quand on s'adresse à la personne.

> — Veuillez entrer, madame la directrice, dit-il poliment.
> — Merci, monsieur, vous êtes bien aimable, répondit-elle.

---

1. **Imprimerie nationale** (imprimerie officielle du gouvernement français), *Lexique des règles typographiques,* page 119 :

   Les termes *monsieur, madame, mademoiselle* s'écrivent au long avec une initiale bas-de-casse quand on s'adresse à la personne (dialogues, discours et lettres).

   > Bonjour, monsieur le maire.
   > Je vous écoute, madame.
   > Je voudrais en terminant, mesdames et messieurs, vous dire...
   > Veuillez agréer, monsieur, l'expression...

Sigles et acronymes

Définition

En général, un sigle est un groupe de lettres initiales de plusieurs mots. On prononce séparément toutes les lettres. Un acronyme est un sigle qui peut se prononcer comme un mot ordinaire. Il n'existe pas de règle stricte pour la composition d'un sigle. En effet, un sigle n'est pas toujours formé des seules lettres initiales d'un groupe de mots. On peut y ajouter des lettres pour faciliter la prononciation et en faire ainsi un acronyme. On peut aussi utiliser des bas-de-casse. Il est donc possible de dire que le possesseur d'un sigle ou d'un acronyme en détient la propriété artistique et commerciale.

Sigles : OQLF, BNQ, HEC, BAnQ   Acronymes : AEEScO, OPEP, NASA, ONU

Écriture des sigles français ou étrangers

- Casse : en général, tout en capitales ou en petites capitales
- Points abréviatifs : non
- Espace entre les lettres : non
- Traits d'union : non
- Accents : non

AFP Agence France-Presse   CEI Communauté d'États indépendants

Écriture des acronymes français ou étrangers

Acronyme tout en capitales

Dans ce cas, les acronymes suivent les mêmes règles que les sigles, règles qui sont données ci-dessus (pas d'accents, pas de traits d'union).

AFEAS	Association féminine d'éducation et d'action sociale
ALENA	Accord de libre-échange nord-américain
CELI	Compte d'épargne libre d'impôt

Acronyme en bas-de-casse avec capitale initiale

Quand l'acronyme est très connu et qu'il ne figure pas dans une liste avec des sigles, on peut l'écrire en bas-de-casse avec une capitale initiale, sans traits d'union. Dans ce cas, on met les accents sur cet acronyme (même sur la capitale initiale) afin qu'il soit prononcé selon les règles d'accentuation françaises, sans tenir compte des accents des mots quand ces derniers sont écrits au long.

Écrire	**(et non)**	
cégep	(cegep)	Collège d'enseignement général et professionnel
Céli	(Celi)	Compte d'épargne libre d'impôt
modem	(modém)	Modulateur démodulateur
Sacem	(Sacém)	Société des auteurs, compositeurs et éditeurs de musique
Éna	(Ena)	École nationale d'administration

Conseils sur l'emploi des sigles et des acronymes

- Ils n'ont a pas de marque du pluriel : *les PDG, les REER, les FERR, les PME.*
- Ils ont le même genre que la dénomination : *une PME, un REER, la STM, le SPVM.*
- La première fois qu'on emploie un sigle, il faut donner sa signification :
  La Société de transport de Montréal (STM).
- Il est conseillé de faire une entrée du sigle dans l'index de l'ouvrage.
- Si les sigles sont nombreux, il faut en dresser la liste au début de l'ouvrage.
- La ligature Œ s'écrit O dans un sigle : *l'Association d'œnologie du Chili (AOC).*
- L'article est obligatoire devant une dénomination :
  Je suis allée à la Bibliothèque des arts graphiques (BAG).

  Une exception cependant est faite dans la dénomination de la BAnQ :
  Les éditions du Septentrion et Bibliothèque et Archives nationales du Québec...

Patronne de restaurant cherche cuisinier pour passer à la casserole.

Exemples de sigles

AAGQ	Association des arts graphiques du Québec
ADN	Acide désoxyribonucléique
AELE	Association européenne de libre-échange
AIEA	Agence internationale de l'énergie atomique
BAnQ	Bibliothèque et Archives nationales du Québec (*raison sociale exacte*)
BLT	Bacon, laitue, tomate
CEE	Communauté économique européenne
CLSC	Centre local de services communautaires
CRTC	Conseil de la radiodiffusion et des télécommunications canadiennes
EEE	Espace économique européen
FBI	Federal Bureau of Investigation
FMI	Fonds monétaire international
GES	Gaz à effet de serre
GQMNF	Groupe québécois pour la modernisation de la norme du français
HEC	École des hautes études commerciales de Montréal (HEC Montréal)
IBM	International Business Machines
MLF	Mouvement de libération des femmes
NAS	Numéro d'assurance sociale
OCDE	Organisation de coopération et de développement économiques
OEA	Organisation des États américains
OGM	Organisme génétiquement modifié
OQLF	Office québécois de la langue française
PMR	Personne à mobilité réduite
RRQ	Régie des rentes du Québec
UdeM	Université de Montréal
VDFR	Virage à droite au feu rouge
VUS	Véhicule utilitaire sport

Exemples d'acronymes

ACDI	Agence canadienne de développement international
Acfas	Association francophone pour le savoir
AEEScO	Association des étudiants et des étudiantes en sciences de l'orientation
AFEAS	Association féminine d'éducation et d'action sociale
ALENA	Accord de libre-échange nord-américain
CILF	Conseil international de la langue française
FERR	Fonds enregistré de revenu de retraite
INSEE	Institut national de la statistique et des études économiques
ISO	Organisation internationale de normalisation
LICRA	Ligue internationale contre le racisme et l'antisémitisme
MIDEM	Marché international du disque et de l'édition musicale
NIP	Numéro d'identification personnel
ONU	Organisation des Nations Unies (*écriture exigée par l'Organisation*)
REA	Régime enregistré d'épargne-actions
REER	Régime enregistré d'épargne-retraite
UNESCO	Organis. des Nations Unies pour l'éducation, la science et la culture
UNICEF	Fonds des Nations Unies pour l'enfance
UQAM	Université du Québec à Montréal
ZLEA	Zone de libre-échange des Amériques

Acronymes devenus noms communs

sida	syndrome immunodéficitaire acquis	plur. : sidas
cégep	collège d'enseignement général et professionnel	plur. : cégeps
modem	modulateur démodulateur	plur. : modems
ovni	objet volant non identifié	plur. : ovnis

Aux championnats de ski, les descendeurs cherchent à remonter la pente.

Système international d'unités

Définition

La dénomination **système international d'unités** et son sigle **(SI)** ont été adoptés par la 11e Conférence générale des poids et mesures pour désigner le système d'unités défini et reconnu par ce même organisme. (Bureau de normalisation du Québec, norme NQ 9990-901, 1992-10-10.)

Virgule décimale

En français, on doit utiliser la virgule décimale et non le point.

Symboles d'unités

On appelle *symboles* les abréviations du système international d'unités (SI) ainsi que les abréviations d'unités hors SI admises.

m (mètre) g (gramme) l ou L (litre) min (minute)

Noms d'unités écrits au long

On met un bas-de-casse initial. Le pluriel se forme normalement.

des grammes des centimètres des litres des kilomètres
des becquerels des newtons des henrys des ohms

Place des symboles

Si l'unité appartient au système décimal, on doit placer le symbole après le nombre complet (exemple de gauche). Si l'unité n'appartient pas au système décimal, on place le symbole à l'intérieur des chiffres, avec des espaces insécables (exemple de droite).

2,75 m 3 h 20 min 40 s

Point abréviatif dans les symboles

On ne met pas de point abréviatif à la fin d'un symbole. On met un point final si le symbole est à la fin de la phrase.

Ce tissu mesure 1,75 m en tout. Ce tissu mesure 1,75 m.

Pluriel des symboles

Les symboles ne prennent jamais la marque du pluriel.

17 m 100 kg 350 ml 14 °C

Casse des symboles

Les symboles s'écrivent avec un bas-de-casse initial, sauf si le symbole tire son origine d'un nom propre. En principe, on ne change pas leur casse dans un texte en capitales. De toute façon, je ne conseille pas d'écrire un paragraphe tout en capitales (voir page 79).

s (seconde) g (gramme) N (newton) A (ampère)

Face des symboles

Certains symboles sont en romain (caractère droit) ; d'autres sont en italique. La face du symbole ne doit pas changer, quelle que soit la face du contexte. (S'il n'y a pas de risque de confusion, on peut ne pas appliquer cette règle.)

m mètre *m* masse (*en mécanique*)

Espacement des symboles

On met une espace insécable entre le nombre et le symbole.

25 cm 10 kg

Emploi des symboles

On emploie un symbole seulement s'il est précédé d'un nombre écrit en chiffres. Si le nombre est écrit en lettres, on écrit l'unité au long.

10 km (*et non :* dix km) dix kilomètres, une dizaine de kilomètres

Si le nombre est entier, on peut utiliser le symbole ou bien écrire l'unité au long. Si le nombre n'est pas entier (avec des décimales), il est préférable d'utiliser le symbole.

20 kg *ou* 20 kilogrammes 20,5 kg

Universalité des symboles

Les symboles des sept unités de base du système international d'unités (mètre, kilogramme, seconde, ampère, kelvin, mole et candéla) ainsi que leurs multiples et sous-multiples sont les mêmes dans toutes les langues.

Multiples et sous-multiples décimaux

Le préfixe		signifie	par rapport à l'unité, il est	
exa	E	trillion	1 000 000 000 000 000 000	de fois plus grand
péta	P	mille-billions	1 000 000 000 000 000	de fois plus grand
téra	T	billion	1 000 000 000 000	de fois plus grand
giga	G	milliard	1 000 000 000	de fois plus grand
méga	M	million	1 000 000	de fois plus grand
kilo	k	mille	1 000	fois plus grand
hecto	h	cent	100	fois plus grand
déca	da	dix	10	fois plus grand
			1	unité
déci	d	dixième	10	fois plus petit
centi	c	centième	100	fois plus petit
milli	m	millième	1 000	fois plus petit
micro	µ	millionième	1 000 000	de fois plus petit
nano	n	milliardième	1 000 000 000	de fois plus petit
pico	p	billionième	1 000 000 000 000	de fois plus petit
femto	f	millibillionième	1 000 000 000 000 000	de fois plus petit
atto	a	trillionième	1 000 000 000 000 000 000	de fois plus petit

Préfixes des symboles

Les préfixes sont énumérés dans le tableau ci-dessus. On les place **devant** les symboles d'unité, sans espace, pour former les multiples et les sous-multiples. On ne peut **jamais** employer un préfixe seul. On ne peut évidemment pas ajouter un **préfixe devant un préfixe** (par exemple, on ne peut pas écrire *kkm* pour exprimer *1000 km*).

Dans le tableau ci-dessous, la première colonne est le préfixe, la deuxième est l'unité.

c	g	=	cg	=	1/100 de gramme	=	1 centigramme
c	l	=	cl	=	1/100 de litre	=	1 centilitre
c	m	=	cm	=	1/100 de mètre	=	1 centimètre
k	g	=	kg	=	1000 grammes	=	1 kilogramme
k	m	=	km	=	1000 mètres	=	1 kilomètre
k	o	=	ko	=	1000 octets	=	1 kilooctet
m	m	=	mm	=	1/1000 de mètre	=	1 millimètre
m	g	=	mg	=	1/1000 de gramme	=	1 milligramme
m	l	=	ml	=	1/1000 de litre	=	1 millilitre
M	o	=	Mo	=	1 000 000 d'octets	=	1 mégaoctet
M	$	=	M$	=	1 000 000 de dollars	=	1 mégadollar
G	o	=	Go	=	1 000 000 000 d'octets	=	1 gigaoctet
G	$	=	G$	=	1 000 000 000 de dollars	=	1 gigadollar

Symboles du système international

Tous ces symboles s'écrivent **sans point** abréviatif et **sans** marque du **pluriel.**

ampère .... A
ampère par mètre .... A/m
ampèreheure .... Ah
année .... a
bar (*pluriel de l'unité :* bars) .... bar
becquerel .... Bq
bit .... b
calorie .... cal
candéla .... cd
candéla par mètre carré .... cd/m^2
centigramme .... cg
centilitre cl
centimètre .... cm
coulomb C
coulomb par kilogramme .... C/kg
décagramme .... dag
décalitre .... dal
décamètre .... dam
décibel .... dB
décigramme .... dg
décilitre .... dl
décimètre .... dm
degré Celsius .... °C
degré d'angle .... °
électronvolt .... eV
farad .... F
gigaoctet .... Go
gramme .... g
gray .... Gy
hectare .... ha
hectogramme .... hg
hectolitre .... hl
hectomètre .... hm
henry .... H
hertz .... Hz
heure .... h
joule .... J
joule par kelvin .... J/K
jour .... j ou d
kelvin .... K
kiloampère .... kA
kilogramme .... kg
kilogramme par mètre .... kg/m
kilogramme par mètre carré .... kg/m^2
kilogramme par mètre cube .... kg/m^3
kilohertz .... kHz
kilojoule .... kJ
kilomètre .... km
kilomètre par heure .... km/h
kilooctet .... ko
kilopascal .... kPa
kilovolt .... kV
kilowatt .... kW
kilowattheure .... kWh
litre (*minuscule dans les dérivés*) .... l ou L
lumen .... lm
lux lx
mégahertz .... MHz
mégajoule .... MJ
mégaoctet .... Mo
mégapixel .... Mpx
mégawatt .... MW
mètre .... m
mètre carré .... m^2
mètre carré par seconde .... m^2/s
mètre cube .... m^3
mètre cube par kilogramme .... m^3/kg
mètre par seconde .... m/s
milliampère .... mA
milligramme .... mg
millilitre .... ml
millimètre .... mm
millivolt .... mV
minute d'angle .... ′
minute de temps .... min
mole .... mol
newton .... N
newton par mètre .... N/m
newton-mètre .... N∧m
octet .... o
ohm .... Ω
pascal .... Pa
pascal-seconde .... Pa.s
pixel .... px
radian .... rad
radian par seconde .... rad/s
radian par seconde carrée .... rad/s^2
seconde d'angle .... ″
seconde de temps .... s
siemens .... S
sievert .... Sv
stéradian .... sr
stère .... st
tesla .... T
tonne .... t
tour .... tr
tour par minute .... tr/min
tour par seconde .... tr/s
unité de masse atomique .... u
volt V
volt par mètre .... V/m
voltampère .... VA
watt .... W
watt par mètre carré .... W/m^2
wattheure .... Wh
weber .... Wb

Dans ce conflit, le rôle des forces de l'ordure a été déterminant.

Symboles de chimie

Ces symboles sont invariables et ont une capitale initiale. **N°** est le numéro atomique. Les nombres de masse sans virgule indiquent que l'élément n'est pas stable.

	Symbole	N°	Masse
actinium	Ac	89	227,027 8
aluminium	Al	13	26,981 54
américium	Am	95	243
antimoine	Sb	51	121,75
argent	Ag	47	107,868 2
argon	Ar	18	39,948
arsenic	As	33	74,921 6
astate	At	85	210
azote	N	7	14,006 7
baryum	Ba	56	137,33
berkélium	Bk	97	247
béryllium	Be	4	9,012 18
bismuth	Bi	83	208,980 4
bore	B	5	10,81
brome	Br	35	79,904
cadmium	Cd	48	112,41
calcium	Ca	20	40,08
californium	Cf	98	252
carbone	C	6	12,011
cérium	Ce	58	140,12
césium	Cs	55	132,905 4
chlore	Cl	17	35,453
chrome	Cr	24	52,996
cobalt	Co	27	58,933 2
cuivre	Cu	29	63,546
curium	Cm	96	247
dysprosium	Dy	66	162,50
einsteinium	Es	99	254
erbium	Er	68	167,26
étain	Sn	50	118,69
europium	Eu	63	151,96
fer	Fe	26	55,847
fermium	Fm	100	257
fluor	F	9	18,998 403
francium	Fr	87	223
gadolinium	Gd	64	157,25
gallium	Ga	31	69,72
germanium	Ge	32	72,59
hafnium	Hf	72	178,49
hélium	He	2	4,002 60
holmium	Ho	67	164,930 4
hydrogène	H	1	1,007 94
indium	In	49	114,82
iode	I	53	126,904 5
iridium	Ir	77	192,2
krypton	Kr	36	83,80
lanthane	La	57	138,905 5
lawrencium	Lr	103	260
lithium	Li	3	6,941
lutécium	Lu	71	174,967
magnésium	Mg	12	24,305
manganèse	Mn	25	54,938 0
mendélévium	Md	101	258
mercure	Hg	80	200,59
molybdène	Mo	42	95,94
néodyme	Nd	60	144,24
néon	Ne	10	20,179
neptunium	Np	93	237,048 2
nickel	Ni	28	58,69
niobium	Nb	41	92,906 4
nobélium	No	102	259
or	Au	79	196,966 5
osmium	Os	76	190,2
oxygène	O	8	15,999 4
palladium	Pd	46	106,42
phosphore	P	15	30,973 7
platine	Pt	78	195,08
plomb	Pb	82	207,2
plutonium	Pu	94	224
polonium	Po	84	209
potassium	K	19	39,098 3
praséodyme	Pr	59	140,907 7
prométhéum	Pm	61	145
protactinium	Pa	91	231,035 9
radium	Ra	88	226,025 4
radon	Rn	86	222
rhénium	Re	75	186,207
rhodium	Rh	45	102,905 5
rubidium	Rb	37	85,467 8
ruthénium	Ru	44	101,07
samarium	Sm	62	150,36
scandium	Sc	21	44,955 9
sélénium	Se	34	78,96
silicium	Si	14	28,085 5
sodium	Na	11	22,989 77
soufre	S	16	32,06
strontium	Sr	38	87,62
tantale	Ta	73	180,947 9
technétium	Tc	43	98
tellure	Te	52	127,60
terbium	Tb	65	158,925 4
thallium	Tl	81	204,383
thorium	Th	90	232,038 1
thulium	Tm	69	168,934 2
titane	Ti	22	47,88
tungstène	W	74	183,35
uranium	U	92	238,028 9
vanadium	V	23	50,941 5
xénon	Xe	54	131,29
ytterbium	Yb	70	173,04
yttrium	Y	39	88,905 9
zinc	Zn	30	65,38
zirconium	Zr	40	91,22

En revenant de la Foire aux vins, j'ai été pris dans un bouchon.

Symboles des pays et des monnaies

Voici la liste des États, le mot *État* étant une « entité politique constituée d'un territoire délimité par des frontières, d'une population et d'un pouvoir institutionnalisé. Titulaire de la souveraineté, il personnifie juridiquement la nation ». Monnaies selon ISO 4217 : en général, les deux lettres du code + l'initiale de la monnaie, par exemple : AL + lek = ALL.

Pays	**Code**	**Monnaie**		**Capitale**	**Adjectif ***	**Population**
Afghanistan	AF	AFN	afghani	Kaboul	afghan	31 412 000
Afrique du Sud	ZA	ZAR	rand	Pretoria	sud-africain	50 133 000
Albanie	AL	ALL	lek	Tirana	albanais	3 204 000
Algérie	DZ	DZD	dinar	Alger	algérien	35 648 000
Allemagne	DE	EUR	euro	Berlin	allemand	82 302 000
Andorre	AD	EUR	euro	Andorre-la-V.	andorran	85 000
Angola	AO	AOA	kwanza	Luanda	angolais	19 082 000
Antigua-et-Barbuda	AG	XCD	dollar	Saint John's	antiguais	89 000
Arabie saoudite	SA	SAR	riyal	Riyad	saoudien	27 448 000
Argentine	AR	ARS	péso	Buenos Aires	argentin	40 100 000
Arménie	AM	AMD	dram	Erevan	arménien	3 092 000
Australie	AU	AUD	dollar	Canberra	australien	22 268 000
Autriche	AT	EUR	euro	Vienne	autrichien	8 394 000
Azerbaïdjan	AZ	AZN	manat	Bakou	azerbaïdjanais	9 188 000
Bahamas	BS	BSD	dollar	Nassau	bahamien	354 000
Bahreïn	BH	BHD	dinar	Manama	bahreïnien	1 262 000
Bangladesh	BD	BDT	taka	Dacca	bangladais	148 692 000
Barbade	BB	BBD	dollar	Bridgetown	barbadien	273 000
Belgique	BE	EUR	euro	Bruxelles	belge	9 595 000
Belize	BZ	BZD	dollar	Belmopan	bélizien	312 000
Bénin	BJ	XOF	franc cfa	Porto-Novo	béninois	8 850 000
Bhoutan	BT	BTN	ngultrum	Thimbu	bhoutanais	726 000
Biélorussie	BY	BYR	rouble	Minsk	biélorusse	9 595 000
Birmanie	MM	MMK	kyat	Rangoun	birman	47 963 000
Bolivie	BO	BOB	boliviano	La Paz	bolivien	9 930 000
Bosnie-Herzégovine	BA	BAM	mark	Sarajevo	bosnien	3 760 000
Botswana	BW	BWP	pula	Gaborone	botswanais	2 007 000
Brésil	BR	BRL	real	Brasilia	brésilien	194 946 000
Brunei	BN	BND	dollar	Bandar Seri	brunéien	399 000
Bulgarie	BG	BGN	lev	Sofia	bulgare	7 494 000
Burkina Faso	BF	XOF	franc CFA	Ouagadougou	burkinabé	16 469 000
Burundi	BI	BIF	franc	Bujumbura	burundais	8 383 000
Cambodge	KH	KHR	riel	Phnom Penh	cambodgien	14 138 000
Cameroun	CM	XAF	franc CFA	Yaoundé	camerounais	19 599 000
Canada	CA	CAD	dollar	Ottawa	canadien	34 017 000
Cap-Vert	CV	CVE	escudo	Praia	capverdien	491 000
Chili	CL	CLP	péso	Santiago	chilien	17 114 000
Chine	CN	CNY	yuan	Pékin	chinois	1 353 311 000
Chypre	CY	EUR	euro	Nicosie	chypriote	1 104 000
Colombie	CO	COP	péso	Bogotá	colombien	46 295 000
Comores	KM	KMF	franc	Moroni	comorien	735 000
Congo	CG	XAF	franc CFA	Brazzaville	congolais	4 043 000
Congo (Rép. dém.)	CD	CDF	franc	Kinshasa	congolais	65 966 000
Corée du Nord	KP	KPW	won n.-c.	Pyongyang	nord-coréen	24 346 000
Corée du Sud	KR	KRW	won s.-c.	Séoul	sud-coréen	48 184 000
Costa Rica	CR	CRC	colón	San José	costaricain	4 659 000

*** Le féminin se forme normalement. Le nom des habitants (gentilé) prend une majuscule.**

J'ai malheureusement rencontré un trottoir avec ma voiture neuve.

Pays	Code	Monnaie		Capitale	Adjectif *	Population
Côte d'Ivoire	CI	XOF	franc CFA	Yamoussoukro	ivoirien	19 738 000
Croatie	HR	HRK	kuna	Zagreb	croate	4 403 000
Cuba	CU	CUP	péso	La Havane	cubain	11 258 000
Danemark	DK	DKK	couronne	Copenhague	danois	5 550 000
Djibouti	DJ	DJF	franc	Djibouti	djiboutien	889 000
Dominique	DM	XCD	dollar	Roseau	dominiquais	68 000
Égypte	EG	EGP	livre	Le Caire	égyptien	81 121 000
Émirats arabes unis	AE	AED	dirham	Abu Dhabi	émirien	7 512 000
Équateur	EC	USD	dollar	Quito	équatorien	14 306 000
Érythrée	ER	ERN	nakfa	Asmara	érythréen	5 073 000
Espagne	ES	EUR	euro	Madrid	espagnol	46 077 000
Estonie	EE	EUR	euro	Tallinn	estonien	1 341 000
États-Unis	US	USD	dollar	Washington	américain	312 471 000
Éthiopie	ET	ETB	birr	Addis-Abeba	éthiopien	82 950 000
Fidji	FJ	FJD	dollar	Suva	fidjien	861 000
Finlande	FI	EUR	euro	Helsinki	finlandais	5 365 000
France	FR	EUR	euro	Paris	français	65 477 000
Gabon	GA	XAF	franc CFA	Libreville	gabonais	1 505 000
Gambie	GM	GMD	dalasi	Banjul	gambien	1 728 000
Géorgie	GE	GEL	lari	Tbilissi	géorgien	4 352 000
Ghana	GH	GHC	cedi	Accra	ghanéen	24 392 000
Grèce	GR	EUR	euro	Athènes	grec, grecque	11 359 000
Grenade	GD	XCD	dollar	Saint George's	grenadien	104 000
Guatemala	GT	GTQ	quetzal	Guatemala	guatémaltèque	14 389 000
Guinée	GN	GNF	franc	Conakry	guinéen	9 982 000
Guinée équatoriale	GQ	XAF	franc CFA	Malabo	équato-guinéen	700 000
Guinée-Bissau	GW	XOF	franc CFA	Bissau	bissau-guinéen	1 515 000
Guyana	GY	GYD	dollar	Georgetown	guyanien	754 000
Haïti	HT	HTG	gourde	Port-au-Prince	haïtien	9 993 000
Honduras	HN	HNL	lempira	Tegucigalpa	hondurien	7 601 000
Hongrie	HU	HUF	forint	Budapest	hongrois	9 984 000
Inde	IN	INR	roupie	New Delhi	indien	1 210 193 000
Indonésie	ID	IDR	rupiah	Jakarta	indonésien	245 556 000
Iran	IR	IRR	rial	Téhéran	iranien	73 974 000
Iraq *ou* Irak	IQ	IQD	dinar	Bagdad	irakien	31 672 000
Irlande	IE	EUR	euro	Dublin	irlandais	4 470 000
Islande	IS	ISK	couronne	Reykjavik	islandais	320 000
Israël	IL	ILS	shekel	Jérusalem	israélien	7 418 000
Italie	IT	EUR	euro	Rome	italien	60 551 000
Jamaïque	JM	JMD	dollar	Kingston	jamaïcain	2 741 000
Japon	JP	JPY	yen	Tokyo	japonais	126 536 000
Jordanie	JO	JOD	dinar	Amman	jordanien	6 187 000
Kazakhstan	KZ	KZT	tenge	Astana	kazakh	15 233 000
Kenya	KE	KES	shilling	Nairobi	kényan	34 708 000
Kirghizistan	KG	KGS	som	Bichkek	kirghiz	5 334 000
Kiribati	KI	AUD	dollar	Tarawa	kiribatien	100 000
Kosovo	XZ	EUR	euro	Priština	kosovar	2 126 000
Koweït	KW	KWD	dinar	Koweït	koweïtien	2 737 000
Laos	LA	LAK	kip	Vientiane	laotien	6 201 000
Lesotho	LS	LSL	loti	Maseru	lesothan	2 171 000
Lettonie	LV	LVL	lats	Riga	letton	2 252 000
Liban	LB	LBP	livre	Beyrouth	libanais	4 228 000
Liberia	LR	LRD	dollar	Monrovia	libérien	3 994 000

*** Le féminin se forme normalement. Le nom des habitants (gentilé) prend une majuscule.**

L'eau est d'une couleur inodore.

Pays	Code	Monnaie		Capitale	Adjectif *	Population
Libye	LY	LYD	dinar	Tripoli	libyen	6 355 000
Liechtenstein	LI	CHF	franc s.	Vaduz	liechtensteinois	36 000
Lituanie	LT	LTL	litas	Vilnius	lituanien	3 324 000
Luxembourg	LU	EUR	euro	Luxembourg	luxembourgeois	507 000
Macédoine	MK	MKD	denar	Skopje	macédonien	2 061 000
Madagascar	MG	MGA	ariany	Antananarivo	malgache	20 714 000
Malaisie	MY	MYR	ringgit	Kuala Lumpur	malaisien	27 566 000
Malawi	MW	MWK	kwacha	Lilongwe	malawite	14 901 000
Maldives	MV	MVR	rufiyaa	Malé	maldivien	316 000
Mali	ML	XOF	franc CFA	Bamako	malien	15 370 000
Malte	MT	EUR	euro	La Valette	maltais	417 000
Maroc	MA	MAD	dirham	Rabat	marocain	31 951 000
Marshall	MH	USD	dollar	Majuro	marshallais	54 000
Maurice	MU	MUR	roupie	Port Louis	mauricien	1 299 000
Mauritanie	MR	MRO	ouguiya	Nouakchott	mauritanien	3 460 000
Mexique	MX	MXN	péso	Mexico	mexicain	112 322 000
Micronésie	FM	USD	dollar	Palikir	micronésien	515 000
Moldavie	MD	MDL	leu	Chisinau	moldave	3 573 000
Monaco	MC	EUR	euro	Monaco	monégasque	35 000
Mongolie	MN	MNT	tugrik	Oulan-Bator	mongol	2 756 000
Monténégro	ME	EUR	euro	Podgorica	monténégrin	631 000
Mozambique	MZ	MZN	metical	Maputo	mozambicain	23 391 000
Namibie	NA	NAD	dollar	Windhoek	namibien	2 283 000
Nauru	NR	AUD	dollar	Yaren	nauruan	10 000
Népal	NP	NPR	roupie	Katmandou	népalais	29 959 000
Nicaragua	NI	NIO	córdoba	Managua	nicaraguayen	5 788 000
Niger	NE	XOF	franc CFA	Niamey	nigérien	12 512 000
Nigeria	NG	NGN	naira	Abuja	nigérian	158 423 000
Norvège	NO	NOK	couronne	Oslo	norvégien	4 883 000
Nouvelle-Zélande	NZ	NZD	dollar	Wellington	néozélandais	4 368 000
Oman	OM	OMR	rial	Mascate	omanais	2 694 000
Ouganda	UG	UGX	shilling	Kampala	ougandais	33 425 000
Ouzbékistan	UZ	UZS	soum	Tachkent	ouzbek	27 445 000
Pakistan	PK	PKR	roupie	Islamabad	pakistanais	173 593 000
Palaos	PW	USD	dollar	Melekeok	palauan	20 000
Panama	PA	PAB	balboa	Panama	panaméen	3 405 000
Papouasie-N.-G.	PG	PGK	kina	Port Moresby	papouan	6 858 000
Paraguay	PY	PYG	guarani	Asunción	paraguayen	6 455 000
Pays-Bas	NL	EUR	euro	Amsterdam	néerlandais	16 613 000
Pérou	PE	PEN	sol	Lima	péruvien	29 077 000
Philippines	PH	PHP	péso	Manille	philippin	93 261 000
Pologne	PL	PLN	zloty	Varsovie	polonais	38 277 000
Portugal	PT	EUR	euro	Lisbonne	portugais	10 676 000
Qatar	QA	QAR	riyal	Doha	qatarien	1 699 000
Rép. centrafricaine	CF	XAF	franc CFA	Bangui	centrafricain	4 401 000
Rép. dominicaine	DO	DOP	péso	Saint-Domingue	dominicain	9 903 000
Rép. tchèque	CZ	CZK	couronne	Prague	tchèque	10 493 000
Roumanie	RO	RON	leu	Bucarest	roumain	21 486 000
Royaume-Uni	GB	GBP	livre	Londres	britannique	62 272 000
Russie	RU	RUB	rouble	Moscou	russe	142 958 000
Rwanda	RW	RWF	franc	Kigali	rwandais	10 624 000
Sainte-Lucie	LC	XCD	dollar	Castries	saint-lucien	173 000
Saint-Kitts-et-Nevis	KN	XCD	dollar	Basseterre	kittitien/névicien	52 000

*** Le féminin se forme normalement. Le nom des habitants (gentilé) prend une majuscule.**

La cigarette est en voie d'extinction.

Pays	Code	Monnaie		Capitale	Adjectif *	Population
Saint-Marin	SM	EUR	euro	Saint-Marin	saint-marinais	32 000
Saint-Vincent-et-Gr.	VC	XCD	dollar	Kingstown	saint-vincentais	109 000
Salomon	SB	SBD	dollar	Honiara	salomonais	538 000
Salvador	SV	SVC	colon	San Salvador	salvadorien	6 193 000
Samoa	WS	WST	tala	Apia	samoan	183 000
São Tomé et Pr.	ST	STD	dobra	São Tomé	santoméen	165 000
Sénégal	SN	XOF	franc CFA	Dakar	sénégalais	12 434 000
Serbie	RS	RSD	dinar	Belgrade	serbe	7 411 000
Seychelles	SC	SCR	roupie	Victoria	seychellois	88 000
Sierra Leone	SL	SLL	leone	Freetown	sierraléonais	5 868 000
Singapour	SG	SGD	dollar	Singapour	singapourien	5 086 000
Slovaquie	SK	EUR	euro	Bratislava	slovaque	5 462 000
Slovénie	SI	EUR	euro	Ljubljana	slovène	2 030 000
Somalie	SO	SOS	shilling	Mogadiscio	somalien	9 331 000
Soudan	SD	SDG	livre	Khartoum	soudanais	30 894 000
Soudan du Sud	SS	SSP	livre	Djouba	sud-soudanais	9 150 000
Sri Lanka	LK	LKR	roupie	Colombo	srilankais	20 860 000
Suède	SE	SEK	couronne	Stockholm	suédois	9 080 000
Suisse	CH	CHF	franc	Berne	suisse	7 664 000
Suriname	SR	SRD	florin	Paramaribo	surinamais/-mien	525 000
Swaziland	SZ	SZL	lilangeni	Mbabane	swazi	1 186 000
Syrie	SY	SYP	livre	Damas	syrien	20 411 000
Tadjikistan	TJ	TJS	somoni	Douchanbé	tadjik	6 879 000
Taïwan	TW	TWD	dollar	Taipei	taïwanais	23 200 000
Tanzanie	TZ	TZS	shilling	Dodoma	tanzanien	44 841 000
Tchad	TD	XAF	franc CFA	N'Djamena	tchadien	11 227 000
Thaïlande	TH	THB	baht	Bangkok	thaïlandais	69 122 000
Timor-Oriental	TL	USD	dollar	Dili	est-timorais	1 124 000
Togo	TG	XOF	franc CFA	Lomé	togolais	5 753 000
Tonga	TO	TOP	pa'anga	Nuku'alofa	tonguien	104 000
Trinité-et-Tobago	TT	TTD	dollar	Port of Spain	trinidadien	1 341 000
Tunisie	TN	TND	dinar	Tunis	tunisien	10 481 000
Turkménistan	TM	TMM	manat	Achgabat	turkmène	5 177 000
Turquie	TR	TRY	livre	Ankara	turc, turque	72 752 000
Tuvalu	TV	AUD	dollar	Funafuti	tuvaluan	10 000
Ukraine	UA	UAH	hryvnia	Kiev	ukrainien	45 448 000
Uruguay	UY	UYP	péso	Montevideo	uruguayen	3 369 000
Vanuatu	VU	VUV	vatu	Port-Vila	vanuatuan	240 000
Vatican	VA	EUR	euro	Saint-Siège	du Vatican	830
Venezuela	VE	VEF	bolivar	Caracas	vénézuélien	28 980 000
Viêt Nam	VN	VND	dông	Hanoi	vietnamien	87 848 000
Yémen	YE	YER	rial	Sanaa	yéménite	24 053 000
Zambie	ZM	ZMK	kwacha	Lusaka	zambien	13 046 000
Zimbabwe	ZW	ZWL	dollar	Harare	zimbabwéen	12 571 000

*** Le féminin se forme normalement. Le nom des habitants (gentilé) prend une majuscule.**

Pays de l'Union européenne (UE)

Allemagne	Espagne	Irlande	Pays-Bas	Slovaquie
Autriche	Estonie	Italie	Pologne	Slovénie
Belgique	Finlande	Lettonie	Portugal	Suède
Bulgarie	France	Lituanie	République tchèque	
Chypre	Grèce	Luxembourg	Roumanie	
Danemark	Hongrie	Malte	Royaume-Uni	

Sommes d'argent

Le dollar canadien

Le symbole du dollar canadien **($)** ne peut être utilisé qu'au Canada. À l'extérieur, on utilise le symbole **CAD** de l'ISO. Tous les signes graphiques du dollar **($)** du monde s'écrivent de la même façon : un seul trait vertical.

Place des symboles dans les sommes d'argent

Une somme d'argent suivie de son symbole s'écrit en chiffres. Le symbole se place après le nombre complet (décimales comprises) et il est détaché du nombre par une espace insécable. Les tranches de trois chiffres sont détachées par une espace insécable. Les nombres de quatre chiffres (1000 à 9999) s'écrivent avec ou sans espace.

22 250,50 $ 313 234,75 CAD 4 450 $ *ou* 4450 $

Nombre entier dans les sommes d'argent

Quand le nombre est entier et qu'il n'y a pas comparaison : pas de virgule ni de zéros. Quand il y a comparaison, on peut utiliser la virgule suivie des deux zéros.

Cet article vaut 15 $ en magasin. Cet article est passé de 15,00 $ à 15,50 $.

Sommes d'argent en tableaux

On doit aligner les dollars et les cents. On utilise la virgule et les deux zéros. En cas de chiffres inférieurs à l'unité, on met un zéro avant la virgule. On peut indiquer en titre de colonne qu'il s'agit de dollars canadiens (CAD).

56 320,50
3 528,00
0,57

Préfixes dans les symboles de sommes d'argent

k = préfixe **kilo** (mille) **M** = préfixe **méga** (million) **G** = préfixe **giga** (milliard)

6 k$ *ou* 6 kCAD = six kilodollars 6 000 $ = 6 mille dollars
6 M$ *ou* 6 MCAD = six mégadollars 6 000 000 $ = 6 millions de dollars
6 G$ *ou* 6 GCAD = six gigadollars 6 000 000 000 $ = 6 milliards de dollars

Les symboles monétaires internationaux comportent tous trois lettres. Si l'on rencontre quatre lettres, c'est que la première est un préfixe : kUSD, kEUR, MUSD, MEUR, GUSD. Un préfixe précède toujours un symbole, collé à lui. Il ne peut jamais être utilisé seul.

*On ne peut **jamais** écrire :* une invasion de 10 M de sauterelles.

Sommes d'argent avec *million* et *milliard*

(Le texte entre crochets [ ] est en orthographe traditionnelle.)

La règle est la même pour *million* et *milliard.* On peut utiliser un symbole, préfixé ou non, seulement s'il est précédé d'un nombre entièrement écrit en chiffres. Voici donc les écritures correctes :

7 000 000 000 $ *ou* 7 G$	*le symbole est précédé de chiffres*
six-millions [six millions]	*on enlève* dollars, *si le contexte le permet*
dix-millions [dix millions] d'euros	*tout en lettres*
6 millions de dollars	*mélange chiffres/lettres, pas de trait d'union*
16,5 millions de dollars	*mélange chiffres/lettres, pas de trait d'union*

*On ne peut donc **jamais** écrire :*

$6 000 000 — $6 millions — six M$ — six M dollars — 6 millions $ — six-millions $ [six millions $]

Cas particuliers d'abréviations

Compagnie

Quand il fait partie de la raison sociale, ce mot s'écrit au long (avec une capitale) s'il est au début. Il s'abrège en **Cie** s'il est placé à la fin.

la Compagnie Jean-Duceppe	Dupont & Cie

S'il ne fait pas partie de la raison sociale, il s'écrit tout en bas-de-casse.

la compagnie Radio-Canada (*la raison sociale est :* Société Radio-Canada)

Docteur

On écrit **Docteur - Docteure - Docteurs - Docteures**

dans une adresse	Docteur Jean Guéry, 23, rue de la Santé
quand on s'adresse à la personne	Je vous prie, Docteur, d'agréer... (*trad.*)

On écrit **docteur - docteure - docteurs - docteures**

quand on parle de la personne	J'ai vu le docteur Roy. (*travaux soignés*)
quand on s'adresse à la personne	Je vous prie, docteur... (*à la Ramat*)
quand il est en apposition	Isabelle Durand, docteure.
quand c'est un nom commun	La docteure est arrivée.

On écrit **Dr - Dre - Drs - Dres** ou de préférence **D^{r} - D^{re} - D^{rs} - D^{res}**

quand on parle de la personne	J'ai vu le Dr Roy. (*travaux ordinaires*)

Maitre [Maître]

On écrit **Maitre - Maitres [Maître - Maîtres]**

dans une adresse	Maitre Claire Delune, avocate, 23, rue...
quand on s'adresse à la personne	Je vous prie, Maitre, d'agréer... (*trad.*)

On écrit **maitre - maitres [maître - maîtres]**

quand on parle de la personne	J'ai vu maitre Dupont. (*travaux soignés*)
quand on s'adresse à la personne	Je vous prie, maitre... (*à la Ramat*)

On écrit **M^{e} - M^{es}** (avec des supérieures, pour éviter la confusion avec d'autres mots)

quand on parle de la personne	J'ai vu Me Dupont. (*travaux ordinaires*)

Professeur

On écrit **Professeur - Professeure - Professeurs - Professeures**

dans une adresse	Professeur Jean Seigne, 23, rue...
quand on s'adresse à la personne	Je vous prie, Professeur, d'agréer... (*trad.*)

On écrit **professeur - professeure - professeurs - professeures**

quand on parle de la personne	J'ai vu le professeur Roy. (*trav. soignés*)
quand on s'adresse à la personne	Je vous prie, professeur... (*à la Ramat*)
quand le mot est en apposition	Isabelle Durand, professeure.
quand c'est un nom commun	Notre professeure est arrivée.

On écrit **Pr - Pre - Prs - Pres** ou de préférence **P^{r} - P^{re} - P^{rs} - P^{res}**

quand on parle de la personne	J'ai vu le Pr Roy. (*travaux ordinaires*)

Prénom

il vaut mieux ne pas abréger le prénom. Toutefois, si on tient à le faire, on abrège avec une seule lettre, car on n'obtient pas nécessairement plus de précision avec plusieurs lettres.

J.-P. (Jean-Paul) F. (Françoise, *et non :* Fr.) P. (Philippe, *et non :* Ph.)

Les enfants naissaient souvent en bas âge.

etc.

L'abréviation **etc.** n'est jamais suivie de points de suspension ; ne doit pas se trouver seule sur une ligne ; ne doit pas se répéter à la suite ; doit être précédée et suivie d'une virgule (sauf quand elle termine la phrase) ; n'a jamais de capitale initiale ; doit être précédée d'au moins deux éléments dans l'énumération ; se met en romain, car appartient à la phrase.

Elle a parlé de littérature, de sciences, etc., et nous avons bien écouté.
Certains mots se mettent en italique : *idem, ibidem,* etc.

Mois et jours

Pour les mois et les jours, on se sert des abréviations ou des codes (qu'on nomme aussi *symboles*). Les codes servent surtout pour les dates d'expiration des produits.

Mois	Abréviation	Code	Code bilingue
janvier	janv.	JAN	JA
février	févr.	FÉV	FE
mars	mars	MAR	MR
avril	avr.	AVR	AL
mai	mai	MAI	MA
juin	juin	JUN	JN
juillet	juill.	JUL	JL
aout	aout	AOU	AU
septembre	sept.	SEP	SE
octobre	oct.	OCT	OC
novembre	nov.	NOV	NO
décembre	déc.	DÉC	DE

Jour	Abréviation	Code
lundi	lun.	LUN
mardi	mar.	MAR
mercredi	mer.	MER
jeudi	jeu.	JEU
vendredi	ven.	VEN
samedi	sam.	SAM
dimanche	dim.	DIM

Recettes de cuisine

Mesures

Mesures liquides		
250 ml	1 tasse	8 oz
175 ml	¾ tasse	6 oz
125 ml	½ tasse	4 oz
50 ml	¼ tasse	2 oz

Mesures linéaires	
5 cm	2 po
2,5 cm	1 po
1,25 cm	½ po
5 mm	¼ po

Mesures de poids	
1 kg	2 lb
500 g	1 lb
250 g	½ lb
125 g	¼ lb

Ustensiles

1 cuillère à thé (Canada)	c. à t.	5 ml
1 cuillère à café (France)	c. à c.	5 ml
1 cuillère à soupe	c. à s.	15 ml

1 verre à eau	20 cl
1 verre à bordeaux	13 cl
1 verre à porto	6 cl

Ingrédients liquides ou en poudre

Dé	*très petite quantité d'un liquide*
Filet	*très petite quantité d'un liquide versé en jet continu*
Goutte	*très petite quantité d'un liquide, souvent versé en petites sphères*
Grain	*très petite quantité d'un ingrédient en grains*
Nuage	*très petite quantité de lait ou de crème*
Pincée	*quantité d'un ingrédient que l'on peut tenir entre le pouce et l'index*
Pointe	*quantité d'un ingrédient pris avec la pointe d'une lame de couteau*
Soupçon	*très faible quantité d'un ingrédient*

Nuages

On met un bas-de-casse initial. Les abréviations ont une capitale et n'ont pas de point abréviatif.

altocumulus	Ac	cumulonimbus	Cb
altostratus	As	cumulus	Cu
cirrocumulus	Cc	nimbostratus	Ns
cirrostratus	Cs	stratocumulus	Sc
cirrus	Ci	stratus	St

Lors de la panne d'électricité, madame Lalumière nous a tenus au courant.

enr. – inc. – ltée

Ces mots sont toujours en bas-de-casse et ils ne sont pas précédés d'une virgule.

Plomberie Paul enr.
Coiffures Lafrise inc.
Menuiserie Dubois ltée

Provinces et territoires du Canada

Première colonne : les noms des provinces prennent un trait d'union entre tous leurs éléments. Il n'y a pas de trait d'union après les mots *Territoire* et *Territoires.*
Deuxième colonne : abréviation dans un texte, entre parenthèses.
Troisième colonne : code, dans un tableau, ou dans une adresse quand il s'agit d'envois massifs ou qu'il y a manque de place.
Le code s'écrit sans parenthèses. On mettra toujours deux espaces entre le code de la province et le code postal (voir page 213).

	Abrév.	**Code**	**km²**	**Population**	**Capitale**
Alberta	Alb.	AB	661 848	3 779 353	Edmonton
Colombie-Britannique	C.-B.	BC	944 735	4 573 321	Victoria
Île-du-Prince-Édouard	Î.-P.-É.	PE	5 660	145 855	Charlottetown
Manitoba	Man.	MB	647 797	1 250 574	Winnipeg
Nouveau-Brunswick	N.-B.	NB	72 908	755 455	Fredericton
Nouvelle-Écosse	N.-É.	NS	55 284	945 437	Halifax
Nunavut	—	NU	2 093 190	33 322	Iqaluit
Ontario	Ont.	ON	1 076 395	13 372 996	Toronto
Québec	Qc	QC	1 542 056	7 979 663	Québec
Saskatchewan	Sask.	SK	651 036	1 057 884	Regina
Terre-Neuve-et-Labrador	T.-N.-L.	NL	405 212	510 578	St. John's
Territoire du Yukon	Yn	YT	482 443	34 666	Whitehorse
Territoires du N.-O.	T.N.-O.	NT	1 346 106	43 675	Yellowknife

Grades militaires canadiens

La liste des abréviations ci-après est tirée du *Manuel des abréviations,* publié par le ministère de la Défense nationale et les Forces canadiennes, le 29 juin 2006. Le classement est décroissant par ordre d'importance. Les féminins sont donnés dans la BDL (Banque de dépannage linguistique), sur le site de l'OQLF.

Armée de terre et armée de l'air

gén	général
lgén	lieutenant-général
mgén	major-général
bgén	brigadier-général
col	colonel
lcol	lieutenant-colonel
maj	major
capt	capitaine
lt	lieutenant
slt	sous-lieutenant
élof	élève officier
adjuc	adjudant-chef
adjum	adjudant-maitre
adj	adjudant
sgt	sergent
cplc	caporal-chef
cpl	caporal
sdt	soldat

Marine

am	amiral
vam	vice-amiral
cam	contramiral [contre-amiral]
cmdre	commodore
capv	capitaine de vaisseau
capf	capitaine de frégate
capc	capitaine de corvette
ltv	lieutenant de vaisseau
ens 1	enseigne de vaisseau de 1re classe
ens 2	enseigne de vaisseau de 2e classe
aspm	aspirant de marine
pm 1	premier maitre de 1re classe
pm 2	premier maitre de 2e classe
m 1	maitre de 1re classe
m 2	maitre de 2e classe
matc	matelot-chef
mat 1	matelot de 1re classe
mat 2	matelot de 2e classe
mat 3	matelot de 3e classe

Numéro

Dans un texte courant, le **n** est en bas-de-casse, et la lettre **o** est en exposant bas-de-casse (pas un degré comme dans 20°). Si l'abréviation fait partie d'un texte en capitales, le **N** prend aussi la capitale, et la lettre **o** reste en exposant bas-de-casse.

n^{o} n^{os} (*et non :* n°, n°^{s}) SORTIE N° 6

Pour employer l'abréviation de *numéro,* il faut qu'elle soit précédée du nom qu'elle qualifie et suivie d'un nombre écrit en chiffres.

L'entrée n° 6 est en bon état. Les bulletins n°s 7 et 8 sont ici.

Si l'abréviation ne remplit qu'une ou aucune de ces conditions, on écrit *numéro* au long.

J'habite au numéro 6. Les numéros 7 et 8 du bulletin sont ici.

Livres bibliques

Face et casse

Les noms de livres bibliques se composent en romain, avec une capitale initiale. Mais le mot *bible* peut aussi être un nom commun.

Elle a lu la Bible. On dit que ce livre est la bible des typographes.

Symboles

Les symboles des livres bibliques prennent une capitale et n'ont pas de point abréviatif.

Ac Actes des Apôtres
Lc Luc (évangile selon)
Ct Cantique des Cantiques
Ne Néhémie

Manière de citer les livres bibliques

La virgule **(,)** sépare les chapitres et les versets. Le trait d'union **(-)** réunit des versets. Le point **(.)** sépare des versets. Le tiret long **(—)** réunit des chapitres.

Gn 24,25 Gn 24,28-32 Gn 24,25.32 Gn 29—32

Abréviations des féminins

Dans une liste où l'on veut indiquer le féminin d'un nom ou d'un adjectif, il est toujours préférable, dans la mesure du possible, d'indiquer le féminin au complet.

paysan, paysanne (*et non :* paysan, anne)

Troncations

Les troncations, appelées aussi réductions ou apocopes, sont des mots dont la fin a été supprimée. Elles prennent le pluriel et gardent le même genre que le mot entier. Dans la mesure du possible, il faut éviter leur emploi dans des textes soignés.

adolescents	des ados	motocyclettes	des motos
agglomérés	des agglos	négociations	des négos
amplificateurs	des amplis	ordinateurs	des ordis
cinématographes	des cinémas	photographies	des photos
colocataires	des colocs	pneumatiques	des pneus
expositions	des expos	pornographiques	des films pornos
informations	des infos	professeurs	des profs
justifications	des justifs	radiographies	des radios
kinésithérapeutes	des kinés	restaurants	des restos
manifestations	des manifs	stylographes	des stylos
mémorandums	des mémos	sympathiques	des filles sympas

Il ne faut pas utiliser la même troncation pour deux noms différents. Par exemple, la troncation *info* signifie *information,* et non pas *informatique.* (Il faut bien admettre que cette nuance n'est pas toujours respectée.)

Nous conseillons à nos étudiants de faire oublier leurs thèses par un éditeur.

Symboles du système impérial

Cette page n'a pour but que de donner une idée approximative des mesures impériales. L'emploi de ces mesures est maintenant déconseillé par le Bureau de normalisation du Québec, mais il arrive, à cause de nos échanges commerciaux avec les États-Unis, qu'on doive encore s'en servir, exemple : *40 po* (format d'écran de téléviseur).
Tous ces symboles ne prennent pas de point abréviatif et sont invariables.

Mesures de longueur

pouce	po	1 po	= 2,54 cm		1 cm	=	0,39 po
pied	pi	1 pi	= 30,48 cm		1 cm	=	0,03 pi
verge	vg	1 vg	= 0,91 m		1 m	=	1,09 vg
mille	mi	1 mi	= 1,61 km		1 km	=	0,62 mi

Mesures de superficie

pouce carré	po²	1 po²	= 6,45 cm²	1 cm²	=	0,16 po²
pied carré	pi²	1 pi²	= 0,09 m²	1 m²	=	10,76 pi²
verge carrée	vg²	1 vg²	= 0,84 m²	1 m²	=	1,20 vg²

Mesures de volume

pouce cube	po³	1 po³	= 16,39 cm³	1 cm³	=	0,06 po³
pied cube	pi³	1 pi³	= 28,3 dm³	1 dm³	=	0,04 pi³
verge cube	vg³	1 vg³	= 0,77 m³	1 m³	=	1,31 vg³

Mesures de masse

once	oz	1 oz	= 28,35 g	1 g	=	0,04 oz
livre	lb	1 lb	= 0,45 kg	1 kg	=	2,20 lb

Mesures de liquide

once	oz	1 oz	= 28,41 ml	1 ml	=	0,04 oz
pinte	pt	1 pt	= 1,14 l	1 l	=	0,88 pt
gallon	gal	1 gal	= 4,55 l	1 l	=	0,22 gal

Mesures de température

Pour convertir des degrés Fahrenheit en degrés Celsius, d'abord on retranche 32, puis on multiplie le résultat par 5 pour ensuite le diviser par 9. Exemple 125 °F :

125 °F - 32 = 93 puis 93 * 5 / 9 = 51,67 °C
32 °F - 32 = 0 °C (l'eau gèle donc à 32 °F, soit 0 °C)

Exemples de conversion

longueur	15	po	= 2,54 cm	multiplié par 15	=	38,10	cm
	15	cm	= 0,39 po	multiplié par 15	=	5,85	po
superficie	15	po²	= 6,45 cm²	multiplié par 15	=	96,75	cm²
	15	cm²	= 0,16 po²	multiplié par 15	=	2,4	po²
volume	15	po³	= 16,39 cm³	multiplié par 15	=	245,85	cm³
	15	cm³	= 0,06 po³	multiplié par 15	=	0,90	po³
masse	15	lb	= 0,45 kg	multiplié par 15	=	6,75	kg
	15	kg	= 2,20 lb	multiplié par 15	=	33,00	lb
liquide	15	oz	= 28,41 ml	multiplié par 15	=	426,15	ml
	15	ml	= 0,04 oz	multiplié par 15	=	0,60	oz

Perles précieuses

La caisse du couvreur

Dans le texte ci-dessous, le mot Caisse *avec une capitale est synonyme de* la Caisse d'assurance-accidents. *Sans capitale, il représente* la caisse en bois *du couvreur.*

« Après avoir réparé un toit, nous avons voulu récupérer les tuiles non utilisées en les descendant dans une caisse grâce à un système de poulie.

« En haut, mon copain a rempli la caisse. Moi, je tenais la corde en bas. Mais comme la caisse pleine de tuiles était plus lourde que moi, j'ai été soulevé de terre. À mi-montée, j'ai rencontré la caisse qui descendait et j'ai reçu un coup sur la tête. J'ai continué à monter jusqu'au toit et je me suis frappé la tête contre une poutre.

« Quand la caisse a touché le sol, le fond a lâché. Étant plus lourd que la caisse vide, je suis reparti vers le sol et j'ai de nouveau heurté la caisse qui montait.

« En touchant le sol, j'ai lâché la corde. Alors la caisse est redescendue en me frappant sur la tête.

« Veuillez me dire, Monsieur le Directeur, ce que la Caisse peut faire pour moi. »

Perles dans la rédaction

J'espère qu'un jour le ministre du Travail décidera que le lendemain des jours de congé sera aussi jour de congé. Ce sera l'idéal : il ne nous restera alors que le plaisir d'aller chercher notre paye.

En choisissant des skis dans un magasin de sport, j'ai cogné un autre client et je lui ai cassé ses lunettes. Suis-je couvert par mon assurance sports d'hiver ?

Docteur, j'ai un complexe d'infériorité. — Non, monsieur, vous n'avez pas de complexe d'infériorité : vous êtes *vraiment* inférieur.

Nous sommes étonnés de ne pas avoir reçu votre paiement ce mois-ci. — Ne soyez pas étonnés : je ne vous ai rien envoyé.

✤

En réponse à votre lettre, je dois vous dire que je suis déjà assuré à une compagnie d'assurance. Je n'ai donc pas besoin de l'assurance de vos sentiments distingués.

✤

Les hommes, c'est comme l'essence : des pieds à la taille, c'est du super ; de la taille aux épaules, c'est de l'ordinaire, et des épaules à la tête, c'est du sans-plomb.

✤

Docteur, je suis alzheimer. — Vous en êtes certain ? — Certain de quoi ?

✤

La balle de révolver a frappé la pièce de un dollar qu'il avait dans sa poche. Il s'est alors réjoui d'avoir de l'argent bien placé.

✤

Monsieur le directeur, notre chimpanzé est triste. Nous pensons qu'il lui faudrait un camarade. Que devons-nous faire en attendant votre retour ?

✤

Si je comprends bien votre lettre, le plafond de garantie de mon assurance m'interdit d'être remboursé pour le plafond de ma cuisine.

✤

Le vol a été le mobile du meurtre. Heureusement que, la veille, la victime avait déposé tout son argent à la banque, de sorte qu'elle n'a perdu que la vie.

Regarde le joli épouvantable à oiseaux.

Anglicismes

Liste d'anglicismes

La liste ci-dessous présente des anglicismes courants difficiles à déceler parce qu'ils ont pris une forme française. Pour cette raison, on les appelle souvent de **faux amis** ou des **calques,** les premiers étant des mots similaires dans les deux langues, mais avec sens différents, et les seconds des traductions littérales de l'anglais. Par conséquent, les mots anglais tels quels (les anglicismes lexicaux) ne figurent pas dans cette liste. Toutefois, on peut facilement en trouver la traduction dans tout bon dictionnaire anglais-français. D'ailleurs, les traitements de texte soulignent en rouge la plupart des anglicismes lexicaux.

Les mots de la colonne de gauche utilisés dans les sens énoncés de la colonne de droite sont considérés comme des anglicismes. Selon le contexte, vous **choisissez l'équivalent français** qui convient le mieux au **sens de la phrase** à corriger. La barre oblique signifie «ou».

Anglicismes	Équivalents français
A	
en l'**absence** de qqch.	➤ faute de qqch. / sans qqch.
abus physiques	➤ sévices / mauvais traitements
académique	➤ universitaire / scolaire / collégial / didactique
accommoder qqn	➤ rendre service à qqn / aider qqn
en **accord** avec	➤ en vertu de / conformément à / suivant
admission	➤ entrée / prix d'entrée
adopter un profil bas	➤ se montrer discret
être en **affaires**	➤ être dans les affaires / faire affaire
affecter qqn	➤ concerner qqn / viser qqn / toucher qqn
être **âgé** entre X et Y ans	➤ être âgé de X à Y ans / avoir entre X et Y ans
agenda	➤ programme / ligne d'action
agressif	➤ énergique / dynamique
aile de bicyclette	➤ garde-boue
pour **ajouter** l'insulte à l'injure	➤ pour couronner le tout / et pour comble
alignement des roues	➤ réglage du parallélisme des roues
aller en cour	➤ aller devant les tribunaux
aller en grève	➤ se mettre en grève / déclencher la grève / débrayer
aller sous presse	➤ mettre sous presse
faire des **altérations**	➤ faire des modifications, des retouches
alternative	➤ solution de rechange
9 h **a.m.**	➤ 9 h
être **amie** ou **ami** avec	➤ être l'amie ou l'ami de
amie de fille, **ami** de garçon	➤ amie, ami
être en **amour** avec qqn	➤ être amoureux de qqn
à l'**année** longue	➤ à longueur d'année / toute l'année
anthrax	➤ charbon / maladie du charbon
être **anxieux**	➤ être impatient / avoir hâte
être sur **appel**	➤ être en disponibilité
appel conférence	➤ conférence téléphonique
faire **application**	➤ poser sa candidature / faire une demande d'emploi
appliquer à un emploi	➤ postuler un emploi / postuler à, pour un emploi
appliquer les freins	➤ freiner
appréciation	➤ reconnaissance / gratitude
apprécier faire, **apprécier** que	➤ aimer / souhaiter
approcher qqn	➤ pressentir qqn
arche du pied	➤ cambrure du pied
avoir un **argument**	➤ avoir un différend / se disputer
être **articulé**	➤ être éloquent / savoir bien s'exprimer
assemblée spéciale	➤ assemblée extraordinaire

À vendre : casseroles carrées pour empêcher le lait de tourner.

assumer ➤ penser / supposer
assurance feu ➤ assurance incendie
assurance groupe ➤ assurance collective
assurance santé ➤ assurance maladie
attachement, fichier **attaché** ➤ fichier joint
attaque cardiaque ➤ crise cardiaque
atteindre le fond du baril ➤ toucher le fond
attendre en ligne ➤ faire la queue / attendre à la file
audience ➤ auditoire / assistance
en **autant** que ➤ pour autant que / pourvu que
en **avant** de son temps ➤ à l'avance / avant l'heure prévue
avant son temps ➤ innovateur / avant-gardiste

B

balance ➤ solde / reste
balayer sous le tapis ➤ camoufler
banque ➤ tirelire
bar à salades ➤ buffet de salades / comptoir à salades
barre de savon ➤ savon / pain de savon
basique ➤ de base
bassinette ➤ lit de bébé
batterie (*sauf pour un véhicule*) ➤ pile
pour le **bénéfice** de ➤ au bénéfice de / en faveur de / au profit de
bénéfices marginaux ➤ avantages sociaux
biaisé ➤ partial (*qqn*) / faussé (*qqch.*)
bicycle ➤ bicyclette / vélo
Bienvenue! (*après un* merci) ➤ Je vous en prie. / Il n'y a pas de quoi.
billet de saison ➤ abonnement / carte d'abonnement
biscuit soda ➤ craquelin
blanc comme un drap ➤ blanc comme un linge
blanc de mémoire ➤ trou de mémoire
avoir les **bleus** ➤ avoir le cafard / broyer du noir
bloc à appartements ➤ immeuble résidentiel
boite à fleurs ➤ jardinière
boite à malle ➤ boite à lettres
boite de scrutin ➤ urne
bol de toilette ➤ cuvette
Bon matin ! ➤ Bonjour ! / Bonne journée !
un **bon** trente minutes ➤ trente bonnes minutes
bon vendeur (*livre*) ➤ succès de librairie / livre à succès
bonus ➤ prime / gratification
boule à mites ➤ naphtaline
en **bout** de ligne ➤ en fin de compte / finalement
avoir le gros **bout** du bâton ➤ détenir l'avantage
brassière ➤ soutien-gorge
breuvage ➤ boisson (*avec ou sans alcool*)
bris de contrat ➤ rupture de contrat
briser un record ➤ battre un record
bureau de votation ➤ bureau de vote
bureau-chef ➤ siège social

C

cadeaux corporatifs ➤ cadeaux d'entreprise
canne, can ➤ canette
cap de roue ➤ enjoliveur
carte d'affaires ➤ carte professionnelle

Arrêté par les enquêteurs, le voleur les a menacés d'appeler la police.

carton de cigarettes	➤ cartouche de cigarettes
cassé	➤ fauché
casser avec qqn	➤ rompre avec qqn
centre d'achats	➤ centre commercial
certificat-cadeau	➤ chèque-cadeau
chaise roulante	➤ fauteuil roulant
chambre	➤ salle / bureau
chambre des joueurs	➤ vestiaire
chambre des maitres [maîtres]	➤ chambre principale
chambre privée (*hôpital*)	➤ chambre à un lit
chambre semi-privée (*hôpital*)	➤ chambre à deux lits
prendre la **chance**	➤ courir la chance, le risque / prendre le risque
change	➤ monnaie
changer pour le mieux	➤ s'améliorer
changer un chèque	➤ encaisser un chèque / toucher un chèque
pour une **chanson**	➤ pour une bouchée de pain / pour presque rien
être en **charge** de	➤ avoir la charge de / être responsable de
prendre **charge** de	➤ prendre en charge / se charger de
charger une somme d'argent	➤ demander une somme d'argent / facturer
sans **charges** additionnelles	➤ sans frais supplémentaires / tout compris
le **chat** est sorti du sac	➤ on a découvert le pot aux roses
chèque sans fonds	➤ chèque sans provision
chiffre	➤ équipe de travail / quart de travail
circulaire (*commerce*)	➤ prospectus / feuillet publicitaire
clause orphelin	➤ clause de disparité
clérical	➤ de bureau
clinique de sang	➤ collecte de sang
club de nuit	➤ boite [boîte] de nuit
collecter de l'argent	➤ percevoir de l'argent
combat à finir	➤ combat sans merci
combler un poste	➤ pourvoir un poste / pourvoir à un poste
comiques	➤ bandes dessinées
être sur un **comité**	➤ siéger au / être membre du / faire partie du comité
comité conjoint	➤ comité paritaire
avoir **comme** un	➤ avoir un
commenter sur qqch.	➤ commenter qqch.
commercial	➤ publicité / message publicitaire
compléter un formulaire	➤ remplir un formulaire
compte à payer, payable	➤ compte créditeur
compte de dépenses	➤ allocation de dépenses / compte de frais
compte de taxes	➤ avis d'imposition
concéder un gain	➤ s'avouer vaincu
condition (*santé*)	➤ état de santé / maladie
condo, condominium	➤ copropriété
conférencier invité	➤ conférencier
être, rester **confiant**	➤ être certain / avoir bon espoir
qqn est **confortable**	➤ qqn est bien / qqn est à l'aise
confronter un problème	➤ faire face à un problème / affronter un problème
congé payé	➤ jour férié payé
congé statutaire	➤ jour férié
connexions	➤ relations
conseil de ville	➤ conseil municipal
style **conservateur**	➤ style classique
chiffres **conservateurs**	➤ chiffres prudents
pour aucune **considération**	➤ sous aucun prétexte / pour rien au monde

Dans le monde, il n'y a que le Canada qui n'est pas un pays étranger.

contact (*professionnel*)	➤ relation
contacter qqn	➤ téléphoner à / communiquer avec / rencontrer qqn
avoir des **contacts**	➤ avoir des relations / avoir des connaissances
convention	➤ congrès
qqn de **coopératif**	➤ qqn de coopérant
copie d'un livre	➤ exemplaire d'un livre
être **correct**	➤ aller bien / être bien
coton absorbant	➤ coton hydrophile
coulage d'information	➤ fuites / révélations
pour **couper** court	➤ pour résumer / en bref
couper les dépenses	➤ réduire les dépenses
coupon-rabais	➤ bon de réduction
coupures budgétaires	➤ réductions / restrictions / compressions
coupures de postes	➤ suppressions de postes
dans le **cours** de la semaine	➤ dans le courant de la semaine
coutellerie	➤ service de couverts
couter un bras, une jambe	➤ couter [coûter] les yeux de la tête
crédit	➤ mérite

D

à **date,** jusqu'à **date**	➤ à jour / à ce jour / jusqu'ici / jusqu'à maintenant
décade	➤ décennie
le **déductible**	➤ la franchise
déduction de salaire	➤ retenue / prélèvement
définitivement	➤ bien sûr / certainement / absolument / assurément
degré d'instruction	➤ niveau de scolarité / année d'études
10 **degrés** sous zéro	➤ moins 10 degrés / 10 degrés au-dessous de zéro
délivrer qqch.	➤ livrer qqch.
en **demande**	➤ demandé / recherché
demander pour qqn	➤ demander à voir qqn
demander une question	➤ poser une question
un **demi** de un pour cent	➤ un demi pour cent
département d'un magasin	➤ rayon d'un magasin
département d'une entreprise	➤ service d'une entreprise
dépendant de	➤ en fonction de / selon / suivant
dépenses de voyage	➤ frais de déplacement
dépôt	➤ consigne / acompte / versement
les **dernières** dix semaines	➤ les dix dernières semaines
développement domiciliaire	➤ lotissement / lotissement résidentiel
développer	➤ créer / établir / concevoir / mettre en œuvre
en **devoir**	➤ de garde / en service
digitaliser	➤ numériser
discontinué (*produit*)	➤ de fin de série / qui n'est plus vendu
article **disponible**	➤ article en vente
disposer de qqch.	➤ jeter qqch. / se défaire de qqch.
dossier criminel	➤ casier judiciaire
dramatique	➤ phénoménal / remarquable / spectaculaire
drap contour	➤ drap housse
être sur la **drogue**	➤ être sous l'effet de la drogue
droits humains	➤ droits de la personne
dû à	➤ à cause de / en raison de
être **dû** pour	➤ avoir besoin de / être prêt à

E

être dans l'**eau** bouillante	➤ être dans de beaux draps / être dans le pétrin
échanger un chèque	➤ encaisser un chèque / toucher un chèque

Il est triste de penser que le pôle Nord et le pôle Sud ne se rencontreront jamais.

effectif ➤ en vigueur
à l'**effet** que ➤ selon lequel / voulant que
élaborer (*en détail*) ➤ préciser sa pensée / expliquer
personne **éligible** à ➤ personne admissible à
émettre un rapport ➤ produire un rapport
émettre une contravention ➤ donner une contravention
être à l'**emploi** de ➤ travailler pour / être au service de
endosser ➤ souscrire à / approuver / appuyer
être sous **enquête** ➤ faire l'objet d'une enquête
s'**enregistrer** ➤ s'inscrire
entrée comptable ➤ écriture comptable
enveloppe-retour (*préadressée*) ➤ enveloppe-réponse (*affranchie*)
espace à bureau, de bureau ➤ local pour bureau
espérer pour le mieux ➤ être optimiste / garder espoir
un **estimé** ➤ une évaluation / une estimation
et/ou ➤ l'un ou l'autre, ou les deux
établi ➤ fondé
étampe ➤ cachet / tampon / timbre
étamper ➤ cacheter / tamponner / timbrer
sous **étude** ➤ à l'étude
études avancées, graduées ➤ cycles supérieurs
éventuellement ➤ finalement / un jour ou l'autre
évidence ➤ preuve / indice
qqch. sous **examen** ➤ qqch. à l'examen
exécutif syndical ➤ bureau syndical
exonérer de tout blâme ➤ disculper / innocenter
extension (*électricité*) ➤ rallonge
extension 1111 (*téléphone*) ➤ poste 1111

F

facilités ➤ équipements / services
facture de restaurant ➤ addition
facture d'hôtel ➤ note d'hôtel
se **faire** du capital ➤ exploiter à des fins
faire du sens ➤ avoir du sens
faire du temps ➤ faire de la prison
faire face à la musique ➤ affronter la situation
faire sa part ➤ collaborer / contribuer
faire un fou de soi ➤ se rendre ridicule / se couvrir de ridicule
faire une différence ➤ changer les choses / compter beaucoup / améliorer
se **faire** une idée ➤ se décider / prendre une décision
cela **fait** ma journée ➤ cela me remplit de bonheur
il me **fait** plaisir de ➤ j'ai le plaisir de / c'est avec plaisir que je
être **familier** avec qqch. ➤ bien connaitre [connaître] qqch.
fausse représentation ➤ déclaration mensongère / fraude
sous un **faux** prétexte ➤ sous prétexte
fermer la ligne (*téléphone*) ➤ raccrocher
fièvre des foins ➤ rhume des foins
figurer ➤ prévoir / estimer / calculer
filage ➤ câblage
filer bien ou mal ➤ se sentir bien ou mal / aller bien ou mal
filière ➤ classeur
final ➤ définitif / ultime
à toutes **fins** pratiques ➤ en réalité / en pratique / en fait
pour **fins** de ➤ aux fins de
forger une signature ➤ contrefaire

format légal (*papier*) ➤ grand format / 11 X 14 (po) / 11 sur 14 (pouces)
formel ➤ officiel
fort comme un cheval ➤ fort comme un bœuf
frais de condo ➤ charges de copropriété

G

gagner son point ➤ avoir gain de cause
garder la droite ➤ tenir la droite
garder un œil sur ➤ avoir l'œil sur / surveiller
Gardez la ligne. ➤ Ne quittez pas. / Restez en ligne.
gaz, gazoline ➤ essence
gazer ➤ faire le plein
gérant de banque ➤ directeur de banque
mettre sur la **glace** ➤ mettre de côté / mettre en attente
globalisation ➤ mondialisation
graduation ➤ collation des grades / bal des finissants
gradué ➤ diplômé
grand total ➤ total général / somme totale
grève rotative ➤ grève tournante

H

heures d'affaires ➤ heures d'ouverture / heures de bureau
pour faire une **histoire** courte ➤ pour être bref / en deux mots
hors cour ➤ à l'amiable
hors de notre contrôle ➤ imprévisible / indépendant de notre volonté
hors d'ordre ➤ hors d'usage / en panne
hors d'ordre (*assemblée*) ➤ irrecevable
huile à chauffage ➤ mazout
huile de castor ➤ huile de ricin

I

identifier ➤ définir / déterminer / découvrir / proposer
s'**identifier** ➤ se présenter / se nommer
image corporative ➤ image de l'entreprise
immeuble à revenu ➤ immeuble de rapport
impact ➤ effet / incidence / répercussion
être sous l'**impression** ➤ avoir l'impression
pour votre **information** ➤ à titre de renseignement / pour information
initier ➤ commencer / lancer / entamer / entreprendre
institution (*enseignement*) ➤ établissement
intérêt ➤ préférence / champ d'intérêt
intermission ➤ entracte
introduire qqn ➤ présenter qqn
invasif ➤ traumatique / effractif
invasion de domicile ➤ violation de domicile
en **inventaire** ➤ en magasin
irritant majeur ➤ point litigieux / problème épineux / difficulté
item ➤ article / produit / point / élément

J

jeter la serviette ➤ jeter l'éponge
jeu de blocs ➤ jeu de construction / cubes
joindre un parti, une association ➤ adhérer à / devenir membre de
jouer les seconds violons ➤ jouer un rôle secondaire
jour de calendrier ➤ jour civil
à **journée** longue ➤ à longueur de journée / toute la journée

L'accusé a vécu une vie de bâton de chaise. Le dossier est entre vos mains.

junior ➤ débutant / fils
juridiction ➤ compétence / ressort
être **justifié** ➤ avoir raison / être en droit

L

laisser couler de l'information ➤ divulguer de l'information / ébruiter une nouvelle
laisser savoir ➤ faire savoir
lait condensé ➤ lait concentré
au **large** ➤ en liberté
large, extra **large** (*taille*) ➤ grand, très grand
lettre de références ➤ lettre de recommandation
lettre enregistrée ➤ lettre recommandée
levée de fonds ➤ collecte de fonds / campagne de financement
libelle diffamatoire ➤ diffamation
licence (*véhicule*) ➤ permis de conduire / plaque d'immatriculation
en **ligne** ➤ de suite / d'affilée
ligne d'assemblage ➤ chaine [chaîne] de montage
ligne d'attente ➤ file d'attente
ligne engagée ➤ ligne occupée
ligne ouverte ➤ tribune téléphonique
passer les **lignes** d'un pays ➤ passer la frontière
liqueur ➤ boisson (*avec ou sans alcool*)
liqueur douce ➤ boisson gazeuse
lit jumeau ➤ lit simple / lit à une place
littérature ➤ dépliant / prospectus / brochure / documentation
livraison spéciale ➤ exprès / livraison par exprès
être un **livre** ouvert ➤ ne rien cacher
livrer la marchandise ➤ être à la hauteur / tenir parole
local 1111 (*téléphone*) ➤ poste 1111
localiser ➤ trouver / découvrir
loger un appel téléphonique ➤ téléphoner / appeler
loger une plainte, un grief ➤ déposer une plainte, un grief / porter plainte
longue distance (*téléphone*) ➤ interurbain
lumière (*signal*) ➤ voyant / témoin
lumière rouge (*circulation*) ➤ feu rouge
lumières d'auto ➤ feux d'auto / phares d'auto
lutte à finir ➤ lutte sans merci

M

maison de ville ➤ maison en rangée
maison détachée ➤ maison individuelle / maison isolée
maison semi-détachée ➤ maison jumelée
maller ➤ poster
manuel de service ➤ guide d'entretien
matériel ➤ tissu / matériau
médium (*communication*) ➤ média
médium (*degré de cuisson*) ➤ à point
médium (*taille*) ➤ moyen
être à son **meilleur** ➤ être au meilleur de sa forme / exceller
qqch. à son **meilleur** ➤ le meilleur de qqch.
meilleur avant (*suivi d'une date*) ➤ date de péremption
au **meilleur** de ma connaissance ➤ à ma connaissance / pour autant que je sache
avoir le **meilleur** sur ➤ l'emporter sur
meilleur vendeur ➤ article à succès / succès de vente, de librairie
de **meilleure** valeur (*article*) ➤ de qualité / avantageux
mélange à (*alimentation*) ➤ préparation pour

même à ça ➤ malgré cela
du, dans un **même** souffle ➤ d'un trait / en même temps
mère Nature ➤ dame Nature
mérite de qqch. ➤ bien-fondé de qqch.
mettre au vote ➤ soumettre au vote
mettre la barre haute ➤ être exigeant envers soi-même
mettre l'emphase sur qqch. ➤ mettre l'accent sur qqch. / mettre en relief qqch.
mettre l'épaule à la roue ➤ mettre la main à la pâte / aider / épauler
se **mettre** le pied dans la bouche ➤ se tromper grossièrement
mettre qqn sous arrêt ➤ arrêter qqn
mettre sur la carte ➤ mettre en vedette
mettre sur la glace ➤ mettre en attente / remettre à plus tard
être **mieux** de ➤ faire mieux de / avoir intérêt à
minutes (*assemblée, réunion*) ➤ procès-verbal / compte rendu
moi pour un ➤ selon moi / quant à moi / à mon avis
monétaire ➤ salarial / financier / pécuniaire
qqch. au **montant** de X $ ➤ qqch. de X $ / un chèque, un don, une dette de X $
montre digitale ➤ montre numérique
mur à mur ➤ entièrement / uniforme

N

net ➤ filet
au **neutre** ➤ au point mort
nez à nez ➤ à égalité / ex æquo / coude-à-coude
nom corporatif ➤ raison sociale / dénomination
nominé ➤ sélectionné / en lice
non applicable ➤ sans objet
notice ➤ démission / avis de congédiement
numéro civique ➤ numéro / numéro d'immeuble

O

s'**objecter** ➤ s'opposer / refuser
sous **observation** ➤ en observation
occupation ➤ emploi / profession / métier
officier, officière ➤ dirigeant, dirigeante
officier, officière de police ➤ policier, policière
en **opération** ➤ en service / en marche / en vigueur
opportunité ➤ occasion / possibilité / chance
opportunités ➤ avantages / perspectives / possibilités
organique (*aliment*) ➤ biologique
ouvert 24 heures par jour ➤ ouvert jour et nuit
ouverture ➤ débouché / poste

P

pain brun ➤ pain complet / pain de blé entier
pamphlet (*publicité*) ➤ dépliant / prospectus / brochure
X **par** X (*dimension*) ➤ X sur X (*papier 8 ½ sur 11*)
parade de mode ➤ défilé de mode
parc d'amusement ➤ parc d'attractions
parler à travers son chapeau ➤ parler à tort et à travers
particulier ➤ capricieux / méticuleux
partir qqch. ➤ démarrer / fonder / ouvrir / lancer qqch.
ce qui se **passe** avec lui ➤ ce qui lui arrive
passé date, **passé** dû ➤ périmé / démodé / échu
passer à travers ➤ examiner / lire
passer sur le feu rouge ➤ passer au feu rouge

Le défunt a formellement reconnu son agresseur.

passer une loi, un règlement ➤ adopter un projet de loi, un règlement
passer une remarque ➤ faire une remarque / formuler une remarque
patates pilées ➤ purée de pommes de terre
pâte à dents ➤ dentifrice / pâte dentifrice
pause commerciale ➤ pause publicitaire
payable sur livraison ➤ payable à la livraison
pour **payer** ou charger ➤ comptant ou crédit
payer pour qqch. 10 $ ➤ payer qqch. 10 $
payeur de taxes ➤ contribuable
par la **peau** des dents ➤ de justesse
pédale à gaz ➤ pédale d'embrayage
perdre des points de démérite ➤ accumuler des points d'inaptitude
période de probation ➤ période d'essai
période d'entrainement ➤ période de formation
pertes encourues ➤ pertes subies
aux **petites** heures du matin ➤ au petit matin
pour aussi **peu** que 10 $ ➤ pour seulement 10 $
pilote (*cuisinière, machine*) ➤ veilleuse / lampe témoin
place d'affaires ➤ bureau / siège / établissement
placer un appel téléphonique ➤ téléphoner / faire un appel
placer une commande ➤ passer une commande / faire une commande
plancher ➤ étage
plume-fontaine ➤ plume / stylo-plume
la deuxième **plus** grande chose ➤ la deuxième chose en importance
plus souvent qu'autrement ➤ la plupart du temps / le plus souvent
9 h **p.m.** ➤ 21 h
poche de thé ➤ sachet de thé
poinçonner (*arrivée, départ*) ➤ pointer
point aveugle ➤ angle mort
point de démérite ➤ point d'inaptitude
soulever un **point** d'ordre ➤ invoquer le règlement / faire appel au règlement
point tournant ➤ moment décisif / tournant décisif
pointer du doigt ➤ montrer / désigner
pôle à rideaux ➤ tringle à rideaux
poli à ongles ➤ vernis à ongles
porte patio ➤ porte-fenêtre
être **positif** ➤ être certain / être convaincu / être sûr
position ➤ emploi / poste / situation
poudre à pâte ➤ levure chimique / poudre à lever
poursuite légale ➤ poursuite judiciaire
pratique d'une activité ➤ exercice / entrainement [entraînement]
pratiquer, se **pratiquer** à ➤ s'exercer à / s'entrainer à [s'entraîner à]
sans **préjudice** ➤ sous toutes réserves
les **premiers** deux noms ➤ les deux premiers noms
prendre action ➤ agir / passer aux actes
prendre la part ➤ prendre la défense / prendre le parti
prendre le crédit ➤ s'attribuer le mérite
prendre le plancher ➤ monopoliser l'attention / parler sans arrêt
prendre le vote ➤ procéder au vote / passer au vote
prendre personnel ➤ se sentir visé
prendre place (*évènement*) ➤ avoir lieu
prendre place dans un véhicule ➤ monter dans un véhicule
prendre pour acquis ➤ tenir pour acquis
prendre un cours ➤ suivre un cours / s'inscrire à un cours
prendre une action contre qqn ➤ actionner qqn

On dit que la langue est un organe dégustatif.

prendre une marche	➤ faire une marche / faire une promenade
prescription de médecin (*écrite*)	➤ ordonnance
préservatif (*alimentation*)	➤ agent de conservation
basse **pression** (*artérielle*)	➤ hypotension
haute **pression** (*artérielle*)	➤ hypertension
pressuré	➤ sous pression
pressurisation	➤ mise sous pression
prévaloir	➤ exister / avoir cours
prime de séparation	➤ indemnité de fin d'emploi, de départ
privé (*cours, formation*)	➤ particulier / individuel
prix coupé, **prix** spécial	➤ prix réduit
prix de liste	➤ prix courant
en **probation**	➤ à l'essai
c'est son **problème**	➤ c'est son affaire
procéder (*non suivi de* à)	➤ commencer / entreprendre
les **prochaines** cinq semaines	➤ les cinq prochaines semaines
programme de télévision	➤ émission de télévision
des **propos** non consistants	➤ des propos non conformes

Q

qualifications (*offre d'emploi*)	➤ exigences
questionner qqch.	➤ mettre en doute qqch. / s'interroger sur qqch.
quitter (*emploi*)	➤ démissionner

R

la **raison** pourquoi je l'accepte	➤ la raison pour laquelle je l'accepte
rampe (*autoroute*)	➤ bretelle
en **rapport** avec	➤ à propos de / relativement à
rapport d'impôts	➤ déclaration d'impôts / déclaration fiscale
rapporter qqch.	➤ déclarer qqch. / signaler qqch.
rapporter qqn	➤ dénoncer qqn
Re: (*correspondance*)	➤ Objet :
réaliser	➤ prendre conscience / s'apercevoir
recomptage (*élection*)	➤ second dépouillement
reconditionné	➤ remis à neuf
référer à qqn, à qqch.	➤ s'appliquer à qqch. / concerner qqch.
référer qqn	➤ recommander qqn
référer qqn à un ouvrage	➤ renvoyer qqn à un ouvrage
regarder bien ou mal	➤ s'annoncer bien ou mal / se présenter bien ou mal
régulier	➤ ordinaire / normal / courant / habituel
relâché sur parole	➤ en liberté conditionnelle
relocaliser qqn	➤ déplacer qqn / reloger qqn / muter qqn
rempli à capacité	➤ bondé / plein
remplir une ordonnance	➤ exécuter une ordonnance
rencontrer (*besoin, exigence*)	➤ satisfaire à / répondre à / remplir / respecter
rencontrer (*objectif*)	➤ atteindre
renverser (*jugement, décision*)	➤ casser / annuler
représentant des ventes	➤ représentant / représentante
fausses **représentations**	➤ fausses déclarations / fraude / publicité trompeuse
réquisition	➤ commande / bon de commande
résidence funéraire	➤ salon funéraire / salon mortuaire
être là pour **rester**	➤ être là pour de bon
avec le **résultat** que	➤ de sorte que / avoir pour résultat que
avec comme, pour **résultat** que	➤ de sorte que / avoir pour résultat que
résulter en	➤ dégénérer en / aboutir à / occasionner
retour à l'école	➤ rentrée scolaire

À vendre : robe de mariée portée une seule fois par erreur.

retour d'impôt ➤ remboursement d'impôt
retourner l'appel de qqn ➤ répondre à qqn / rappeler qqn
rétroactivité de salaire ➤ rappel de salaire / salaire rétroactif
n'avoir **rien** à faire avec cela ➤ n'avoir rien à voir dans cela / n'y être pour rien
il n'y a **rien** là ➤ ce n'est rien
rince-crème ➤ revitalisant / après-shampoing
roman-savon ➤ téléfeuilleton / roman-fleuve / feuilleton
romance ➤ amour / idylle
royauté ➤ redevance

S

salle à diner [dîner] ➤ salle à manger
salle de montre ➤ salle d'exposition
sauce aux pommes ➤ compote de pommes / purée de pommes
sauter aux conclusions ➤ tirer des conclusions hâtives
sauver du temps, de l'argent ➤ gagner / économiser / épargner
scie ronde ➤ scie circulaire
script ➤ scénario
sécher à froid ➤ lyophiliser
seconder une proposition ➤ appuyer une proposition
secrétaire exécutif ➤ secrétaire de direction
sur **semaine** ➤ en semaine
sénior ➤ en chef / supérieur / principal / premier
séniorité ➤ ancienneté
senseur ➤ capteur
sentence d'emprisonnement ➤ peine d'emprisonnement
service de valet ➤ service de voiture
serviette sanitaire ➤ serviette hygiénique
servir un avertissement ➤ donner un avertissement
session d'information ➤ séance d'information
set de vaisselle ➤ service de vaisselle
qqch. de **sévère** ➤ qqch. de lourd / de grave / de sérieux
siéger sur le comité ➤ siéger au / être membre du / faire partie du
signaler (*numéro de téléphone*) ➤ composer / faire
significatif ➤ considérable / important
site ➤ emplacement / lieu
être **six** pieds sous terre ➤ être mort et enterré
soda à pâte ➤ bicarbonate de soude, de sodium
solide (*bois, métal*) ➤ massif
sortie d'urgence ➤ sortie de secours / issue de secours
dans les **souliers** de qqn ➤ dans la peau de qqn / à la place de qqn
sous contrôle ➤ bien en main / circonscrit / maitrisé [maîtrisé]
en **spécial** ➤ au rabais / en promotion / en solde
spécial du jour ➤ plat du jour
des **spéciaux** ➤ des soldes
spécifique ➤ précis / explicite
spéculation ➤ supposition
stand de taxis ➤ station de taxis
de la **statique** ➤ des parasites / des bruits
statut civil, **statut** marital ➤ état civil / état matrimonial
steak de saumon ➤ darne de saumon
sucre brun ➤ cassonade
suite 111 ➤ bureau 111
Sujet : (*correspondance*) ➤ Objet :
sujet à ➤ sous réserve de
support technique ➤ assistance technique

Ce matin, papa m'a fait des muffins en anglais.

supporter un, une athlète ➤ appuyer / encourager un, une athlète
être **supposé** faire qqch. ➤ être censé faire qqch.
surtemps ➤ heures supplémentaires
syllabus ➤ plan de cours
sympathies (*décès*) ➤ condoléances
sympathique à (*cause, idée*) ➤ gagné à
système de son ➤ chaine[chaîne] haute-fidélité / chaine stéréo

T

sous la **table** ➤ au noir
tapis mur à mur ➤ moquette
ce n'est pas ma **tasse** de thé ➤ cela ne me convient guère
taxe de bienvenue ➤ droit de mutation immobilière
taxe foncière ➤ impôt foncier
tel que (*suivi d'un part. passé*) ➤ comme
faire un **téléphone** ➤ faire un appel téléphonique
temps double ➤ double tarif / taux double
temps simple ➤ salaire normal, de base
temps supplémentaire ➤ heures supplémentaires
tenir le fort ➤ assurer la permanence / tenir le coup
termes (*contrat*) ➤ conditions
termes faciles ➤ facilités de paiement
thème musical ➤ indicatif musical
ticket (*véhicule*) ➤ contravention
tomber en amour avec qqn ➤ tomber amoureux de qqn / s'éprendre de qqn
lui **tordre** le bras ➤ lui forcer la main / insister
tous un chacun ➤ tout un chacun / tous / tout le monde
trafic lourd ➤ circulation dense
transfert (*transport*) ➤ correspondance / transit (*escale*)
transfert d'un employé ➤ mutation d'un employé
travail à contrat ➤ travail à forfait
traverse de chemin de fer ➤ passage à niveau
du **trouble** ➤ de la difficulté / des problèmes / des ennuis
tuile (*plancher, mur*) ➤ carreau

U

union ➤ syndicat

V

valet ➤ voiturier
varia (*ordre du jour*) ➤ divers
venir en (*aspect, quantité*) ➤ se faire en / exister en / être offert en
vente (*à prix moindre*) ➤ solde / promotion / rabais
vente de feu ➤ liquidation / solde après incendie
vente de garage ➤ vente-débarras
vente de trottoir ➤ braderie
qqn de **versatile** ➤ qqn de polyvalent / qqn aux talents variés
versus ➤ contre
chien **vicieux** ➤ chien méchant
pour la **vie** ➤ à vie
virage en U ➤ demi-tour
vivre avec ➤ s'en accommoder / s'y résigner / s'y faire
voir à qqch. ➤ s'occuper de qqch. / se charger de qqch.
voir la lumière au bout du tunnel ➤ voir le bout du tunnel
vol domestique ➤ vol intérieur

Comme mon mari doit partir chez les fous, je l'envoie à votre bureau.

Perles en traduction

MADE IN TURKEY

FABRIQUÉ EN DINDE

Fly to Asia by Air International. You'll be amazed!

Volez vers l'Asie par Air International. Vous n'en reviendrez pas!

Caesar cepit Galia in summum diligentia.

César prit la gale au sommet d'une diligence.

The tire is designed with an extra thick rubber liner.

Le pneu est désigné avec un paquebot de caoutchouc très épais.

Ozone safe

Coffre-fort d'ozone

Mixed Nuts

Écrous mélangés

Machine wash.
Do not dry clean.
No tumble dry.
Iron. Gentle cycle.

Usinez le lavage.
Ne séchez pas propre.
Aucune dégringolade sèche.
Fer. Gentille bicyclette.

Message to all sport fans

Message à tous les ventilateurs de sports

My name is Bill Brown and I am a great fan of James Dean and Mike Tyson. I am a supporter of Liverpool, and I watch all their matches.

Mon nom est Facture Brun et je suis un grand ventilateur de Jacques Doyen et de Micro Tison. Je suis un supporteur de Piscine-de-Foie, et je surveille toutes leurs allumettes.

Publications malencontreuses

Après trois publications comportant une erreur, Robert Jones est furieux :

FOR SALE : Robert Jones has one sewing machine for sale. Call 432-123-4567 after 7 p.m. and ask for Mrs. Kelly, who lives with him cheap.

FOR SALE: Robert Jones has one sewing machine for sale. Cheap. Call 432-123-4567 and ask for Mrs. Kelly, who lives with him after 7 p.m.

FOR SALE: Robert Jones has one sewing machine for sale. Cheap. Call 432-123-4567 after 7 p.m. and ask for Mrs. Kelly, who loves with him.

NOTICE : I, Robert Jones, have NO sewing machine for sale. I SMASHED IT. Don't call 432-123-4567, as the telephone has been cut. I have NOT been carrying on with Mrs. Kelly. Until yesterday, she was my housekeeper, but she QUIT.

Il faut défendre notre langue, sinon elle mourira.

Capitales

Introduction

«... Donner aux mots une importance qu'ils n'ont pas, les monter en épingle
en les affublant avec emphase de lettres capitales imprévues,
c'est ignorer que la majuscule n'a d'effet que si on en
use discrètement ; l'employer sans distinction
revient à souligner tous les mots,
c'est-à-dire n'en souligner aucun. »

« L'abus des majuscules — dénommé par d'aucuns *majusculite* —
trahit le gout de l'hyperbole prétentieuse, un certain snobisme
de l'effet. Psychologiquement, on peut y voir une marque
d'obséquiosité ; le commerçant croit flatter le client
en le décorant d'une capitale, et le subalterne
s'humilie de la même manière
devant son supérieur. »

De l'emploi de la majuscule, Fichier français de Berne (Suisse), 1973.

Définitions

Capitale

En typographie, la capitale (abréviation invariable : **cap.**) désigne la **majuscule.** Nous avons choisi de ne pas employer les termes *majuscule* et *minuscule* dans cet ouvrage pour trois raisons. D'abord, leur prononciation est trop semblable, de sorte que l'on risque de les confondre. D'autre part, l'abréviation de *minuscule* par *min.* est déjà prise par *minimum* et *minimal.* Enfin, le symbole *min* sans point abréviatif désigne la *minute de temps.*

Différence entre *capitale* et *majuscule*

Certains auteurs voient une différence entre ces deux mots, en indiquant par exemple que, dans le mot *PAUL,* le *P* est la majuscule et les autres lettres sont des capitales. Cette nuance est inutile et complique les choses. On peut donc considérer les mots *capitale* et *majuscule* comme synonymes.

Bas-de-casse

Le bas-de-casse (abréviation invariable : **bdc**) désigne la **minuscule.** Quant au groupe de mots *bas de casse* sans traits d'union, il désigne le bas de la casse, sorte de tiroir qui servait à ranger les lettres en plomb. On y plaçait les lettres minuscules dans le bas. On peut donc dire qu'un bas-de-casse est une lettre minuscule, et qu'un bas de casse était la partie inférieure d'une casse en bois.

Casse

Le mot *casse* englobe les deux notions de capitale et de bas-de-casse. On peut dire dans l'exemple ci-dessous que la casse du mot *Société* est une capitale initiale et que les mots *gens* et *lettres* sont en bas-de-casse.

la Société des gens de lettres

Dénomination

Une dénomination est un groupe de mots qui prend le statut de nom propre. Elle contient toujours au moins une capitale.

le Bureau de normalisation du Québec l'Office québécois de la langue française

Générique

Le générique est le nom commun qui se trouve au début de la dénomination. Dans les exemples suivants, les noms communs *ministère, mont* et *mer* sont les génériques.

le ministère des Transports le mont Tremblant la mer Rouge

Spécifique

Le spécifique est le mot qui spécifie la dénomination. Il peut avoir été formé à partir d'un nom commun, d'un nom propre ou d'un adjectif. Dans les exemples suivants, les mots *Transports, Tremblant* et *Rouge* sont les spécifiques.

le ministère des Transports le mont Tremblant la mer Rouge

Spécifique nouveau

Le générique *mont* (exemple de gauche) est devenu un composant du spécifique de l'exemple de droite, le nom commun *avenue* étant dans ce cas le nouveau générique.

le mont Royal l'avenue du Mont-Royal

Règles des capitales

Règle

Quand on commence une carrière en rédaction, on peut trouver difficile d'employer correctement les capitales.

Il ne faut pas trop s'en faire, car, sur les nombreux cas que l'on trouve dans ce chapitre concernant l'usage des capitales, presque tous ne donnent pas lieu à des différences d'interprétation. Toutefois, certains cas peuvent être analysés de plusieurs façons différentes.

Par exemple, le mot *palais* est placé dans ce chapitre sous l'entrée *Bâtiments,* en bonne compagnie avec *le palais de la Découverte, la tour Eiffel* et *le palais des Congrès.* Or, on peut considérer que le palais des Congrès est une société, donc qu'il doit s'écrire *le Palais des congrès.* Dans d'autres pays francophones, on met une capitale à chaque mot important, donc on écrit *le Palais des Congrès*. Enfin, l'Office québécois de la langue française considère qu'il s'agit là de noms communs, donc qu'il faut écrire *le palais des congrès.*

Ces quatre théories se défendent toutes. Mais il ne faut surtout pas que la rédactrice ou le rédacteur soit effrayé par la crainte de faire une faute impardonnable en adoptant une façon d'écrire ou une autre. L'important est de rester cohérent tout le long de l'ouvrage quand on a choisi de mettre une capitale à un certain mot. D'ailleurs, la notion de *personne physique ou morale* (ci-dessous) apporte une bonne solution au problème des capitales.

Personne physique ou morale

Ces termes sont des termes de droit. Quand on pense au sens **physique** de la dénomination, on met un bas-de-casse initial au générique (*palais*) et une capitale au spécifique (*Découverte*), selon la règle concernant les *Bâtiments.*

Le toit du palais de la Découverte a été réparé.

Quand on pense au sens **moral** de la dénomination, cette dernière n'est plus un bâtiment, mais elle devient une société. Elle doit donc en suivre la règle d'écriture. On met une capitale initiale au premier nom et à l'adjectif qui éventuellement le précède.

Le Palais de la découverte a payé la facture de la réparation.

✣ Si l'on préfère l'uniformité, on peut toujours opter pour la capitale, comme au sens *moral.*

Enseignes et couvertures de livres

Sur les couvertures des livres ou sur les enseignes au-dessus des commerces, le choix des capitales est laissé à la créativité de l'artiste.

Capitales accentuées

On doit mettre tous les accents et tous les signes diacritiques sur les capitales, excepté sur les sigles et les acronymes quand ils sont écrits en capitales. (Voir page 108 des exemples de contresens que l'on peut éviter grâce aux accents.)

Adjectif placé avant

Si l'adjectif est placé avant le nom, il prend une capitale ; après, un bas-de-casse.

la Belle Époque — les Temps modernes

Ponctuation finale

Dans un texte courant, on met une capitale après toute ponctuation finale.

Noms propres

Les noms propres prennent une capitale, sauf la particule nobiliaire **de** qui est en bas-de-casse si elle est précédée du prénom ou du titre de la personne. Les noms propres composés ont une capitale à chaque élément.

Titre et paragraphe en capitales

Il faut éviter de composer un titre ou un paragraphe entier en capitales, parce qu'il est souvent difficile d'y distinguer les sigles, les noms propres et les symboles d'unités. L'écriture d'un paragraphe tout en capitales était utilisée en dactylographie pour donner de l'importance au texte. En typographie, on peut obtenir le même résultat en composant normalement, mais en augmentant la taille des caractères.

Raison sociale

La raison sociale est le libellé exact de la dénomination telle qu'elle a été enregistrée officiellement. On met une capitale au premier nom ainsi qu'à l'adjectif qui le précède. Dans ces exemples, l'article défini ne fait pas partie de la raison sociale.

la Société des amis des chats — la Nouvelle Société des amis des chats
l'Association des amis du vélo — le Restaurant de la bonne fourchette

Il faut éviter d'employer inutilement l'article défini **Le, La**, **Les** au début de la raison sociale. Cela facilitera l'ordre alphabétique.

Éditions Dupont — (*et non :* Les Éditions Dupont)

Une raison sociale est considérée comme un nom propre. Elle n'est donc pas touchée par la nouvelle orthographe tant qu'elle n'est pas réenregistrée.

la Sûreté du Québec — (*et non :* la Sureté du Québec)

Dénomination elliptique

Quand la dénomination elliptique (dénomination qui est citée en partie) est précédée du même article défini que la dénomination complète, elle prend la capitale. (Les articles définis sont *le, la, les,* qui font aussi partie des articles contractés, *au, aux, du, des.*)

La Société des gens de lettres a étudié la question. Ensuite, **la** Société a pris une décision. Cette société est une société très active.

Si le contexte ne laisse aucun doute sur l'identité exacte de la dénomination elliptique, cette dernière s'écrit avec une capitale au nouveau spécifique (à droite).

le golfe Persique — la guerre du Golfe

Dénomination et article

Une dénomination perd généralement son statut de nom propre, donc sa capitale, si elle est employée au pluriel ou sans l'article défini devant elle.

Tous les centre**s** sportifs s'occupent des jeunes. **Ce** centre sportif est très actif.
Le président est fier de **son** centre sportif. C'est **un** centre sportif accueillant.

Une dénomination demeure un nom propre quand elle est précédée d'un article défini singulier (*le, la*) ou d'un article contracté singulier (*au, du*).

J'ai visité **le** Centre sportif de Saint-Yves. **Le** Centre sportif a organisé une fête.
Je vais **au** Centre sportif de Saint-Yves. Je te parle **du** Centre sportif de Saint-Yves.

Dénomination trompeuse

Rappelons qu'une dénomination est un groupe de mots qui a pris le statut de nom propre. Les trois exemples suivants sont considérés comme des dénominations, car ils appartiennent à des organismes officiels et structurés. Ils prennent donc une capitale.

les Casques bleus — *membres de la force militaire internationale de l'ONU*
les Chemises noires — *groupements fascistes italiens*

Les exemples suivants ne sont pas des organismes, mais des **sobriquets** (nom que l'on donne à quelqu'un à partir d'une de ses caractéristiques).

les cols bleus — les cols blancs — les bérets rouges

Échangerais violon d'Ingres contre clarinette.

Lettre d'affaires

Lieu et date

En début de lettre, le nom de la ville est suivi d'une virgule, puis vient la date en lettres minuscules. On ne met pas de point après l'année (*Québec, 27 septembre 2012*).

Vedette

On appelle ainsi la ou le destinataire de la lettre. Le titre de civilité (*Madame*) ne s'abrège pas. En cas de manque de place, on peut abréger par QC le nom de la province. On ne met pas de virgule à la fin de la ligne (voir page 82).

Titre de civilité, prénom et nom	Madame Geneviève Dupont
Fonction	Directrice
Entreprise	Éditions Durand
Rue	23, rue du Parchemin Est
Ville, province, 2 espaces, code postal	Montréal (Québec) H2L 4S9

Appel

Le titre de civilité du ou de la destinataire s'écrit au long, avec une capitale initiale, et on le fait suivre d'une virgule.

Monsieur, Madame, Messieurs, Mesdames,

Quand on ne s'adresse pas précisément à quelqu'un, on écrit l'un sous l'autre les titres de civilité :

Mesdames, Messieurs,	*ou*	Madame, Monsieur,

Dans un **courriel,** on met une virgule avant le mot en apostrophe rhétorique, et un point après.

Bonjour, Paul. Chère collègue,

À la Ramat, si l'on utilise la fonction du ou de la destinataire, on écrit la formule avec une seule capitale au début. Cette règle est cohérente avec la règle concernant *madame* et *monsieur*.

Madame la directrice, Monsieur le maire,

La méthode traditionnelle préconise la capitale à la fonction (voir 42 et 43).

Madame la Directrice, Monsieur le Maire,

Si l'on utilise le titre honorifique ou le titre religieux, on met une capitale initiale à tous les mots.

Altesse,	Excellence,	Majesté,	Altesse Royale,
Éminence,	Monseigneur,	Mon Père,	Révérend Père,

Texte

Ramat propose d'écrire le titre de civilité au long, avec un bas-de-casse, que l'on parle de la personne ou que l'on s'adresse à elle.

Je vous informe, monsieur le directeur, que j'ai rencontré madame Dubé.

D'une part, la méthode traditionnelle préconise la capitale initiale au titre de civilité et à la fonction. D'autre part, elle dit qu'on écrit les titres de civilité au long quand on s'adresse à la personne, et en abrégé quand on parle d'elle.

Je vous informe, Monsieur le Directeur, que j'ai rencontré Mme Dubé.

Taille typographique

Dans une lettre d'affaires, l'interligne est de 12 pt pour une taille de 10 pt, et de 14 pt pour une taille de 12 pt. On doit mettre un blanc d'au moins 6 pt entre les paragraphes.

Quand deux atomes s'accrochent, on dit qu'ils sont crochus.

Salutation

On utilise la même apostrophe rhétorique que celle utilisée dans l'appel, que l'on place entre deux virgules.

À la Ramat, on met un bas-de-casse initial. Cette règle est cohérente avec celle concernant *madame* et *monsieur* (pages 42 et 43).

Veuillez accepter, madame, mes salutations distinguées.
Je vous prie d'agréer, monsieur le ministre, mes respectueuses salutations.

La méthode traditionnelle prône la capitale au titre de civilité et à la fonction.

Veuillez accepter, Madame, mes salutations distinguées.
Je vous prie d'agréer, Monsieur le Ministre, mes respectueuses salutations.

Initiales d'identification

Les initiales sont les mentions de la personne qui a rédigé la lettre et de celle qui l'a tapée à l'ordinateur. Ces deux noms sont séparés par une barre oblique. On ne met pas de points abréviatifs, pas de traits d'union, pas de particule nobiliaire. On met les accents sur les majuscules. Supposons que la rédactrice se nomme Marie-Ève de Montigny et que l'opérateur soit Jean-Marie Saint-Paul. Voici l'écriture des initiales :

MÈM/jmsp

Téléphone et télécopieur

Le mot *téléphone* s'abrège *tél.* Les mots *télécopie* ou *télécopieur* s'abrègent *téléc.* Le mot *fax* est un anglicisme qui signifie *télécopie*. Au Québec, on utilise *télécopie* ou *télécopieur.* L'indicatif s'écrit sans parenthèses. (On écrit *Tél. :* et *Télec. :* avec un deux-points précédé d'une espace insécable quand ces abréviations sont en début de phrase.)

Tél. : 514 123-4567 Téléc. : 514 123-4567
(*et non :* (514) 123-4567 *ni* 514.123.4567)

Les numéros 800 et 888 sont des numéros dits de *libre-appel* et ils sont gratuits. Les numéros 900 et 976 sont des numéros dits de *libre-service* et ils sont payants. Ces numéros ne sont pas entourés de parenthèses ni de traits d'union, mais d'une espace insécable. Il faut composer le 1 devant ces numéros (exemples fictifs).

1 800 123-4567 1 888 123-4567 1 900 123-4567 1 976 123-4567

✤ Il serait plus utile et plus simple de joindre tous les éléments par un **trait d'union.** D'abord parce que la ponctuation n'a pas d'effet sur la composition du numéro. Ensuite, parce que les traits d'union indiquent en bout de ligne que le numéro n'est pas fini. Enfin, parce cette méthode est largement utilisée au Canada et aux États-Unis.

514-123-4567 1-888-123-4567 1-900-123-4567 1-976-123-4567

Adresses de site et de courrier électronique

Le mot *courriel* s'impose de plus en plus. Sur une carte professionnelle, il est important de distinguer le numéro de téléphone de celui du télécopieur. Mais on peut ne pas mentionner *Courriel* devant l'adresse de messagerie, car il ne peut pas y avoir confusion, étant donné la présence de l'arobas (@). Le mot *courriel* ne s'abrège pas.

Dans un texte courant, il vaut mieux composer l'adresse de site sur une seule ligne, centrée ou à gauche selon que la composition est justifiée ou en drapeau à gauche. Pour la faire ressortir du texte, on peut utiliser différents moyens (voir page 118).

ambenoit.ramat@gmail.com www.ramat.ca

Si la justification (longueur de la ligne) est très petite et que l'adresse de site ou de courriel n'entre pas entièrement, on peut y faire une coupure avec un trait d'union conditionnel, en prenant soin si possible de couper avant ou après l'arobas, ou bien après un point ou une barre oblique. Il faut cependant essayer d'éviter cette situation.

Adresse postale

✤ En principe, les éléments d'une adresse ne s'abrègent pas. Cependant, en cas de **manque de place,** on peut utiliser les **abréviations en gras** suivantes.

A, B, C	En capitales et collés au numéro. 13B, rue Durand
Appartement	Abréviation : **app.** 400, rue de la Liberté, app. 1600 *ou* 1600-400, rue de la Liberté (admis par Postes Canada)
Bis	En romain, bas-de-casse, avec espace insécable après le numéro. 13 bis, rue Dupont
Bureau	Abréviation : **bur.** Même règle que *Appartement.*
Canada	En capitales, sur la dernière ligne. Seulement pour les envois à l'étranger.
Case postale	Abréviation : **C.P.** C.P. 120, succ. Centre-ville
Chambre	Ne s'utilise que dans l'hôtellerie. Même règle que *Appartement,* mais ne s'abrège pas.
Code postal	Précédé de deux espaces, sur la même ligne que la province, ou sur la ligne suivante si la place manque. (Québec) A1A 1A1
Destinataire	Doit être mentionné en premier, au-dessus de l'adresse et du nom de la société. Monsieur Roger Dubois Société générale de menuiserie
Est, Ouest	Abréviations : **E.** et **O.** 3, rue Sainte-Catherine O. *ou mieux, s'il y a de la place :* 3, rue Sainte-Catherine Ouest
Étage	Abréviation : **ét.** Même règle que *Appartement.*
Madame	Au long avec capitale initiale, de même que les titres ci-dessous. Monsieur, Docteur, Docteure, Maitre *ou* **Mme, M., D^{r}, D^{re}, M^{e}**
Numéro	Suivi d'une virgule, jamais d'espace entre les chiffres. 12345, rue Georges-Dupont
Porte	Ne s'abrège pas. Peut s'employer à la place de *Bureau.*
Québec	Entre parenthèses et au long si la place le permet. S'abrège en **QC** si la place est limitée et dans les envois massifs.
Rue	23, rue Rachel Est (Les génériques *rue, avenue,* etc., sont obligatoires.) 23, 2e Rue *ou* 23, Deuxième Rue
Succursale	Abréviation : **succ.** (Voir *Case postale*).
Suite	Ne s'utilise que dans l'hôtellerie, jamais pour un bureau. Même règle que *Appartement,* mais ne s'abrège pas.
Ville	Son nom ne s'abrège pas. Il s'écrit en capitales et bas-de-casse. Bois-des-Filion.
Virgule	Pas de virgule à la fin des lignes ni de point.

Menus de restaurant

Article au début du mets

On emploie l'article seulement si la pièce entière est servie.

Bœuf en boulettes	(*et non :* Le bœuf en boulettes)
Tournedos Rossini	(*et non :* Le tournedos Rossini)
Le faisan à la bohémienne	(*la pièce entière est servie*)

Capitales dans un menu

On met une capitale au premier mot de la dénomination seulement.

Mousseline de brochet	(*et non :* Mousseline de Brochet)
Terrine de fruits de mer	(*et non :* TERRINE DE FRUITS DE MER)
Turbot au champagne	(*et non :* Turbot au Champagne)

Dénomination dédicatoire

Le nom propre indique la personne, le lieu ou l'évènement.

Carré d'agneau Du Barry	Pêche Melba (*du nom d'une cantatrice*)
Poulet sauté Périgord	Timbale de langoustines Nantua
Oie en daube Capitole	Faisan Sainte-Alliance

Antonomase dans un menu

Une antonomase est un nom propre qui est devenu un nom commun. Il a donc perdu sa capitale.

Choucroute au champagne	(*vin de la région de Champagne*)
Salsifis à la béchamel	(*sauce inventée par Louis de Béchamel*)
Bécasse au calvados	(*boisson du département du Calvados*)

Spécifique comprenant un nom propre

Le générique prend une capitale initiale, puisqu'il est en début de ligne. Chacun des composants du spécifique prend une capitale, sauf les articles, les prépositions, les pronoms et les conjonctions. On place un trait d'union entre tous les mots du spécifique, sans faire de distinction entre une préposition et une particule nobiliaire.

Consommé Christophe-Colomb	Côte de veau Grimod-de-la-Reynière
Filet de bœuf Prince-Albert	Poire Belle-Hélène
Tartelette Agnès-Sorel	Truite saumonée Berchoux

Locution *à la*

Le mot qui suit la locution *à la* prend toujours un bas-de-casse initial. Il ne faut pas supprimer cette locution, afin de garder la correction grammaticale. En effet, dans la colonne de droite, l'expression *Tomates provençale* sans *s* semblerait contenir une faute d'accord.

Truite à la matapédienne	Tomates à la provençale
Friture de poulamon à la péradienne	Cuisseau de chevreuil à l'anticostienne
Tourtière à la campivallensienne	Matelote aux anguilles à la trifluvienne

Virgules dans un menu

On utilise des virgules quand le sens l'exige. On ne met jamais de point à la fin de la dénomination d'un mets.

> Fondant aux noisettes sauvages et aux trois ganaches, sauce douce au sucre de première sève d'érable

Depuis que je vous ai écrit que j'étais sourde, je n'ai plus entendu parler de rien.

Toponymie

Rappel

Le générique est le nom commun au début de la dénomination ; le spécifique est le mot ou groupe de mots qui spécifie la dénomination.

Définition

La toponymie est l'étude des noms de lieux. Un toponyme est un nom géographique. On distingue deux catégories : les toponymes naturels et les toponymes administratifs.

Toponyme naturel

Le toponyme naturel est un nom géographique désignant un espace façonné par la nature. L'exemple ci-dessous est un toponyme naturel, car le lac a été délimité par la nature et non par l'être humain. Le mot *lac* est le générique, alors que le mot *Noir* est le spécifique.

le lac Noir

Toponyme administratif

Le toponyme administratif est un nom géographique désignant un espace délimité par l'être humain. L'exemple ci-dessous est un toponyme administratif, car la rue a été délimitée par l'être humain. Le mot *rue* est le générique, alors que le mot *Crémazie* est le spécifique.

la rue Crémazie

Génériques de toponymes naturels

aiguille	chute	glacier	océan	ruisseau
anse	cime	golfe	péninsule	val
arête	col	ile [île]	pic	vallée
baie	côte	lac	pointe	vallon
bassin	crête	massif	presqu'ile [presqu'île]	
bois	dent	mer	rive	
cap	étang	mont	rivière	
chaine [chaîne]	fleuve	montagne	rocher	

Génériques de toponymes administratifs

allée	canton	gare	paroisse	région
arrêt	chemin	hameau	passage	route
arrondissement	commune	impasse	place	rue
autoroute	comté	jardin	quai	square
avenue	cours	municipalité	quartier	village
boulevard	district	parc	rang	ville

Distinction entre les toponymes

le bas Saint-Laurent	(*le cours inférieur du fleuve*)	→ naturel
le Bas-Saint-Laurent	(*division de recensement = région*)	→ administratif

Place (ensemble immobilier)

Une place au sens propre ne contient pas d'immeuble. Dans les exemples suivants, on considère donc un ensemble immobilier comme un spécifique, le générique étant *édifice* ou *immeuble,* qui est sous-entendu. Ce spécifique prend des traits d'union, ainsi que des capitales aux mots importants.

la Place-des-Arts	la Place-Ville-Marie	la Place-Bonaventure
la station Place-des-Arts	1, édifice Place-Ville-Marie	

Il fait chaud dans votre pharmacie, on se croirait dans un zona.

Toponymie : règles

Abréviations des toponymes

Ne pas abréger le générique dans un texte. Mais on peut l'abréger au besoin dans une adresse ou en cartographie. Il faut toujours citer le générique.
Ne pas abréger les spécifiques de tous les toponymes, sauf parfois le mot *Saint.*

J'habite au 24, avenue Dupont.	24, av. Dupont (*adresse, peu d'espace*)
J'aime la rivière des Prairies.	Riv. des Prairies (*cartographie*)
Je vais au 24, rue Dupont.	(*et non :* Je vais au 24, Dupont.)
J'aime la ville de Montréal.	(*et non :* J'aime la ville de Mtl.)

Générique

Le générique s'écrit avec un bas-de-casse initial. Si un adjectif le précède, cet adjectif prend une capitale (dernier exemple).

la rue Viger — le square Victoria — le lac Clair — le Petit lac Clair

Spécifique du toponyme naturel

Généralement, on ne met aucun trait d'union. Le toponyme naturel est à gauche.

le lac des Deux Montagnes — la ville de Deux-Montagnes

Toutefois, on met des traits d'union quand le spécifique du toponyme naturel est composé d'un des groupes suivants :

verbe + nom : le lac Brise-Culotte
prénom + nom : le ruisseau Jean-Guérin
titre + nom : le mont du Général-Allard
nom + nom : le lac Matchi-Manitou
prénom + prénom : la rivière Marie-Alice

Spécifique du toponyme administratif

On met une capitale initiale à tous les mots, sauf aux articles, aux prépositions et aux conjonctions. Les mots sont reliés par un trait d'union, sauf les particules *De, Du, Des, Le, La, Les* si elles font partie d'un nom propre et qu'elles se trouvent au **début** du spécifique.

Bois-des-Filion (des *est préposition*)	rue De Rigaud (De *est ici particule*)
rue Henri-IV	rue du 3-Mai
parc du Marmot-Qui-Rit	parc du Bois-et-des-Berges
boulevard René-Lévesque Est	Lac-à-la-Tortue (*municipalité*)
station de métro Place-d'Armes	Le Gardeur, La Prairie, Les Éboulements
1re Avenue	4e Route

Si les particules se trouvent **à l'intérieur,** elles prennent une capitale et on met un trait d'union entre la particule et le prénom (à gauche) ou le titre (à droite). La particule *La,* quand elle suit la particule *De,* n'a pas de trait d'union avant ni après elle[1].

rue Jean-De La Fontaine — rue du Général-De Montcalm

On n'utilise pas de préposition devant un nom de personne (à gauche), sauf si ce nom est précédé d'un titre (*Président,* à droite).

rue Gabrielle-Roy — avenue **du** Président-Kennedy

✤ On peut consulter la Commission de toponymie du Québec (www.toponymie.gouv.qc.ca) et faire une recherche dans la *Banque de noms de lieux du Québec.*

---

1. En France, on ne fait pas de différence entre une particule (à gauche) et une préposition :
   la rue Jean-de-la-Fontaine — la ville de Saint-Maur-des-Fossés
   Force est de constater que cette façon est aussi souvent utilisée au Québec :
   la ville de Dollard-des-Ormeaux — la ville de Bois-des-Filion

Toponymie : odonymes à Montréal

Les odonymes sont des noms de voies de communication. Voici des exemples tirés du *Répertoire des voies publiques,* de la ville de Montréal, officialisé par la Commission de toponymie du Québec. Les particules et les prépositions sont laissées en début de ligne, pour bien les différencier. Les prépositions *de, du, des* sont en bas-de-casse, alors que les particules nobiliaires *De, Du, Des, Le, La, Les* prennent une capitale.

1re Avenue, 2e Avenue
Albert-LeSage, avenue
Alexandre-DeSève, rue
Alfred-De Vigny, avenue
Charles-De Gaulle, place
Charles-De La Tour, rue
d'Anjou, rue
D'Aragon, rue
d'Armes, place
D'Hérelle, rue
d'Hibernia, rue
D'Iberville, rue
d'Outremont, avenue
D'Youville, place
de Beaurivage, rue
De Bécancour, rue
de Bellechasse, rue
De Bleury, rue
de Bonsecours, rue
De Boucherville, rue
de Bruxelles, rue
De Bullion, rue
de Carignan, avenue
De Chambly, rue
de Chambois, rue
De Champlain, rue
de Châteauguay, rue
De Condé, rue
de Dieppe, avenue
De Drucourt, rue
de Dunkerque, place
De Fleurimont, rue
de Florence, rue
De Gaspé, avenue
de Granby, avenue
De Grosbois, rue
de Hampton, avenue
De Jumonville, place
de l'Église, avenue
De L'Épée, avenue
de La Bolduc, parc
De La Bruère, avenue
de la Cité-du-Havre, parc
De La Colombière, place
de la Coulée-Grou, parc
De La Dauversière, place
de la Friponne, rue
De La Gauchetière E., rue
de La Minerve, place
de la Miséricorde, avenue
De La Peltrie, rue
de la Place-d'Armes, côte
De La Roche, rue
de La Ronde, chemin
De La Vérendrye, boul.
de la Visitation, rue
De Lanaudière, rue
de Lavaltrie, rue
De Lévis, rue
de Lille, rue
De Longueuil, rue
De Lorimier, avenue
de Lorraine, rue
De Lotbinière, parc
De Maisonneuve Est, bd
de Marseille, rue
De Montmagny, avenue
de Montmartre, parc
De Montreuil, avenue
de Nevers, place
De Normanville, parc
de Pontoise, rue
De Ramezay, avenue
de Reims, rue
De Renty, avenue
de Repentigny, avenue
De Richelieu, rue
De Rigaud, rue
de Rivoli, avenue
De Roberval, rue
de Rouen, rue
De Rouville, rue
de Rozel, rue
De Saint-Exupéry, rue
de Saint-Léonard, allée
De Salaberry, parc
de Sébastopol, rue
De Serres, rue
De Sève, rue
de Sienne, parc
De Sillery, rue
De Sorel, rue
de Terrebonne, rue
De Tonty, rue
de Valcartier, rue
De Varennes, rue
De Vaudreuil, rue
de Versailles, rue
De Villiers, rue
de Vimy, avenue
des Bois-Francs, rue
Des Groseilliers, rue
des Marronniers, avenue
Des Ormeaux, rue
des Sœurs-Grises, rue
du Bois-de-Boulogne, av.
du Champ-de-Mars, rue
du Chenal-Le Moyne, ch.
du Cheval de Terre, ile
du Lac-à-la-Loutre, parc
du Marché-du-Nord, place
du Mont-Royal Est, av.
du Parc-La Fontaine, rue
du Père-Marquette, parc
Du Quesne, rue
du Tour-de-l'Isle, chemin
du Vieux-Moulin, parc
Émilie-Du Châtelet, rue
Henri-IV, rue
Irma-LeVasseur, rue
Jean-D'Estrées, rue
Jeanne-d'Arc, avenue
Julie-De Lespinasse, rue
La Fayette, rue
La Fontaine, parc
Le Moyne, rue
Le Royer Est, rue
LeMesurier, avenue
Léonard-De Vinci, avenue
Marie-Le Franc, rue
Mathieu-De Costa, rue
Michelle-Le Normand, rue
Pierre-De Coubertin, av.
Sophie-De Grouchy, rue
Vincent-D'Indy, avenue

Je vais faire un séjour linguistique en Angleterre en tant que fils au père.

Toponymes à retenir

Voici une liste de toponymes et de dérivés. Bien noter les capitales et les traits d'union.

Amérique centrale, l'
Arabie Heureuse, l'
Arabie saoudite, l'
Arctique, l'
Asie centrale, l'
Asie Mineure, l'
Australie-Méridionale, l'
baie James [1], la
Baie-James [2]
bas du fleuve [1], le
Bas-du-Fleuve [2], le
bas Saint-Laurent [1], le
Bas-Saint-Laurent [2], le
Bas-Canada [2], le
Basse-Côte-Nord [2], la
Basse-Ville [2], la
Bassin parisien, le
Baton Rouge (Louisiane)
Bois-des-Filion [2]
Bois-Francs [2], les
Bouclier canadien, le
cap de la Madeleine [1], le
Cap-de-la-Madeleine [2]
cap Vert [1], le
Cap-Vert [2]
Cap-Breton [2]
Cap-Rouge [2]
col du Mont-Cenis, le
Cordillère centrale, la
cordillère des Andes, la
côte atlantique, la
Côte d'Azur, la
Côte d'Ivoire, la
côte nord du fleuve [1], la
Côte-Nord [2], la
Côte Vermeille, la
Côte-d'Or, la
Côtes-d'Armor, les
Extrême-Orient, l'
fleuve Jaune, le
Forêt-Noire, la
Grand Canyon, le
Grand Lac Salé, le
Grand Nord, le
Grand Rapids
Grands Lacs, les
Guatemala, le
Haut-Canada [2], le
Haute-Côte-Nord [2], la
Hautes-Laurentides [2], les
Haute-Ville [2], la
hémisphère Sud, l'
Hispaniques, les
ile d'Anticosti [1], l'
Île-d'Anticosti [2]
ile de Montréal [1], l'
Île-de-Montréal [2]
ile des Sœurs [1], l'
Île-des-Sœurs [2]
ile Perrot [1], l'
Île-Perrot [2]
iles de la Madeleine [1], les
Îles-de-la-Madeleine [2]
La Prairie [2]
lac Beauport [1], le
Lac-Beauport [2]
lac Drolet [1], le
Lac-Drolet [2]
Las Vegas
Le Gardeur [2]
Les Éboulements [2]
Les Escoumins [2]
Les Méchins [2]
Libye, la
Maison-Blanche, la
Massif central, le
Mecque, La
mer Morte, la
mer Rouge, la
Mongolie-Intérieure, la
mont Blanc, le
massif du Mont-Blanc, le
tunnel du Mont-Blanc, le
mont Royal [1], le
Mont-Royal [2], l'avenue du
mont Saint-Hilaire [1], le
Mont-Saint-Hilaire [2]
mont Tremblant [1], le
montagnes Rocheuses
Mont-Saint-Michel [2], le
Mont-Tremblant [2]
Moyen-Orient, le
New York
New-Yorkais, les
Nord-Africains, les
Nordiques, les
nordistes, les
Nouveau Monde, le
Nouveau-Mexique, le
Nouvelle-Calédonie, la
Nouvelle-Orléans, La
Occidentaux, les
océan Atlantique, l'
Orientaux, les
Pays basque, le
pays de Galles, le
péninsule Ibérique, la
Petit-Champlain [2], le
Plateau-Mont-Royal [2], le
pôle Nord, pôle Sud
proche-oriental, adj.
Provençal, un
provincial, un
quartier Latin [1]
Río de la Plata, le
Rio Grande, le
rive sud du fleuve [1], la
Rive-Sud [2], la
Riviera, la
rivière des Mille Îles [1], la
Rocheuses, les
Saint-Pierre-et-Miquelon
Sierra Leone, la
sierra Nevada, la
sudistes, les
Sud-Ouest américain, le
terre Adélie, la
Terre de Feu, la
tiers-monde, le
tiers-mondiste, un
Val-d'Or [2]
Val-Saint-François [2]
Venezuela, le
Vénézuéliens, les
Vieille capitale, la
Vietnam, le
vieux port (endroit)
Vieux-Montréal [2], le
Vieux-Port [2], le
Vieux-Québec [2], le
Ville éternelle, la
Ville lumière, la
Ville reine, la
Virginie-Occidentale, la

---

1. Toponyme naturel, façonné par la nature : lac, mer, fleuve, cap, ile, col, mont, océan...
2. Toponyme administratif, délimité par l'être humain : ville, rue, région, place, station...

Points cardinaux

Définition

Sont considérés comme points cardinaux les mots suivants : *nord, sud, est, ouest, midi, centre, occident, orient, couchant et levant.*

Abréviations des points cardinaux

Seuls peuvent s'abréger les quatre premiers points cardinaux cités plus haut. Ces abréviations prennent un point abréviatif. On évite de les utiliser dans une adresse.

nord = N. sud = S. est = E. ouest = O. ou W.

Dans l'abréviation de l'indication des vents, on met un trait d'union seulement entre les termes ou groupes de termes désignant des aires de vent opposées.

un vent N.-S. un vent N.N.O.-S.S.E.

Signes des points cardinaux

Le signe **degré** est représenté par un cercle supérieur (°). Les **minutes** d'angle sont représentées par le signe (′), les **secondes** d'angle par le signe (″). Ces deux derniers signes ne sont pas des apostrophes, et on ne doit pas les utiliser pour écrire des minutes et des secondes de temps. On ne met pas de 0 devant un chiffre inférieur à 10.

un point situé par 53° 8′ 25″ de latitude N. exactement

Casse dans les points cardinaux

S'il s'agit d'une **direction** : bas-de-casse et trait d'union.

Le vent vient du sud-ouest. Nous avons pris la direction sud.
La maison est exposée au midi. Nous admirons le soleil levant.
Le terrain est bordé au nord par la rivière, au sud par la voie ferrée.

Si le point cardinal est **suivi** de **du** ou **de** : bas-de-casse.

J'irai dans l'extrême-nord du Canada. J'aime le midi et le centre de la France.
Je connais le sud-est du Québec. Cette ville se trouve au sud de Montréal.
Il voyage dans le nord du pays. Elle vient de l'ouest de la capitale.
Il neige dans le nord du pays et il pleut dans le sud (*sous-entendu* du pays).

Si le point cardinal n'est **pas suivi** de **du** ou **de** : capitale, trait d'union au besoin.

Je vais dans l'Extrême-Nord canadien. Nous sommes allés dans le Midi.
Je vais en vacances dans le Sud-Est. L'Orient et l'Occident sont différents.
Tout le Nord est sous la neige. La côte Ouest. (La côte ouest du Canada.)
Le Sud-Vietnam a bien changé. J'ai pris l'avion à Orly-Sud.
Il s'est rendu jusqu'au pôle Nord. Le pôle Nord et le pôle Sud (*tjs avec cap.*)

Si c'est le point cardinal qui est **précédé** de **du** ou **de** : capitale, trait d'union seulement dans un point cardinal **composé** (voir le dernier exemple).

l'Afrique du Sud l'Allemagne de l'Ouest
la Caroline du Sud l'Irlande du Nord
la Corée du Nord l'Asie du Sud-Est

Si le point cardinal sert à préciser une **voie** de communication ou un **édifice** : capitale.

400, rue Rachel Ouest l'autoroute 20 Est
la tour Sud l'aile Ouest

Si le point cardinal fait partie d'un **adjectif de lieu** : bas-de-casse et trait d'union.

la politique nord-américaine la position sud-coréenne
la littérature sud-africaine la question nord-irlandaise

Cas particuliers des capitales

Organismes

Liste de génériques nationaux et internationaux suivant la règle décrite ci-dessous :

académie
agence
alliance
assemblée
banque
bibliothèque
bourse
bureau
caisse
centre
chambre
code
comité
commission
communauté
confédération
conseil
cour
fonds
groupe
inspection
institut
ligue
marché
mouvement
office
organisation
parlement
régie
secrétariat
sénat
sommet
sureté [sûreté]
syndicat
tribunal
union

Capitale au premier nom ainsi qu'à l'adjectif qui le précède. Les organismes possèdent une raison sociale. Ils ne sont donc pas touchés par la nouvelle orthographe si leur raison sociale n'a pas été enregistrée avec la nouvelle graphie.

l'Académie française
l'Académie des lettres du Québec
l'Agence nationale pour l'emploi
l'Alliance atlantique
l'Alliance française
les Archives nationales (voir *Bibliothèque*)
l'Assemblée législative
l'Assemblée nationale
la Banque du Canada
la Banque mondiale
Bibliothèque et Archives nat. du Québec
la Bourse de Montréal, jouer en Bourse
le Bureau de la statistique du Québec
le Bureau de normalisation du Québec
le Bureau international du travail
la Caisse populaire des fonctionnaires
le Centre de recherche industrielle
la Chambre des communes
la Chambre des députés
le Code civil
le Comité international olympique
la Commission de toponymie du Québec
la Commission des droits de la personne
la Confédération des syndicats nationaux
le Conseil supérieur de la langue française
le Conseil de sécurité
le Conseil des ministres
le Conseil du Trésor (du Canada)
le Conseil du trésor (du Québec)
le Conseil québécois de la famille
la Cour d'appel du Québec
la Cour des petites créances
la Cour fédérale
la Cour internationale de justice
la Cour supérieure du Québec
la Cour suprême du Canada
la Croix-Rouge
le Fonds de relance industrielle
le Fonds monétaire international
le Grand Conseil des Cris
le Groupe des 7
le Haut-Commissariat aux réfugiés
la Haute Assemblée
la Haute Cour de justice
l'Inspection du bâtiment
l'Institut national des sports
la Ligue arabe
la Ligue des droits de l'homme
la Ligue nationale de hockey
le Marché commun
le Mouvement de la paix
le Mouvement Desjardins
l'Office des changes
l'Office des professions du Québec
l'Organisation mondiale de la santé
le parlement (*édifice*)
le Parlement (*organisme*)
la Régie des rentes du Québec
le Secrétariat à la condition féminine
le Secrétariat d'État
le Sénat
le Sommet de la francophonie
la Sûreté du Québec (voir 79)
le Syndicat des postiers du Canada
le Tribunal des professions
le Tribunal du travail
l'Union des artistes
l'Union européenne

Employés seuls, certains spécifiques prennent la capitale.

les Communes
les Archives
la Francophonie : organisme groupant les pays francophones

L'os de l'épaule s'appelle la canicule.

Réunions de personnes

Les génériques ci-après ont en commun le fait qu'ils désignent une réunion de personnes plus ou moins nombreuses pour discuter et prendre des décisions.

✤ S'il s'agit d'un **organisme** ou d'une **société,** ces mots prennent une **capitale** initiale. Un organisme ou une société sont officiels, structurés, et ils comportent des statuts.

✤ S'il s'agit d'un petit **groupe de personnes** formé à l'intérieur d'un organisme ou d'une société pour participer à sa gestion, ces mots prennent un **bas-de-casse** initial.

Avec un bas-de-casse		**Avec cap. ou bdc**	**Avec capitale**
caucus	discussion	assemblée	congrès
causerie	entretien	bureau	forum
concile	pourparlers	comité	symposium
conclave	réunion	commission	
débat	séminaire	conférence	
délibération	synode	conseil	

Exemples avec un bas-de-casse

Il s'agit de groupes de personnes réunies pour discuter. Ce ne sont pas des organismes.

le caucus du Parti libéral	la discussion d'un projet de loi
la causerie mensuelle des membres	l'entretien entre les parties
le concile Vatican II	les pourparlers entre les pays
le conclave de 1978	la réunion des actionnaires
le débat politique sur la guerre	le séminaire des ingénieurs
la délibération sur le contrat	le synode de 2001

Exemples avec un bas-de-casse ou une capitale

Groupes de personnes, avec bdc	**Organismes ou sociétés, avec capitale**
l'assemblée générale de l'entreprise	l'Assemblée nationale du Québec
l'assemblée annuelle de la société	l'Assemblée législative
la commission Bouchard-Taylor	la Commission de toponymie du Québec
la conférence de presse	la Conférence de Montréal
la conférence du professeur Dupont	la Conférence du désarmement
le bureau de direction	le Bureau de la traduction
le bureau de l'entreprise	le Bureau de normalisation du Québec
le comité consultatif	le Comité de salut public
le comité de déontologie	le Comité français d'accréditation
le comité de parents	le Comité olympique canadien
le comité des plaintes	le Conseil supérieur de la langue française
le conseil d'administration	le Conseil des arts du Canada
le conseil d'agglomération	le Conseil des ministres
le conseil d'établissement	le Conseil du patronat du Québec
le conseil de bande	le Conseil du statut de la femme
le conseil de classe	le Conseil économique du Canada
le conseil de direction	le Conseil exécutif
le conseil de discipline	le Conseil national du Parti québécois
le conseil de famille	le Conseil québécois de la famille
le conseil des professeurs	le Grand Conseil des Cris
le conseil municipal	le Haut Conseil de la francophonie

Exemples avec une capitale

Ces trois génériques concernent des réunions de nombreuses personnes.

le Congrès de biologie médicale	le Congrès mondial acadien 2004
le Forum des droits sur Internet	le Forum national sur la santé
le Symposium de Baie-Saint-Paul	le Symposium de peinture

La guerre de Cent Ans a duré de 1914 à 1918.

Bâtiments et lieux publics

Côté physique

Il s'agit du bâtiment lui-même, que l'on peut toucher.
Liste de génériques suivant la même règle, décrite ci-dessous :

abbaye	cathédrale	colonne	hôtel de ville	oratoire	prison
aéroport	centre	complexe	immeuble	palais	stade
arc	chapelle	fontaine	monument	piscine	statue
aréna	château	galerie	mur	pont	temple
basilique	cimetière	gare	observatoire	porte	tour

On met un bas-de-casse au générique et une capitale au spécifique, qui peut être issu d'un nom propre ou d'un nom commun. On met les traits d'union dans le spécifique.

l'abbaye de Saint-Benoît-du-Lac
l'aéroport Pierre-Elliott-Trudeau
l'arc de triomphe de l'Étoile
l'aréna Maurice-Richard
la basilique du Sacré-Cœur
la cathédrale de Chartres
le centre Bell
la chapelle Sixtine
le château de Versailles
le cimetière de la Côte-des-Neiges
la colonne Vendôme
le complexe Desjardins
la fontaine des Innocents
la galerie des Glaces
la gare du Palais, la gare Centrale
l'hôtel de ville de Laval
l'immeuble Place-des-Arts
le monument aux Morts
le mur des Lamentations
l'observatoire de Dorval
l'oratoire Saint-Joseph
le palais de la Découverte
le palais de la Civilisation
le palais de l'Élysée
la piscine municipale de La Prairie
le pont Pierre-Laporte
la porte Saint-Martin
la prison de Bordeaux
le stade Roland-Garros
la statue de la Liberté
le temple de la Raison
la tour de Pise, la tour Eiffel

Quand la dénomination est elliptique, c'est-à-dire quand le générique est employé seul, avec l'article défini, et que le spécifique sous-entendu est célèbre, le générique prend la capitale.

l'Arc de triomphe
le Château
l'Oratoire
le Palais
la Statue
le Temple
la Tour

Côté moral

S'il s'agit du côté moral du bâtiment, la dénomination devient une raison sociale et le premier nom ainsi que l'adjectif qui le précède prennent une capitale, conformément à la règle concernant les sociétés. (Il est évident que les murs du palais de la Civilisation ne peuvent pas intenter une action en justice.)

Physique	Les murs du palais de la Civilisation sont d'une belle couleur.
Moral	Le Palais de la civilisation a intenté un procès contre Untel.
Physique	Le stade olympique a été agrandi.
Moral	Le Stade olympique a augmenté ses prix d'entrée.
Physique	Le centre Bell était plein hier soir.
Moral	le Centre Bell a rédigé son programme de la saison.
Physique	La réunion s'est tenue hier à l'hôtel de ville.
Moral	L'Hôtel de Ville (ou la Ville) n'augmentera pas les taxes cette année.

✤ Si ces nuances entre *physique* et *moral* vous paraissent trop compliquées, vous pouvez uniformiser en optant pour le côté *moral* (capitale initiale au générique, ici *Centre*).

Le Centre Bell était plein hier soir. Le Centre Bell maintient ses prix.

Évidemment, il ne faudra jamais mettre une capitale initiale s'il s'agit d'un monument, puisqu'il ne peut pas être une personne morale, par exemple *la statue de la Liberté*.

Mes toilettes ont gelé cet hiver. Je les ai fait réparer, car je ne pouvais plus attendre.

Enseignement

Liste de génériques en enseignement (***école*** est traité en détail à la page 93) :

académie	commission scolaire	faculté	polyvalente
cégep	conservatoire	institut	séminaire
collège	cours	lycée	université

Côté physique

S'il s'agit du côté physique, c'est-à-dire du bâtiment lui-même, le générique prend un bas-de-casse, sauf pour les universités. Si la dénomination est composée seulement de noms communs, le générique garde la capitale (à droite).

le toit du cégep André-Laurendeau	l'entrée du Collège de secrétariat
l'entrée de l'Uiversité McGill	(Université : toujours avec une capitale)

Côté moral

S'il s'agit du côté moral (raison sociale), on met une capitale au premier nom et à l'adjectif qui le précède.

l'Académie des sciences	la Faculté des lettres
le Cégep André-Laurendeau	l'Institut de tourisme et d'hôtellerie
le Collège de secrétariat moderne	le Lycée français
la Commission scolaire Sainte-Croix	la Polyvalente Pierre-Laporte
le Conservatoire Lassalle	le Séminaire de Québec
le Cours Simon	l'Université de Montréal

✣ Si l'on préfère l'uniformité, on peut opter pour le côté moral (capitale initiale).

Diplômes et grades

Écrits au long dans un texte courant, les diplômes et les grades sont en bas-de-casse.

Sigles : en capitales, sans accents, avec points abréviatifs, sans espaces.

B.A.A.	baccalauréat en administration des affaires
B.A.	baccalauréat ès arts
C.A.P.E.S.	certificat d'aptitude pédagogique à l'enseignement secondaire
C.E.E.	certificat pour l'enseignement au cours élémentaire
C.E.C.P.	certificat pour l'enseignement collégial professionnel
D.E.C.	diplôme d'études collégiales
D.E.S.S.	diplôme d'études supérieures spécialisées
D.P.H.	diplôme de pharmacie d'hôpital
D.S.A.	diplôme de sciences administratives
M.B.A.	maitrise [maîtrise] en administration des affaires
D.M.D.	doctorat en médecine dentaire
M.A.	maitrise [maîtrise] ès arts

Abréviations (plus d'une lettre) : points abréviatifs, espace insécable entre éléments, accents.

B. Arch.	baccalauréat en architecture
LL. B.	baccalauréat en droit
B. Éd.	baccalauréat en éducation
B. Inf.	baccalauréat en informatique
B. Ps.	baccalauréat en psychologie
B. Sc. inf.	baccalauréat en sciences infirmières
B. Sc. pol.	baccalauréat en sciences politiques
B.A. Trad.	baccalauréat ès arts en traduction
D. Th.	doctorat en théologie
D. ès L.	doctorat ès lettres
LL. L.	licence en droit
L. Ph.	licence en philosophie
LL. M.	maitrise [maîtrise] en droit

Les poissons sont bien adaptés à l'eau. On dit qu'ils ont le pied marin.

Écoles

Le générique *école*

Voici les conseils de la Commission de toponymie du Québec concernant l'écriture, dans un texte courant, des noms d'écoles du système scolaire. On met un bas-de-casse au générique *école*. On ne fait pas de différence entre le côté physique et le côté moral du bâtiment. La particule *De* garde sa capitale.

l'école Micheline-Brodeur | l'école De Maisonneuve

Utilisation de la préposition *de*

On recommande d'utiliser la préposition *de* en bas-de-casse et d'écrire tout le spécifique en romain.

l'école de la Tourterelle (*et non :* l'école Tourterelle)
l'école de la Sapinière (*et non :* l'école *la Sapinière*)
l'école des Moussaillons (*et non :* l'école *Les Moussaillons*)
l'école du Parchemin (*et non :* l'école le Parchemin)

Le nom de l'école qui est dans une langue étrangère s'écrit aussi en romain.

la Champlain High School

Casse et traits d'union dans les spécifiques

Tous les éléments ont une capitale initiale, sauf les articles et les prépositions. Ils sont reliés par un trait d'union, sauf la particule *La* à l'intérieur du patronyme (dernière ligne à droite).

l'école des Hauts-Bois | l'école des Prés-Verts
l'école du Petit-Chapiteau | l'école du Premier-Envol
l'école du Lac-des-Deux-Montagnes | l'école Saint-Pie-X
l'école Samuel-De Champlain | l'école Jean-De La Fontaine

Écoles n'appartenant pas au système scolaire

Les écoles privées et les grandes écoles s'écrivent avec un bas-de-casse s'il s'agit de l'aspect physique, une capitale s'il s'agit de l'aspect moral. Si la dénomination ne contient pas de nom propre, elle garde la capitale (à droite).

Physique	le toit de l'école Dupont	le toit de l'École polytechnique
Moral	l'École Dupont	l'École polytechnique

Sports

Liste de génériques dans le domaine des sports :

challenge, championnat, coupe, fédération, jeux, ligue, prix, tour, tournoi

On met une capitale au premier nom ainsi qu'à l'adjectif qui le précède.

le Challenge du Manoir | les Jeux olympiques
le Championnat du monde de ski | la Ligue nationale de hockey
la Coupe du monde de football | le Grand Prix de Monaco
l'Euro 2012 | le Tour du Québec
la Fédération française de rugby | le Tournoi des cinq nations

S'il s'agit de l'objet, le générique s'écrit avec un bas-de-casse.

La coupe Stanley est très lourde. | Il a embrassé la coupe.

Si la dénomination est elliptique, le spécifique prend la capitale.

Il joue dans la Ligue nationale. | Il joue en Nationale.

Sociétés et commerces

Liste partielle de génériques suivant la règle énoncée ci-dessous :

agence	bibliothèque	cinéma	établissements	librairie	pharmacie
association	boutique	club	galerie	magasin	restaurant
assurances	brasserie	compagnie	hôpital	maison	service
auberge	café	congrégation	hôtel	musée	société
banque	centre	éditions	imprimerie	ordre	théâtre

Côté physique. Si l'on considère le côté physique de la société ou du commerce, et que le spécifique est un **nom propre,** on met un bas-de-casse au générique, ainsi qu'un trait d'union entre le prénom et le nom de famille.

l'agence de voyage Candiac
la galerie Jean-Pierre-Valentin
l'hôpital Sainte-Justine
la librairie Renaud-Bray
la pharmacie Jean-Coutu
le restaurant Da Giovanni

Si la dénomination ne contient **pas de nom propre,** on met une capitale au premier nom ainsi qu'à l'adjectif qui le précède.

l'Auberge de l'aéroport
le Grand Café des amis
la Bibliothèque des arts graphiques
la Brasserie de la montée

Côté moral. Si l'on considère le côté moral de la société, on met une capitale initiale au premier nom et à l'adjectif qui le précède. Ici, l'usage du trait d'union entre le prénom et le nom de famille est facultatif.

l'Agence de voyage Candiac
l'Association forestière québécoise
les Assurances Michel Brosseau ltée
l'Auberge de l'aéroport
la Banque de Montréal
la Bibliothèque des arts graphiques
la Boutique d'art
la Brasserie de la montée
le Centre dentaire Durand
le Cinéma du plateau
le Club de golf de La Prairie
la Compagnie canadienne scientifique
la Congrégation des chartreux
les Éditions Durand ltée
les Établissements Dupont & Fils
la Galerie Alain-Duc (*ou* Alain Duc)
le Grand Café des amis
l'Hôpital de Montréal pour enfants
l'Hôtel des voyageurs
l'Imprimerie nationale
la Librairie Renaud-Bray
le Magasin de la place
la Maison de la mariée enr.
le Musée des beaux-arts de Montréal
l'Ordre des pharmaciens du Québec
les Pharmacies Jean-Coutu
le Restaurant de la gare
le Service régional de messageries
la Société des musées québécois
le Théâtre du rideau vert

✤ Si l'on préfère l'uniformité, on écrira partout selon le côté moral ci-dessus.

Sociétés au nom spécial

Les dénominations des sociétés s'écrivent en romain. Toutefois, si la société porte un nom spécial destiné à attirer l'attention, on peut, dans un texte courant, utiliser l'italique avec une capitale au premier mot. (S'il s'agit du côté moral, capitale au générique.)

l'auberge *Aux quatre vents*
l'hôtel *Le chat qui miaule*
le restaurant *Le roi de la patate*
le café *La belle et la bête*

Quand l'article est contracté, le premier mot qui suit prend la capitale initiale. Quand le nom de la société est elliptique, l'article reste en romain et en bas-de-casse.

Nous sortons des *Quatre vents.*
J'ai dormi au *Chat qui miaule.*
Nous irons au *Roi de la patate.*
Je vais à la *Belle* (*titre elliptique*).

Si le nom de la société est composé avec la préposition **de,** il s'écrit en romain avec une capitale au premier nom et à l'adjectif qui le précède.

l'Auberge des quatre vents
le Grand Hôtel du chat qui miaule

Le Canadien National vient d'annoncer un train de mesures.

Accord des noms de sociétés

Si le nom de la société commence par un :

Nom commun avec article : accord en genre et en nombre avec ce nom commun.

La Baie est ouverte.
Les Ailes de la mode sont ouvertes.
Le Musée des beaux-arts est ouvert.
Les Magasins Dupont sont ouverts.

Nom commun sans article : accord en genre et en nombre avec ce nom commun ou avec le mot sous-entendu (*société, compagnie*).

Air Canada a été actif. *ou :* Air Canada était présente (*la société*).

Nom propre : accord avec le mot sous-entendu (*société, compagnie*).

Alcan était présente.

Services administratifs

Liste de génériques de services administratifs :

aide juridique
aide sociale
ambassade
assurance emploi
assurance maladie
assurance vie
barreau
bureau de vote
cabinet
chambre de commerce
circonscription
conseil municipal
consulat
cour municipale
curatelle publique
direction
gouvernement
mairie
maison de la culture
ministère
ministère public
palais de justice

On met un bas-de-casse à tous ces génériques, et une capitale au nom spécifique de même qu'à l'adjectif qui le précède. (Dans les mots composés avec le terme *assurance,* seul ce dernier prend la marque du pluriel : *des assurances vie très intéressantes.*)

l'aide juridique
l'ambassade d'Algérie
l'assurance automobile
l'assurance récolte
le barreau de Montréal
le bureau de vote de Lévis
le cabinet du premier min. du Québec
la chambre de commerce de Sorel
la circonscription de Mercier
le conseil municipal de Laval
le consulat de Belgique
la cour municipale de Trois-Rivières
la curatelle publique
la direction de la Sécurité civile
le gouvernement du Québec
la mairie de Rivière-du-Loup
la maison de la culture Maisonneuve
le ministère des Transports
le palais de justice de Saint-Jérôme

Employés seuls et précédés de l'article défini, certains génériques ont la capitale.

le Barreau
la Chambre de commerce
la Cour
le Conseil
le Gouvernement
le Ministère

Services internes ou unités administratives

Les services à l'intérieur d'une entreprise peuvent prendre une capitale initiale, ou bien s'écrire tout en bas-de-casse, selon ce qu'a décidé l'entreprise, mais **de manière uniforme** au sein de la même entreprise.

le Département des langues
la Division des consultations
la Section de rhumatologie
le Service de la comptabilité
le département des langues
la division des consultations
la section de rhumatologie
le service de la comptabilité

Saint ou sainte

Quand il s'agit du saint lui-même, le mot *saint* s'écrit tout en bas-de-casse et sans trait d'union. Il ne s'abrège pas.

Nous prions sainte Justine.
Il célèbre la fête de saint Valentin.
Cette église est dédiée à sainte Anne.
Les saints ont été canonisés.

Quand le mot *Saint* entre dans un nom propre ou la dénomination d'une fête, d'un bâtiment, d'un lieu public, d'un toponyme ou d'un ordre, il s'écrit avec une capitale et un trait d'union.

Saint-Exupéry est né en 1900.
Nous viendrons à la Saint-Valentin.
Il travaille à l'hôpital Sainte-Justine.
Il va à l'église Saint-Vincent.
Elle habite rue Saint-François.
L'ordre de Saint-Michel date de 1469.

Abréviation du mot *Saint* ou *Sainte* avec une capitale

Bien qu'il soit déconseillé d'abréger le mot *Saint* ou *Sainte,* on peut, en cas de **manque de place,** abréger ce mot dans une adresse ou un toponyme administratif. Dans ces cas, il s'écrit sans point abréviatif, avec un trait d'union. La terminaison de l'abréviation de *Saint* ou *Sainte* peut aussi s'écrire en lettres supérieures (à droite).

34, av. Ste-Marie-de-l'Incarnation
23, pl. St-François-de-Neufchâteau

Orthographes comprenant le mot *saint* ou *sainte*

Il faut bien noter l'emploi des capitales et des traits d'union.

Écriture sainte
guerre sainte
Lieux saints
Sa Sainteté (*le pape*)
saint sacrement
saint-amour (*vin*), invariable
saint-bernard (*chien*), invariable
saint-crépin (*cordonnerie*), invariable
saint-cyrien, saint-cyrienne
saint-cyriens, saint-cyriennes
sainte Bible
sainte Église
sainte Famille
sainte messe
sainte table
Sainte Vierge
Sainte-Alliance
sainte-maure (*fromage*), invariable
saint-émilion (*vin*), invariable
Saint-Empire
sainte-nitouche, saintes-nitouches
Saint-Esprit
Sainte-Trinité
saint-florentin (*fromage*), invariable
saint-frusquin (*sans valeur*), invariable
saint-glinglin (à la)
Saint-Guy (danse de)
saint-honoré (*gâteau*), invariable
saint-marcellin (*fromage*), invariable
saint-nectaire (*fromage*), invariable
Saint-Office
saint-paulin (*fromage*), invariable
saint-père (*le pape*), saints-pères
saint-pierre (*poisson*), invariable
Saint-Sépulcre
Saint-Siège
saint-simonien, saint-simonienne
saint-simoniens, saint-simoniennes
saint-simonisme
saint-synode, saints-synodes
Semaine sainte
Terre sainte
Vendredi saint
Ville sainte

✤ On respecte l'orthographe du nom de famille (le patronyme) d'une personne (*M. St-Jean*).

Prières

Les prières font partie des titres d'œuvres. Elles s'écrivent en italique, et seuls le premier mot et les noms propres prennent une capitale. Ces titres sont invariables.

J'ai récité un *Je vous salue, Marie (Ave Maria).*
J'ai récité deux *Notre père (Pater).*

Si la prière est un mot latin francisé, il prend le bas-de-casse et l'accent, et s'écrit en romain.

Les cloches sonnent l'angélus.

Le Vatican est la capitale de l'oxydant chrétien.

Dieu

S'il s'agit du personnage lui-même, ou s'il s'agit d'une expression synonyme, ces noms et les adjectifs qui les précèdent prennent la capitale.

le Bon Dieu	l'Enfant Jésus	le Messie	le Seigneur
le Christ	le Fils	le Prophète	le Tout-Puissant
le Ciel	Jésus-Christ	le Saint-Esprit	le Très-Haut

S'il ne s'agit pas du personnage lui-même, ces noms sont en bas-de-casse.

des christs en ivoire	le format jésus
le dieu de la guerre	un grand seigneur
les dieux du stade	un prophète de malheur

Église

Quand il désigne un bâtiment, donc quand il est employé dans un sens concret, ce mot s'écrit avec un bas-de-casse initial.

une église gothique	aller à l'église
un chant d'église	l'église Notre-Dame
une église-halle	le toit de l'église

Quand il désigne un pouvoir spirituel, donc quand il est employé dans un sens abstrait, ce mot s'écrit avec une capitale initiale. Il prend le pluriel, s'il y a lieu.

l'Église catholique romaine	un homme d'Église
les Églises orientales	les États de l'Église
la sainte Église	les Églises uniates

Le terme religieux **Notre-Dame**

la basilique Notre-Dame de Montréal	(*Montréal est le lieu où elle se trouve*)
l'église Notre-Dame-de-Lorette	(*l'église n'est pas à Lorette mais à Paris*)
le village de Notre-Dame-des-Monts	(*spécifique d'un toponyme administratif*)
le roman *Notre-Dame de Paris*	(*de Victor Hugo, titre d'œuvre en italique*)
Nous prions Notre-Dame.	(*nom donné à la Vierge Marie*)
Elle collectionne les Notre-Dame.	(*images de la Vierge, mot invariable*)
Céline est notre dame de la chanson.	(*il ne s'agit pas d'un terme religieux*)

Dénominations historiques

Les dénominations suivantes sont maintenant passées à l'histoire. On met un bas-de-casse initial au générique, et une capitale au spécifique ainsi qu'à l'adjectif qui le précède. L'ordre alphabétique se fait sur la première capitale, dans les noms propres des dictionnaires.

les accords de Bretton Woods	(*Système monétaire international*	*1944*)
l'affaire des Poisons	(*Arrestation de la marquise de Brinvilliers*	*1675*)
le club des Jacobins	(*Société politique des députés bretons*	*1789*)
le colloque de Poissy	(*Catherine de Médicis réunit les théologiens*	*1561*)
la conférence de Yalta	(*Churchill, Roosevelt, Staline*	*1945*)
le congrès de Laibach	(*Congrès de la Sainte-Alliance*	*1821*)
la convention de Varsovie	(*Concernant le transport aérien*	*1929*)
l'école de Barbizon	(*Peintres : Rousseau, Corot, Millet, Dupré...*	*1830*)
l'hôtel de la Monnaie	(*Musée monétaire à Paris*	*1777*)
la ligue du Bien public	(*Coalition féodale contre Louis XI*	*1463*)
la loi des Douze Tables	(*Première législation romaine av. J.-C.*	*-451*)
l'ordre de Saint-Michel	(*Ordre de chevalerie français*	*1469*)
le pacte de Famille	(*Pacte conclu entre les Bourbons*	*1761*)
le plan Barberousse	(*Plan d'attaque de l'URSS par Hitler*	*1940*)
la querelle des Indulgences	(*Luther attaque les indulgences*	*1517*)
le serment du Jeu de paume	(*Sermont entre les députés du tiers état*	*1789*)

Mon cardiologue va me poser un pince-main-cœur.

Récompenses

S'il s'agit d'une récompense signifiant un rang obtenu : bas-de-casse.

la médaille d'argent | la médaille de bronze | la palme d'or

Si le générique est suivi d'un nom propre, il prend un bas-de-casse. Si le générique est suivi d'un nom commun ou d'un adjectif, il prend une capitale, ainsi que l'adjectif qui le précède. On met un trait d'union entre le prénom et le patronyme.

le prix Nobel | la bourse René-Payot | le prix Robert-Cliche
le Prix des libraires | le Grand Prix de la critique | le Mérite touristique

Si le spécifique est employé seul, il prend la capitale et reste invariable.

les Anik | les Goncourt | les Jutra
les César | les Grammy | les Molière
les Femina | les Juno | les Nobel
les Gémeaux | les Jupiter | les Olivier
les Oscars (*exception*)

Si le nom du prix est choisi par personnification d'un nom commun, par exemple les mots *génie, masque* ou *victoire,* ce nom commun prend la capitale et le pluriel.

les Génies | les Masques | les Victoires

un Masque, un prix Masque, des prix Masques, la Soirée des Masques

✤ Le prix Jutra a été instauré en hommage à Claude Jutra. Si, au pluriel, on met un *s* (*les Jutras*), on ne reconnait plus la personne honorée, car *Jutras* avec un *s* existe comme patronyme. Cette règle respecte celle du pluriel des noms propres, qui restent invariables en français : *des Goncourt, des Olivier* (le prénom et non pas l'arbre), *la Soirée des César* (écriture officielle).

Le mot *oscar* (provenant d'un nom propre) est parfois considéré comme un nom commun. Il devrait donc s'écrire en bas-de-casse et prendre la marque du pluriel. En fait, on le voit le plus souvent avec une capitale et un *s* au pluriel, ce qui est contradictoire, mais très utilisé dans la pratique. Tenant compte de cela, je propose pour lui (par exception) la capitale et la marque du pluriel : *Les Oscars ont été décernés hier.*

Par ailleurs, on écrit : *Antonine Maillet a gagné le prix Goncourt. Elle est Prix Goncourt.*

Guerres

Liste de génériques suivant la règle énoncée ci-après :

bataille | croisade | invasion
campagne | défaite | ligne
combat | évènements | paix
conseil de guerre | expédition | retraite
crise | guerre | victoire

On met un bas-de-casse initial au générique, et une capitale au nom spécifique ainsi qu'à l'adjectif qui le précède. Tout est en bas-de-casse s'il n'y a pas de nom propre.

la bataille de la Marne | la défaite de Waterloo | la guerre sainte
la campagne d'Égypte | les évènements de mai 68 | les grandes invasions
le combat de Camerone | l'expédition des Mille | la ligne Maginot
le conseil de guerre | la guerre de 1914-1918 | la paix de Monsieur
la crise du 13 mai 1958 | la guerre de Cent Ans | la retraite de Russie
la 8e croisade | la guerre éclair, froide | la victoire de Verdun

On met une capitale au générique et à l'adjectif qui le précède si ces noms sont considérés comme des noms propres par l'usage.

la Grande Guerre | la Première Guerre mondiale
la Guerre folle | la Seconde Guerre mondiale

Stations de métro

- Voici quelques suggestions de changements à apporter dans l'écriture des stations de métro de Montréal. Ils concernent : *Collège, Concorde, Église* et *Savane.*
- Une préposition ne peut pas se trouver au début du spécifique. On ne devrait pas écrire : *Je descends à Du Collège, à De l'Église, à De la Savane.*
- Il faudrait écrire : *Je descends à Collège, à Concorde, à Église, à Savane.*
- Les particules nobiliaires peuvent se trouver au début du spécifique. On doit donc écrire : *Je descends à De Castelnau, à D'Iberville.*
- Les noms des stations de métro sont des spécifiques (le générique *station* est sous-entendu). Ils prennent donc des traits d'union et une capitale à chaque mot, sauf aux prépositions : *Place-des-Arts.*
- Quand il s'agit d'un toponyme surcomposé, on utilise le tiret court entre les deux éléments : *Longueuil–Université-de-Sherbrooke.*

Noms des stations de métro, sans les prépositions

Acadie
Angrignon
Assomption
Atwater
Beaubien
Beaudry
Berri-UQAM
Bonaventure
Cadillac
Cartier
Champ-de-Mars
Charlevoix
Collège
Concorde
Côte-des-Neiges
Côte-Sainte-Catherine
Côte-Vertu
Crémazie
D'Iberville
De Castelnau
Édouard-Montpetit
Église
Fabre
Frontenac
Georges-Vanier
Guy-Concordia
Henri-Bourassa
Honoré-Beaugrand
Jarry
Jean-Drapeau
Jean-Talon
Jolicœur
Joliette
Langelier
LaSalle
Laurier
Lionel-Groulx
Lucien-L'Allier
McGill
Monk
Mont-Royal
Montmorency
Namur
Outremont
Papineau
Longueuil–Université-de-Sherbrooke
Parc
Peel
Pie-IX
Place-d'Armes
Place-des-Arts
Place-Saint-Henri
Plamondon
Préfontaine
Radisson
Rosemont
Saint-Laurent
Saint-Michel
Sauvé
Savane
Sherbrooke
Snowdon
Square-Victoria
Université-de-Montréal
Vendôme
Verdun
Viau
Villa-Maria

Arrondissements

L'écriture des noms d'arrondissements suit les mêmes règles que celles qu'on applique aux autres toponymes administratifs. Vous en trouvez la liste dans le site de la Commission de toponymie du Québec.

Le tiret court, ou tiret demi-cadratin, s'utilise dans les cas où l'on relie deux toponymes dont l'un (ou les deux) contient déjà un trait d'union. En toponymie, tous les noms de ce type ont été normalisés en tenant compte de cette règle.

Sainte-Foy–Sillery (le deuxième est un tiret court et non pas un trait d'union).
Rivière-des-Prairies–Pointe-aux-Trembles (le tiret sépare deux noms d'entités administratives distinctes regroupées qui comprennent déjà des traits d'union).

Les prépositions **de, du** et **des** se placent, le cas échéant, entre le mot *arrondissement* et le spécifique.

l'arrondissement **de** MacNider
l'arrondissement **du** Mont-Bellevue
l'arrondissement **des** Rivières
l'arrondissement **d'**Anjou

Télévision et radio

Il s'agit ici de règles dans un texte courant. Dans un horaire, tout est en romain.

Émissions

Les émissions de radio et de télévision, comme les journaux télévisés ou radiodiffusés et les jeux, ne sont pas considérées comme des titres d'œuvres, car elles ne sont pas l'œuvre d'un ou de plusieurs auteurs. Elles s'écrivent **en italique,** et il faut respecter soigneusement le choix des capitales qui a été fait par leur créateur.

À vos disques et vinyles	*Le Grand Journal*	*Le téléjournal*
Allô docteurs	*Le journal de France 2*	*Les grands reportages*
La semaine verte	*Le journal RDI*	*Atomes Crochus*
La Petite Séduction	*La Poule aux œufs d'or*	*Face-à-Face*
La Facture	*L'épicerie*	*TVA 18 heures*

Titres d'œuvres à la télévision

Comme les téléromans, les téléséries, les films et les pièces de théâtre sont le travail d'un ou de plusieurs auteurs, ils suivent la règle des titres d'œuvres : **en italique,** avec capitale au premier mot, quel qu'il soit, et aux noms propres évidemment.

Téléromans	**Films**	**Pièces de théâtre**
La vie, la vie	*L'ombre de l'ours*	*La surprise de l'amour*
Le monde de Charlotte	*Oublier Palerme*	*Le misanthrope*
Les Parfaits	*La grande illusion*	*Les femmes savantes*
Mon meilleur ennemi	*Les anges gardiens*	*Il n'y a plus rien*
Virginie	*Un amour de jeunesse*	*Le chemin de Lacroix*

Les chaines [chaînes]

Le nom des chaines [chaînes] s'écrit en romain, en respectant la raison sociale.

Radio-Canada	Canal Vie	TV5

Histoire et régimes

Liste de génériques suivant la règle énoncée ci-dessous :

confédération	holocauste	principauté	république
duché	journée	querelle	révolution
empire	maison	régime	royaume
État	monarchie	reich	union

On met un bas-de-casse au générique s'il est suivi d'un nom propre ou d'un mot faisant office de nom propre (*la monarchie de Juillet*), mais une capitale s'il est suivi d'un adjectif (*la Confédération suisse*). Si le générique a une capitale, on en met une à l'adjectif placé avant (*l'Ancien Régime*). On met aussi une capitale au générique quand il est employé seul et qu'il est identifié par le contexte.

le duché de Luxembourg	la révolution de 1789
l'Empire britannique	la Révolution (celle de 1789)
l'empire des Indes	la République française
le Second Empire	la république de Venise
les États baltes	le Troisième Reich (ou IIIe Reich)
l'Holocauste perpétré par les nazis	la querelle des Investitures
la journée des Dupes	le royaume de Belgique
la maison de Savoie	l'union du Myanmar
la principauté de Monaco	l'Union sud-africaine

On met un bas-de-casse aux génériques si ce ne sont pas des dénominations.

La France est une république.	Un holocauste est un sacrifice religieux.

Journaux et revues

Titre de journal écrit en français

Si le titre du journal est cité en entier, il s'écrit en italique avec capitale au premier nom. L'article défini ainsi que l'adjectif qui précèdent le nom prennent aussi une capitale. Quand il y a contraction de l'article, ce dernier s'écrit en bas-de-casse romain.

> Les journalistes de *La Presse* et du *Monde,* ainsi que ceux du magazine *Le Nouvel Observateur,* ont assisté à la réunion.

Si le titre est elliptique (cité en partie), l'article se met en bas-de-casse romain. Dans l'exemple, les articles *la* et *le* sont en bas-de-casse romain, car les titres sont elliptiques. Les titres complets sont : *La Voix de l'Est* et *Le Dauphiné libéré.*

> Nous lisons la *Voix* et aussi le *Dauphiné* tous les jours.

Titre de journal écrit dans une langue étrangère

Si le titre du journal non français est précédé de son générique (journal, quotidien, revue, etc.), il se met en italique sous sa forme exacte, non traduite.

> J'y ai vu les journaux *The Gazette, Der Spiegel* et *Il Corriere italiano.*

Si le titre du journal non français n'est pas précédé de son générique, l'article est traduit en français. Il s'écrit en bas-de-casse romain.

> Nous avons lu dans la *Gazette* que les envoyés du *Spiegel* ainsi que ceux du *Corriere italiano* étaient présents à la réunion.

Époques

Le premier nom prend une capitale ainsi que l'adjectif qui le précède.

les Années folles	le Moyen Âge	la Renaissance	les Temps modernes
l'Antiquité	l'Occupation	l'Inquisition	le Siècle d'or
la Belle Époque	la Ruée vers l'or	le Grand Siècle	le Siècle des Lumières

On écrit tout en bas-de-casse quand ces époques sont précédées de leur générique.

l'ère atomique	l'âge du fer	l'âge féodal	l'âge d'or
l'ère chrétienne	l'ère tertiaire	l'âge du bronze	l'âge de la pierre polie

On écrit tout en bas-de-casse les périodes géologiques.

le précambrien	le crétacé	le tertiaire	le carbonifère

Doctrines et collectivités

Elles prennent un bas-de-casse initial, ainsi que leurs adhérents.

allophones	clarisses	hindouisme	naturisme
anglicanisme	classicisme	impressionnisme	réalisme
anglophones	coptes	islam	romantisme
autochtones	cubisme	israélites	stoïcisme
bouddhisme	démocratie	jansénisme	sulpiciens
carmélites	despotisme	jésuites	sunnites
cartésianisme	diaspora	judaïsme	surréalisme
catholicisme	épicurisme	libéralisme	symbolisme
charia	existentialisme	marxisme	talibans
chiites	fascisme	matérialisme	trappistes
christianisme	francophones	musulmans	ursulines

On met une capitale initiale à certains noms ainsi qu'à l'adjectif placé avant.

le Cénacle	le Parnasse	la Pléiade	la Nouvelle Vague

Particules

Définition : préposition **de** ou tout autre élément qui précède certains noms de famille.

Dans ce livre, on considère donc comme particules les mots *de, du, des, Le, La, Les, Mac, Mc* quand ils font partie d'un nom de famille ou d'un toponyme. La particule nobiliaire *de, du,* ou *des* indique un titre de noblesse présent ou passé.

Particules nobilaires *de, du, des*

On met un bas-de-casse à ces particules si elles sont précédées du prénom ou du titre. Sinon, on leur met une capitale initiale.

Aubert de Gaspé	Joachim du Bellay	Guillaume des Autels
Monseigneur de Laval	Madame du Barry	la comtesse des Essarts
la vie de De Gaspé	la statue de Du Guesclin	les mémoires de Des Prés

On met un bas-de-casse à la particule **de** placée entre deux noms de famille.

Valéry Giscard d'Estaing François Chavigny de Berchereau

La particule **de** n'entre pas dans le classement alphabétique ; **du** et **des** s'y trouvent.

Maupassant (Guy de) Des Loges (Marie) Du Bellay (Joachim)

Quand il s'agit d'un nom **étranger,** la particule s'écrit toujours avec une capitale.

De Sica (Vittorio), Vittorio De Sica Di Stefano (Alfredo), Alfredo Di Stefano

Particules *Le, La, Les*

On met une capitale à ces particules si elles font partie d'un nom propre.

Pierre Le Moyne d'Iberville, le marquis de La Jonquière, Les Éboulements (*ville*)

Ces particules entrent dans le classement alphabétique. On cherche à **L.**

La Fayette (comtesse de) Le Moyne de Bienville (Jean-Baptiste)

Particules *Mac, Mc*

La particule **Mac** et son abréviation **Mc** sont des préfixes écossais et irlandais signifiant « fils de ». Il existe différentes variantes : l'important est de respecter la façon adoptée par chaque famille : Macintosh, MacIntosh, Mcintosh, McIntosh. Quand **Mac** et **Mc** précèdent une capitale, le **ac** et le **c** restent en bas-de-casse si le nom est tout en capitales.

McCartney/McCARTNEY MacIntosh/MacINTOSH *mais :* Macintosh/MACINTOSH

Décorations

On met une capitale initiale au premier nom.

l'Ordre du Canada la Croix de Victoria la Médaille de l'Assemblée nationale

Citations et noms d'auteurs

Citation avec les guillemets :

« Dommage qu'on ne puisse bénéficier de l'expérience avant le moment où on l'acquiert ! » (René Julien, *L'allumeur de réverbère.*)

ou : « Dommage qu'on ne puisse bénéficier de l'expérience avant le moment où on l'acquiert ! » — René Julien

Citation avec l'italique :

Proverbe : *Le tube est au dentifrice ce que la pédale est à la bicyclette ; il faut appuyer sur le premier pour faire avancer le second.* — Pierre Dac

Citation en retrait avec un corps plus petit ou dans le même corps :

L'homme se lança dans une longue tirade philosophique et déclara à voix haute :

> Il est tout de même curieux de constater que c'est par le travail en ville qu'on a le salaire, et que c'est par le repos à la campagne qu'on a le bon air.
>
> Philibert de Corvée

Le boucher s'est mordu la langue en taillant une bavette.

Textes juridiques

Liste de génériques suivant la règle énoncée ci-après :

accord	charte	édit	plan
aide	code	loi	règlement
arrêté	déclaration	ordonnance	serment
article	décret	pacte	traité

On met un bas-de-casse au générique s'il est suivi d'un nom propre ou d'un numéro faisant office de nom propre ; on met une capitale s'il est suivi d'un nom commun ou d'un adjectif. Si la dénomination est elliptique, capitale au premier nom. On utilise le trait d'union entre le prénom et le nom dans un spécifique.

l'Accord de libre-échange nord-américain
l'accord du lac Meech
l'Aide au cinéma
l'arrêté du 2 janvier 1993
l'article 107
la Charte constitutionnelle
la charte de l'Atlantique
la Grande Charte
le code Napoléon
le Code de la route
la Déclaration des droits de l'homme
les Droits de l'homme (*elliptique*)
le décret du 3 mai 1961
l'édit de Nantes
la loi Frédéric-Falloux
la Loi sur les accidents du travail
l'ordonnance de Villers-Cotterêts
le pacte de Varsovie
le Pacte atlantique
le plan Marshall
le Règlement du travail en agriculture
les serments de Strasbourg
le traité de Versailles

Quand il ne s'agit pas de textes juridiques, le tout s'écrit en bas-de-casse.

la loi de la pesanteur
la loi divine

Manifestations commerciales

Le mot *manifestation* est pris ici dans le sens de « évènement organisé dans un but commercial, artistique, culturel ou sportif ». Il n'est donc pas question d'une *manif,* c'est-à-dire d'un rassemblement destiné à exprimer une revendication.

Liste de génériques suivant la règle décrite ci-dessous :

biennale	concert	congrès	fête	rallye
carnaval	concours	exposition	floralies	salon
colloque	conférence	festival	foire	

On met une capitale au premier nom ainsi qu'à l'adjectif qui le précède.

la Biennale de Venise
le Carnaval de Québec
le Colloque des linguistes
le Concert des trois ténors
le Grand Concours de pétanque
la Conférence française de scoutisme
le Congrès des fabricants de tissus
l'Exposition des arts graphiques
le Festival de Cannes
la Fête des vendanges
les Floralies de Québec
la Grande Foire du printemps
le Rallye de Monte-Carlo
le Salon des arts ménagers

On peut avoir plusieurs capitales initiales dans une dénomination.

le Quatrième Colloque du Réseau des traducteurs et traductrices en éducation

Maladies

Le nom des maladies s'écrit tout en bas-de-casse. Le nom du découvreur de la maladie prend une capitale. Mais, si ce nom est employé seul, il prend un bas-de-casse et il est masculin. Le nom des malades atteints d'une maladie est en bas-de-casse.

le sida	l'hypoglycémie	la maladie d'Alzheimer *ou* l'alzheimer
la rougeole	le parkinson	les alzheimers, les parkinsoniennes

Pour cambrioler le prêtre, le voleur a utilisé un diable.

Fonctions et titres divers

Liste de génériques suivant la règle énoncée ci-après :

l'abbé	le curé	le gouverneur	le professeur
l'académicien	le député	le maire	le protecteur du cit.
l'ambassadeur	le directeur	le ministre	le proviseur
l'archevêque	le docteur	le pape	le recteur
le cardinal	le doyen	le père, religieux	le roi
le chancelier	le duc	le premier ministre	le secrétaire
le comte	l'empereur	le président	le sénateur
le consul	l'évêque	le prince	le vérificateur gén.
le curateur public	le frère, religieux	le procureur	le vice-premier min.

Il y a un bas-de-casse initial, que l'on parle de la personne, ou que l'on s'adresse à elle (à la Ramat, page 42) ; il y a bas-de-casse quand on parle d'elle et capitale quand on s'adresse à elle (méthode traditionnelle).

J'ai vu le pape Benoît XVI. — Bonjour, docteure.
Ida Durand, directrice. — J'ai rencontré madame la directrice.

Si la personne est bien identifiée par le contexte : capitale initiale.

le Duce (Mussolini) — le Cardinal (Richelieu) — l'Empereur (Napoléon Ier)

Si le titre est honorifique : capitale à tous les mots.

Sa Majesté — Sa Grâce — Son Éminence — Son Altesse Royale

Antonomases

Ce sont les noms propres (ou leurs dérivés) devenus noms communs. Ils ont perdu leur capitale.

agate	Agate	(*fleuve de Sicile près duquel on trouva la pierre*)
ampère	Ampère	(*physicien français, 1775-1856*)
baïonnette	Bayonne	(*ville où l'on fabriquait cette arme*)
baldaquin	Baldacco	(*ancien nom italien de Bagdad*)
barème	Barrême	(*mathématicien français du XVIIe siècle*)
béchamel	Béchamel	(*financier du XVIIe siècle*)
bégonia	Michel Bégon	(*intendant de Saint-Domingue*)
benjamin	Benjamin	(*nom du plus jeune fils de Jacob*)
bottin	Sébastien Bottin	(*il publia le premier annuaire français*)
cabotin	Cabotin	(*comédien ambulant du XVIIe siècle*)
calepin	Calepino	(*lexicographe italien du XVe siècle*)
corbillard	Corbeil	(*ville située près de Paris*)
crésus	Crésus	(*roi de Lydie très riche du VIe siècle av. J.-C.*)
félix	Félix Leclerc	(*compositeur et écrivain québécois*)
gibus	Gibus	(*fabricant de chapeaux*)
harpagon	Harpagon	(*personnage de* L'avare)
hercule	Hercule	(*fils de Jupiter, personnifiait la force*)
macadam	MacAdam	(*ingénieur écossais*)
mansarde	Mansart	(*architecte français du XVIIe siècle*)
mécène	Mécène	(*favori d'Auguste, empereur romain*)
mégère	Mégère	(*la plus hideuse des trois Furies*)
morse	Morse	(*inventeur américain de ce code, en 1832*)
nicotine	Nicot	(*introduisit le tabac en France en 1590*)
pantalon	Pantalon	(*personnage de la comédie italienne*)
pimbêche	Pimbêche	(*personnage des* Plaideurs)
polichinelle	Polichinelle	(*personnage des* Farces napolitaines)
poubelle	Poubelle	(*préfet de la Seine qui en imposa l'usage*)
sandwich	Sandwich	(*mets préparé pour Lord Sandwich*)
silhouette	Silhouette	(*contrôleur des Finances de Louis XV*)

Qu'est-ce qu'un homicide ? C'est une meurtre à domicile.

Unités militaires canadiennes

Les dénominations suivantes sont officielles et leur écriture doit être respectée.

la 16e Escadre
la 17e Escadrille de renfort de la Réserve aérienne
le 1er Groupe-brigade mécanisé du Canada
l'Artillerie royale canadienne
le Centre d'alerte provincial Valcartier
le Centre des opérations aéroportées du Canada
le Commandement aérien
le Commandement de la Force terrestre
la Compagnie du renseignement du Secteur de l'Ouest de la Force terrestre
l'École d'état-major des Forces canadiennes
l'École de combat de l'Artillerie royale canadienne
l'École de navigation aérienne des Forces canadiennes
la Force terrestre
les Forces canadiennes
la Musique du Commandement aérien
le Quartier général du Commandement de la Force terrestre
la Réserve aérienne
le Royal 22e Régiment
la Station des Forces canadiennes Flin Flon

Subdivisions militaires ou policières

En français international, les numéros de subdivisions militaires ou policières s'écrivent en chiffres arabes, et le nom prend un bas-de-casse.

la 1re armée	le 5e bataillon	le 13e régiment	la 2e brigade
la 2e section	la 3e escadre	la 5e division	le 1er corps

Signes du zodiaque

Les signes du zodiaque prennent une capitale initiale. Le premier chiffre est le mois.

le Verseau	♒	01-21 – 02-18	le Lion	♌	07-22 – 08-22
les Poissons	♓	02-19 – 03-20	la Vierge	♍	08-23 – 09-21
le Bélier	♈	03-21 – 04-20	la Balance	♎	09-22 – 10-22
le Taureau	♉	04-21 – 05-21	le Scorpion	♏	10-23 – 11-21
les Gémeaux	♊	05-22 – 06-21	le Sagittaire	♐	11-22 – 12-21
le Cancer	♋	06-22 – 07-21	le Capricorne	♑	12-22 – 01-20

Le nom des personnes nées sous les signes du zodiaque garde la capitale. Il garde aussi le pluriel, même s'il est précédé d'un article au singulier. Le pluriel se fait normalement.

un Verseau, un Poissons, un Gémeaux — les Verseaux, les Béliers, les Taureaux

Allégories ou personnifications

Ces deux mots sont synonymes. Personnifier, c'est attribuer à une chose abstraite ou inanimée la figure, le langage, etc., d'une personne.

S'il s'agit de l'allégorie ou de la personnification, on met une capitale initiale.

Vénus est la déesse de l'Amour.
« Ô Mort, lui disait-il, que tu me sembles belle ! » — Jean de La Fontaine
On dit que la Vérité sort du puits.
Je pense que dame Nature a bien fait les choses.
Le Bien et le Mal sont traités en philosophie.

Quand ils ne sont pas des allégories, ces mots restent en bas-de-casse.

C'est une belle histoire d'amour. Il ne faut pas craindre la mort.

Quand on ne met pas de crème, le soleil nous donne des coups.

Astres

S'il s'agit des astres mêmes, ces mots et l'adjectif qui les précède ont une capitale.

l'Étoile polaire	la Grande Ourse	la Croix du Sud	la Voie lactée
la Lune	la Terre	le Soleil	

S'ils ne désignent pas des astres, ces mots restent en bas-de-casse. Pour la Lune, la Terre et le Soleil, la nuance est souvent difficile à distinguer.

un clair de lune   la terre est basse   un coucher de soleil

Planètes

Le nom des planètes prennent une capitale initiale. Voici les huit planètes principales de notre système solaire, de la plus proche du Soleil à la plus éloignée :

Mercure, Vénus, la Terre, Mars, Jupiter, Saturne, Uranus, Neptune.

Depuis 2006, Pluton ne fait plus partie des planètes principales ; cet astre est considéré maintenant comme une planète naine. Le mot **galaxie** prend un bas-de-casse quand il désigne un ensemble d'étoiles, de poussières et de gaz interstellaires. Il prend une capitale quand il désigne la galaxie dans laquelle est situé le système solaire.

Habitants, civilisations et races

Les noms des habitants se nomment aussi les **gentilés.** Ils prennent une capitale, et concernent les continents, les villes, les pays et leurs subdivisions (États, provinces, départements). Les noms de civilisations et de races prennent aussi une capitale.

les Européens (*continent*)	les Mayas (*civilisation*)	les Noirs
les Montréalais (*ville*)	les Latins (*civilisation*)	les Blancs
les Français (*pays*)	les Occidentaux (*civilisation*)	les Jaunes
les Québécois (*province*)	les Inuits	les Métis
les Juifs (*communauté israélite*)	*mais :* les juifs (*de religion judaïque*)	

Les adjectifs d'habitants, de civilisations et de races prennent un bas-de-casse.

la race jaune, l'art latin   l'art canadien-français *mais* les Canadiens français
Je suis Italienne (*nom*). *ou* Je suis italienne (*adjectif*).

Les noms et adjectifs de langue s'écrivent avec un bas-de-casse initial.

Elles étudient le français.   Ils étudient la langue française.

Les noms débutant par **néo-** prennent une capitale initiale seulement si le nation existe. Dans ce cas, en nouvelle orthographe, le nom est soudé (*Néozélandais*). Il existe une Nouvelle-Zélande, mais il n'y a plus de Nouveau-Québec, devenu le Nunavik, où habitent les Inuits. Dans un **nom,** l'élément *néo* est suivi d'un trait d'union devant une capitale. S'il s'agit de l'**adjectif,** les capitales et les traits d'union disparaissent (deuxième ligne).

les Néozélandais [les Néo-Zélandais]	les néo-Québécois, les néo-Canadiens
l'art néozélandais, l'art néocalédonien	l'art néoquébécois, l'art néocanadien

Jardin

Selon la Commission de toponymie, le générique *jardin* est un toponyme administratif, tout comme *parc.* Dans un toponyme, il est en bas-de-casse, et le spécifique prend des capitales et des traits d'union. Le mot *jardin* est pris ici dans son sens **physique.**

le jardin des Oliviers   le jardin d'Acclimatation

Si le générique est précisé par un adjectif, les deux restent en bas-de-casse. Par contre, si le mot *jardin* est pris dans son sens **moral,** il s'écrit comme une société, avec une capitale au premier nom.

le jardin botanique de Montréal   le jardin zoologique de Granby
Le Jardin botanique de Montréal a eu un bilan positif.

Que signifie « sporadique » ? C'est un drogué du sport.

Styles artistiques

Quand la dénomination concerne un personnage historique ou une époque, le générique est en bas-de-casse et le spécifique prend la capitale. On n'emploie pas de traits d'union dans le spécifique.

un buffet Henri II	une chaise Directoire
un fauteuil Renaissance	un lit Louis XVI
un meuble Empire	une table Louis XV

Quand le style est déterminé par un adjectif ou un nom pris comme qualificatif, le tout reste en bas-de-casse.

une tombe mérovingienne	un arc néoclassique
une chapelle carolingienne	un opéra éclectique
une église romane	un baldaquin baroque
une cathédrale gothique	une église rococo

Logiciels et polices

Les noms des logiciels et des polices s'écrivent en romain. Il faut respecter les capitales, même celles à l'intérieur d'un mot (voir page 118).

Verdana	Adobe Reader	Excel	PageMaker
Garamond	Antidote	Windows	Dreamweaver
Symbol	InDesign	Word	OpenOffice

Animaux

Les noms de races d'animaux prennent un bas-de-casse initial. Souvent, dans les ouvrages très spécialisés, on met une capitale au nom ainsi qu'à l'adjectif qui le précède.

Chiens	**Chats**	**Chevaux**	**Oiseaux**
des foxhounds	des abyssins	des arabes	des geais bleus
des huskys	des angoras	des ardennais	des grands ducs
des labradors	des chartreux	des camargues	des grives fauves
des saint-hubert	des colourpoints	des pur-sang	des grèbes cornus
Reptiles	**Poissons**	**Insectes**	
des caïmans	des barracudas	des ammophiles	
des caouannes	des baudroies	des doryphores	
des cistudes	des congres	des forficules	
des geckos	des exocets	des scarabées	

État

Le mot *état* prend une capitale initiale quand il désigne un pays, un gouvernement ou une administration (à gauche). Sinon, il s'écrit avec un bas-de-casse (à droite).

une affaire d'État		en l'état
un ou une chef d'État		un état civil
un coup d'État		un état d'âme
un État de droit		un état de santé
un État providence		un état de siège
un État totalitaire		un état des lieux
un État-Major général		un état-major
les États généraux de 1789	*mais :*	les états généraux de l'Éducation
un État-nation		le tiers état
les États membres		
les États-Unis d'Amérique		
une raison d'État		
un secret d'État		
un ou une secrétaire d'État		

Fêtes et pratiques

Les fêtes ne durent qu'un jour. On met un bas-de-casse au générique, et une capitale au spécifique ainsi qu'à l'adjectif qui le précède. Les périodes (avent, carême, ramadan) s'étalent sur plusieurs jours et prennent un bas-de-casse initial.

le 14 Juillet
l'Action de grâce *ou* l'Action de grâces
l'avent (*période avant Noël*)
le carême (*période de jeûne*)
le dimanche de Pâques
la fête des Mères
la fête des Pères
la fête du Canada
la fête du Travail
les fêtes de fin d'année (*période*)
le jour de l'An
le jour des Morts
le jour des Rois
le lundi de Pâques
le Mardi gras
le mercredi des Cendres
la Mi-Carême (*jeudi de la 3e semaine*)
Noël, les Noëls de mon enfance
le Nouvel An
la période des fêtes (*période*)
le Premier de l'an
le ramadan (*période de jeûne*)
les Rameaux
la Saint-Jean-Baptiste
la Shoah (*extermination*)
le temps des fêtes (*période*)
la Tora (*bible juive*)
le Vendredi saint

Quand des fêtes autres que celles ci-dessus sont créées, elles sont considérées comme des manifestations, avec une capitale au nom *Fête* ainsi qu'à l'adjectif qui le précède.

la Fête des handicapés
la Grande Fête des personnes âgées

Systèmes

Les noms de systèmes s'écrivent entièrement en bas-de-casse.

le système alphabétique
le système d'équations
le système de référence
le système décimal
le système international d'unités
le système linguistique phonologique
le système métrique
le système monétaire européen
le système nerveux
le système solaire

S'il s'agit d'un livre portant un titre qui commence par le mot *système,* le titre s'écrit en italique avec une capitale initiale, comme un titre d'œuvre.

J'ai lu le livre *Système international d'unités* avec plaisir.

Accents sur les capitales

Les accents sur les capitales sont requis, sinon les mots peuvent être ambigus.

Avec les accents	**Sans les accents**
AUGMENTATION DES RETRAITÉS	AUGMENTATION DES RETRAITES
LA RELIGIEUSE ADORAIT LES JEÛNES	LA RELIGIEUSE ADORAIT LES JEUNES
DES LIVRES ILLUSTRÉS	DES LIVRES ILLUSTRES
ÉTUDE DU MODELÉ	ETUDE DU MODELE
DAME CHERCHE AMI MÊME ÂGÉ	DAME CHERCHE AMI MEME AGE
IL DORT OÙ IL TRAVAILLE	IL DORT OU IL TRAVAILLE
NOUS ALLONS OÙ VOUS ALLEZ	NOUS ALLONS OU VOUS ALLEZ

Surnoms

Pas de trait d'union dans les surnoms. Le terme qualificatif prend la capitale ainsi que l'adjectif qui le précède. Les articles et les prépositions sont en bas-de-casse.

Fanfan la Tulipe
Richard Ier Cœur de Lion
Philippe IV le Bel
Louis V le Fainéant
Monica la Mitraille
Jean sans Peur
Charles II le Chauve
Rosalie les Belles Gambettes

Un débauché est quelqu'un qui a perdu son emploi.

Partis politiques

Il y a une capitale au premier nom, à l'adjectif qui le précède et aux noms propres.

l'Union Montréal	le Parti libéral du Canada (PLC)
le Bloc québécois (BQ)	le Parti québécois (PQ)
le Nouveau Parti démocratique (NPD)	le Parti vert du Canada (PVC)
le Parti conservateur du Canada (PCC)	Québec solidaire (QS)

Mais : Coalition Avenir Québec (CAQ)

Quand le mot *parti* ne fait pas partie de la dénomination, il est le générique et il s'écrit en bas-de-casse. Dans ce cas, l'article avant la dénomination est supprimé.

le parti Vision Montréal	le parti Québec solidaire

On écrit en bas-de-casse les noms des membres et des adhérents de partis politiques.

les caquistes	les démocrates	la gauche	l'opposition
les bloquistes	la droite	les libéraux	les péquistes
les communistes	l'extrême droite	la majorité	les socialistes
les conservateurs	l'extrême gauche	les néodémocrates	les Verts (*exception*)

Vents

Les noms des vents s'écrivent avec un bas-de-casse initial.

l'autan	(*vent du sud-est qui souffle sur le haut Languedoc*)
le chinook	(*vent chaud et sec qui descend des montagnes Rocheuses*)
le mistral	(*vent violent qui souffle dans la vallée du Rhône et le Midi*)
le noroit [noroît]	(*vent qui souffle du nord-ouest*)
le sirocco	(*vent chaud qui souffle du Sahara sur le sud de la Méditerranée*)
la tramontane	(*vent du nord-ouest qui souffle sur le bas Languedoc*)
le vaudaire	(*vent du sud-est qui souffle sur le lac Léman*)

Capitales des 50 États américains

État	Capitale
Alabama	Montgomery
Alaska	Juneau
Arizona	Phoenix
Arkansas	Little Rock
Californie	Sacramento
Caroline du Nord	Raleigh
Caroline du Sud	Columbia
Colorado	Denver
Connecticut	Hartford
Dakota du Nord	Bismarck
Dakota du Sud	Pierre
Delaware	Dover
Floride	Tallahassee
Géorgie	Atlanta
Hawaii	Honolulu
Idaho	Boise
Illinois	Springfield
Indiana	Indianapolis
Iowa	Des Moines
Kansas	Topeka
Kentucky	Frankfort
Louisiane	Baton Rouge
Maine	Augusta
Maryland	Annapolis
Massachusetts	Boston
Michigan	Lansing
Minnesota	Saint Paul
Mississippi	Jackson
Missouri	Jefferson City
Montana	Helena
Nebraska	Lincoln
Nevada	Carson City
New Hampshire	Concord
New Jersey	Trenton
Nouveau-Mexique	Santa Fe
New York	Albany
Ohio	Columbus
Oklahoma	Oklahoma City
Oregon	Salem
Pennsylvanie	Harrisburg
Rhode Island	Providence
Tennessee	Nashville
Texas	Austin
Utah	Salt Lake City
Vermont	Montpelier
Virginie	Richmond
Virginie-Occidentale	Charleston
Washington	Olympia
Wisconsin	Madison
Wyoming	Cheyenne

Petites capitales

Règle

Il n'existe pas de règle absolue dans l'emploi des petites capitales. On les utilise quand on pense que les capitales seront trop grandes visuellement. Voici pourtant quelques cas où les petites capitales sont le plus souvent utilisées.

Articles de lois

Les articles de lois, les décrets, les règlements, les statuts et les circulaires peuvent s'écrire en abrégé et en petites capitales, sauf l'article premier, qui s'écrit au long. On utilise une grande capitale initiale à l'abréviation et une espace insécable avant le numéro. L'usage des petites capitales n'est pas obligatoire, et l'écriture au long est plus lisible.

ARTICLE PREMIER. — ART. 234. — Article 234. —

Bibliographies

Dans une bibliographie, le nom de l'auteur peut se mettre tout en grandes capitales, ou en petites capitales avec une grande capitale initiale.

DURAND, Pierre. DURAND, Pierre. MCLAUGHLIN, Anne.

Capitale initiale

Un sigle en petites capitales ne prend pas de grande capitale initiale, mais on utilisera cette dernière chaque fois qu'elle aura une raison d'être.

le sigle OQLF (Office québécois de la langue française)
les QUÉBÉCOIS, les ANGLO-SAXONS

Pièces de théâtre en vers

On met les noms des interlocuteurs en petites capitales avec capitale initiale.

PYRRHUS
Me cherchiez-vous, madame ? Un espoir si charmant me serait-il permis ?
ANDROMAQUE
Je passais jusqu'aux lieux où l'on garde mon fils, puisqu'une fois le jour...

Pages liminaires

On peut utiliser les petites capitales dans les folios des pages liminaires (pages qui précèdent le chapitre premier).

I II III IV V VI VII VIII

Notes de bas de page

On met le nom de l'auteur en petites capitales avec une capitale initiale. Le numéro de l'acte se met en chiffres romains en capitales, et celui de la scène en petites capitales.

1. RACINE, *Britannicus,* acte IV, scène VI.

Lettrine

Une lettrine est une grande lettre qui orne le début d'un texte. Voici quelques conseils :

- On compose en petites capitales ou en bas-de-casse le reste du mot commencé par la lettrine.
- Le reste du mot commencé est collé à la lettrine.
- Les autres lignes sont décollées de la lettrine par un demi-cadratin (environ la largeur du chiffre zéro).
- Un guillemet avant la lettrine ou une apostrophe après sont dans le corps du texte.
- Il faut éviter de commencer un texte avec une seule lettre, comme **À.**
- Si **M.** est la lettrine, le point abréviatif est composé dans le corps de la lettrine.

Une langue morte est une langue qui n'est parlée que par les morts.

Coupures

Définitions

Trait d'union

Le trait d'union est le signe qui sert à unir deux ou plusieurs mots, et on doit le taper comme une autre lettre. On le nomme aussi **trait d'union sécable,** c'est-à-dire que l'ordinateur peut faire en fin de ligne la coupure d'un mot à ce trait d'union.

grand-père arc-en-ciel qu'en-dira-t-on

Trait d'union conditionnel

On le nomme aussi **césure.** C'est le signe qui sert à autoriser la coupure d'un mot en bout de ligne. Si on le lui demande, l'ordinateur peut couper automatiquement les mots en fin de ligne. On peut aussi placer soi-même les traits d'union conditionnels à l'endroit de son choix. Dans ce cas, il faut veiller à mettre des traits d'union conditionnels et non pas des traits d'union sécables, car ceux-ci resteront apparents si les mots coupés ainsi sont chassés plus loin. Si l'on ajoute du texte avant un mot coupé par un trait d'union conditionnel et que ce mot est chassé sur la ligne suivante, le trait d'union conditionnel s'efface, et le mot est reformé. Dans Word, on trouve le trait d'union conditionnel dans : **Symbole > Symbole avancé > Caractères spéciaux.**

Trait d'union insécable

Le trait d'union insécable empêche l'ordinateur de couper un mot à ce trait d'union. On l'utilise dans les exemples suivants pour empêcher que le premier élément ne se trouve à la fin d'une ligne et le second au début de la ligne suivante. Dans Word, on trouve le trait d'union insécable dans : **Symbole > Symbole avancé > Caractères spéciaux.**

3-2 St-Luc un à-côté

Coupures de mots

Dans ces exemples, les coupures ont été marquées par ⌊, le signe de renvoi à la ligne suivante. On sera plus tolérant si l'on travaille sur des colonnes étroites. On sera aussi plus tolérant pour un journal que pour un livre.

Coupure syllabique

Généralement, on peut couper entre les syllabes.

ré⌊demp⌊tion par⌊le⌊ment

Coupure étymologique

On peut aussi couper selon l'étymologie.

chlor⌊hydrique atmo⌊sphère

Deux voyelles

On peut couper entre deux voyelles seulement si l'étymologie le permet.

pro⌊éminent extra⌊ordinaire (*et non :* cré⌊ateur *ni :* cré⌊ancier)

Lettres *x* et *y*

On ne coupe pas avant ni après les lettres ***x*** ou ***y*** placées entre deux voyelles.

lexique croyance (*et non :* le⌊x⌊ique *ni :* cro⌊y⌊ance)

Une consonne

On coupe devant la consonne.

pa⌊rent bou⌊leau cou⌊pure pai⌊sible

Il y a deux sortes de gaz : le gaz naturel et le gaz surnaturel.

Deux consonnes

On coupe entre les deux consonnes, y compris les consonnes doubles.

mis|sion — men|tal — ar|doise — tex|tile

Consonnes *l* et *r*

On peut couper entre *l* et *l*, entre *r* et *r*, et entre *r* et *l*. Toutefois, on ne coupe pas entre ces consonnes et une autre consonne qui les précède, sauf *n* et *s*.

al|louer — cour|riel — ber|line

pal|pable — ou|vrage — omo|plate — (*et non :* inc|lus)

dys|lexie — den|rée — ban|lieue

Deux consonnes pour un seul son

On garde ensemble deux consonnes formant un seul son, telles *ch, dh, gn, ph, rh, th.*

soi|gner — bou|cher — (*et non :* soig|ner *ni :* bouc|her)

Trois consonnes et plus

On coupe après la deuxième consonne, tout en respectant les deux règles précédentes.

obs|tacle — ponc|tuer — trans|port — absorp|tion

man|chon — har|gneux — af|front — sem|bler

Noms propres

Il faut éviter de couper les noms propres (prénoms, noms de famille, noms de lieux...). On peut toujours couper au trait d'union les noms propres composés. Il est aussi permis de séparer les mots, comme le prénom écrit au long et le nom de famille.

Marcel-|Lucien|Laverdure — la rue|Alexandre-|DeSève — (*et non :* Lu|cien)

Apostrophe

On doit couper ailleurs qu'autour de l'apostrophe.

au|jour|d'hui — (*et non :* aujourd|'|hui)

Un ou deux traits d'union

On coupe un mot composé ou une locution après le seul trait d'union ou le premier.

porte-|copie — redira-|t-elle — (*et non :* porte-co|pie *ni :* redira-t-|elle)

Syllabe finale

On coupe avant une syllabe finale sonore d'au moins trois lettres et avant une syllabe finale muette d'au moins quatre lettres.

ten|due — blan|ches — (*et non :* ten|du *ni :* blan|che)

Abréviations

Il est impossible de couper dans les abréviations courantes et dans les symboles d'unités.

géogr. (géographie) — MHz (mégahertz)

Malsonnantes

On évite les coupures malsonnantes, comme dans les mots suivants.

C'est une question de cul|ture. — L'amélan|chier est un arbre à petits fruits.

Première lettre

La première lettre doit toujours accompagner les autres lettres du mot : elle ne doit pas se trouver seule en fin de ligne, même si elle est précédée d'une apostrophe.

équipe — l'aveu — (*et non :* é|quipe *ni :* l'a|veu)

Le hérisson est un rongeur de la famille des piquants.

Mathématiques

Il faut éviter de couper une suite mathématique, en reformulant la phrase.

(4 + 2 - 3) * 6 = 18 (Dans Word, on peut utiliser des sécables ou des insécables.)

Nombres en chiffres

On ne doit pas couper les nombres écrits en chiffres, même après la virgule.

42 000 000 12 346,50 (*et non :* 42 000 |000 *ni :* 12 346,|50)

Sigles et acronymes

On ne coupe jamais les sigles, qu'ils soient écrits avec ou sans les points abréviatifs.

CRTC C.R.T.C. Acnor ACDI (*et non :* CR|TC C.R.|T.C. Ac|nor AC|DI)

Mots coupés de suite

Il faut se garder d'avoir plus de deux lignes de suite qui se terminent par une coupure de mot. Il faut aussi éviter d'avoir plusieurs mots ou lettres semblables de suite en fin de ligne.

Fin de paragraphe, de page ou de colonne

On ne finit pas un paragraphe, une page ou une colonne par la seconde partie d'un mot coupé, ni par un mot seul s'il est très court, comme on évite de faire des veuves ou des orphelines (voir page 33). Si le paragraphe continue sur une autre page ou si la colonne continue sur une autre, on ne finira pas la dernière ligne par un mot coupé (un trait d'union).

Séparations de mots

Séparer des mots ou des nombres signifie accepter qu'ils ne soient pas sur la même ligne. Sur une colonne étroite, on pourra accepter une séparation. Souvent, pour éviter une séparation, on utilisera une espace insécable, ou on reformulera la phrase.

Noms de famille

Les noms de famille (patronymes) ne doivent pas être séparés des abréviations qui les accompagnent. Il s'agit d'abréviations de prénoms, de titres de fonction ou de titres de civilité. On peut évidemment faire des séparations si tous les mots sont écrits au long.

A. Dupont Dr Dubois M. Durand André |Dutronc

Dates

Les éléments des dates doivent rester ensemble. Une tolérance est accordée dans le second exemple, où l'on peut séparer le nom du jour (*vendredi*) de la date.

24 juin 2011 vendredi 24 juin 2011

Chiffres

Le nombre en chiffres doit rester avec le mot qu'il accompagne, c'est-à-dire le mot qui le suit ou celui qui le précède, selon le cas.

chapitre II art. 3 Henri IV page 324 3. Coupures

Abréviations et symboles

Les nombres en chiffres ne doivent pas être séparés des abréviations ou des symboles qu'ils accompagnent.

25,50 $ 21 × 27 cm 15 h 30 p. 324

Informatique

Définitions

Accès POP (*POP access, Post Office Protocol*)
Un compte avec un accès POP est un compte auquel on peut accéder grâce à un client de courrier externe, comme Microsoft Outlook, GMail ou Apple Mail.

Application ou logiciel d'application (*app*)
Le logiciel dit d'application sert aux différents usages courants automatisés en informatique : traitement de texte, calcul, messagerie, etc. On l'écrit avec l'extension *app.*

Adobe Reader.app Firefox.app iPhoto.app Microsoft Word.app

Blogue (*blog*)
Un blogue est un espace de libre expression qui permet de publier des idées et de recevoir presque instantanément l'avis des lecteurs et lectrices. Un service pour diffuser des blogues courts s'appelle **microblogue.**

Courriel (*e-mail*)
Le mot courriel a deux significations différentes : le système de messagerie par Internet et le message même qu'on envoie par ce système.

Domaine (*domain*)
Un domaine est ce qui est écrit après l'arobas dans une adresse de courriel. Par exemple, dans untel@videotron.ca, *videotron.ca* est le domaine.

Éditeur HTML (*HTML editor*)
Un éditeur HTML est un logiciel servant à rédiger des documents en HTML (*HyperText Markup Language*) pour la création de pages web. Exemples : SeaMonkey, WebExpert et Adobe Dreamweaver.

EPUB (*electronic publication*)
Le EPUB est un format de fichier électronique qui permet de lire un livre numérique (*e-book*) avec divers types d'appareils : lecteurs électroniques, tablettes, téléphones intelligents.

Facebook
Facebook est une forme de réseau social sur Internet pour les individus et les entreprises qui veulent regrouper des connaissances (amis, amies, membres de la famille), ou des partenaires commerciaux.

Fournisseur d'accès à Internet (*Internet service provider*)
Entreprise reliée en permanence au réseau Internet et qui, moyennant une mensualité, permet l'accès à Internet. Exemples : Vidéotron, Bell Internet et TekSavvy.

Hébergement (*hosting*)
L'hébergement est un service offert par un **hébergeur** (une firme spécialisée), qui permet à quelqu'un de disposer d'un espace disque sur son serveur pour diffuser un site web.

JPEG
Le format standard pour les images et les photos numériques est le JPEG.

Lecteur électronique (*e-reader*)
Le lecteur électronique est une petite tablette dont la fonction principale est de permettre de lire des publications numériques. Exemples : Kindle, Kobo, Sony Reader.

Lien hypertexte (*hypertext link*)
Dans une page Internet ou un document, un lien hypertexte (ou hyperlien) est un texte souligné qui donne accès, en cliquant dessus, à une autre page, à un autre endroit dans la même page, ou bien à un nouveau message de courriel.

LinkedIn
LinkedIn est un réseau social permettant à des individus de se regrouper en ligne dans leur milieu professionnel. Ce type de réseau favorise, entre autres, l'échange d'information professionnelle et la recherche d'emploi dans des domaines particuliers.

Livre numérique (*e-book*)
Le livre numérique est édité en format PDF et, de plus en plus, en format EPUB. On peut le lire avec un ordinateur, une tablette, un lecteur électronique ou un téléphone intelligent.

Moteur de recherche (*search engine*)
Un moteur de recherche permet de trouver des sites à l'aide de mots-clés. Voici quelques moteurs de recherche courants : Bing, Google, Yahoo.

Navigateur (*browser*)
Un navigateur est un logiciel qui donne accès au web. Les navigateurs les plus connus sont : Firefox, Safari, Internet Explorer, Opera et Google Chrome.

PDF (*portable document format*)
Le format PDF permet l'échange de fichiers qui conservent leur mise en forme, peu importe les logiciels qui servent à les afficher ou à les imprimer.

Réseau social (*social networking*)
Un réseau social sur Internet est un outil en ligne qui favorise le regroupement de relations personnelles ou professionnelles. Les plus populaires sont Facebook, Twitter et LinkedIn.

Serveur (*server*)
Un serveur est une composante d'un modèle client/serveur constituée de logiciels permettant de gérer l'utilisation d'une ressource, et à laquelle peuvent faire appel, à distance, les utilisateurs du réseau, à partir de leur propre ordinateur. Ainsi, l'hébergeur est un serveur, tandis que le navigateur est un client.

Signet, favori ou marque-page (*bookmark*)
Quand on a découvert un site intéressant, on fait **Signets > Ajouter un signet**. On peut changer le nom du signet, afin de le retrouver plus facilement dans la liste de ses favoris.

Tablette (*tablet*)
La tablette électronique est un ordinateur portable de petite dimension pourvu d'un écran tactile, qui combine les fonctionnalités de la souris et du clavier. Exemples : iPad et HP TouchPad.

Téléphone intelligent (*smartphone*)
Le téléphone intelligent, par exemple iPhone, BlackBerry ou Android, est un cellulaire qui comporte des fonctions informatiques et multimédias : navigation sur Internet, messagerie électronique, lecture numérique, etc.

Twitter
Twitter est un type de réseau social qui offre un microblogue. Il permet de diffuser de courts textes d'opinion ou d'information qui sont affichés en temps réel sur un site web.

Dans ma déclaration d'accident, j'ai oublié de vous dire qu'il y avait eu un mort.

Écriture

Mots *internet* et *web*

Ces deux noms sont invariables. On peut les écrire avec une capitale. On peut aussi les considérer comme des noms communs : *l'internet,* avec une minuscule en présence de l'article, et *Internet,* en l'absence d'article ; *Web* ou *web,* en présence ou non de l'article.

J'utilise l'internet. Je navigue sur Internet. Voici des cafés Internet.
Il a créé un site Web. Consulte ces sites web. Je l'ai trouvé sur le web.

Adresses avec arobas (courriel et Twitter)

L'adresse courriel finit par l'arobas suivi du nom du domaine, tandis que l'adresse Twitter commence par un arobas suivi du nom de l'utilisateur. Les deux s'écrivent telles quelles.

ambenoit.ramat@gmail.com @abctypo

Adresse de site web

Dans un texte, si on veut bien distinguer l'adresse d'un site web, appelée aussi **adresse URL,** on la met en gras, ou bien on l'encadre de chevrons simples ou de parenthèses.

www.ramat.ca <www.ramat.ca> (www.ramat.ca)

Format

On écrit tout en capitales le nom du format électronique, sauf quand il fait partie du nom du fichier. Dans ce dernier cas, il suit un point et est en bas-de-casse.

On vendra ce livre en formats PDF et EPUB. ramat.pdf ramat.epub

HTML (*HyperText Markup Language*) et balise (*tag*)

On utilise le langage HTML pour insérer tout élément dans les pages web. On place l'élément, qui devient le contenu de la balise, entre une balise ouvrante (< >) et une balise fermante (</ >). Les balises servent aussi pour les attributs de la page, par exemple **<html>** précède tout le document, et **<head>** indique des informations supplémentaires sur la page (nom donné à la page, encodage des caractères, styles utilisés...).

Nom de logiciel

Le nom d'un logiciel s'écrit avec une capitale initiale et sans italique. Si le nom est formé de deux mots, on met généralement une capitale à la première lettre de chacun et on colle les deux mots. Si le nom est précédé du nom de l'entreprise, une espace sépare les deux mots.

Antidote InDesign Adobe Reader Microsoft PowerPoint

Opérations ou commandes

On utilise le chevron simple fermant (>), encadré d'espaces, pour décrire les opérations à suivre dans le menu ou le ruban d'un logiciel.

Dans Word, pour espacer les caractères, choisissez Police > Espacement.

Préfixe *e*

Le préfixe *e,* mis pour *electronic,* se combine à un autre mot par un trait d'union pour former un nom composé anglais, qui est tout en bas-de-casse.

e-book (livre numérique) *e-mail* (courriel) *e-commerce* (vente en ligne)

Préfixe *i*

Le préfixe *i,* qui s'adjoint à différents mots pour nommer un produit Apple, est en bas-de-casse et est suivi d'une capitale, sans espace.

iPad iPod iPhone iTunes

Être à l'heure, c'est important, surtout quand on est en retard.

Pages web

Des **règles particulières** s'appliquent à la conception des pages web quant à la navigation et à l'aspect graphique. À ces règles s'ajoutent les **règles typographiques** habituelles (règles décrites dans ce livre), qui concernent aussi les pages web, même si les textes des pages web s'écrivent en **langage HTML.**

Langage HTML

Le langage HTML permet d'afficher des éléments dans les navigateurs web. Il existe un bon nombre d'éditeurs HTML, dont SeaMonkey (gratuiciel), WebExpert et Adobe Dreamweaver. Dans ces éditeurs, on peut écrire directement le texte en mode **Normal** ou avec des balises en mode **Source HTML**. Tout élément d'une page web s'insère, dans le mode **Source HTML**, entre des balises : une balise ouvrante (< >) et une balise fermante (</ >). Ces deux balises portent le même nom, qui correspond à la directive. Les balises s'écrivent généralement en police Courier. L'élément entre les balises, le contenu, peut être formé d'un texte, d'un code HTML, d'un hyperlien ou d'une ressource multimédia.

<nom de la balise>contenu**</nom de la balise>**

Dans la balise fermante, on répète le nom de la balise ouvrante, en le faisant précéder d'une barre oblique. Voici quelques balises (page 120) avec, à droite, le résultat de la directive.

<i>Ramat</i>	→	*Ramat*
<b>édition</b>	→	**édition**
^e	→	^{e}

Ainsi, <body>10e<b> édition</b> du <i>Ramat</i></body> devient :

10e **édition** du *Ramat*

La logique d'écriture des balises est la même que celle des parenthèses en mathématiques : une balise est incluse dans une autre ; on ne peut pas avoir de chevauchement.

<b><i>Ramat</i></b> → ***Ramat*** (*et non :* <b><i>Ramat</b></i>)

Le code HTML (ou entité HTML) est formé d'un ensemble de caractères qui remplace un élément dans le contenu. À titre d'exemple, le code **•** équivaut à une puce noire (•).

<body>• Énumération</body> → • Énumération

Règles particulières

Pour que le texte s'adapte bien au médium qu'est l'écran, on en facilitera la lecture en appliquant certaines règles.

Alignement

On préfèrera l'alignement du texte à gauche, soit le drapeau à gauche.

Casse

On écrit le texte en bas-de-casse, car les textes tout en capitales nuisent à la lisibilité.

Fichier PDF

Dans une page web, on transforme les textes longs en fichiers PDF à télécharger.

Police de caractères

On opte pour une police sans empattements, comme Arial, Helvetica ou Verdana.

Paragraphes

Pour aérer le texte, on le divise en courts paragraphes, de préférence bien identifiés par des titres et des sous-titres. L'information est aussi plus facile à lire si elle est présentée sous forme de listes à puces, numérotées ou à niveaux, ou encore sous forme de tableaux.

Soulignement

Le soulignement est réservé aux liens hypertextes (hyperliens). Pour mettre en valeur des parties de texte, on emploie le gras, la couleur ou la taille à la place du soulignement.

Grande vente de jeans avec trois poches : une sur chaque jambe.

Règles typographiques

On applique les mêmes règles typographiques pour l'édition des pages web que pour l'édition papier.

Apostrophe typographique (’)

En typographie de qualité, on utilise l'apostrophe typographique (une virgule haute) comme on le fait dans ce livre. On peut l'employer aussi dans les textes des pages web. En HTML, on l'obtient avec le code **’** mis à l'endroit où l'on fait une élision.

Balises HTML

Les balises contiennent des directives correspondant à des mots anglais. Elles déterminent, entre autres, les différents styles du texte. Voici une liste de balises parmi les plus utiles.

BALISE	SIGNIFICATION	BALISE	SIGNIFICATION
<b>	gras	<p>	séparateur de paragraphe
<big>	augmentation de taille	<small>	réduction de taille
<body>	corps du texte	<sub>	indice
<h1>	titre 1	<sup>	exposant
<i>	italique	<table>	tableau
<li>	élément de liste	<title>	titre de l'onglet
<nobr>	séparation impossible	<tr>	ligne dans un tableau
<ol>	liste numérotée	<ul>	liste à puces

Caractères spéciaux et symboles

Quand on ne trouve pas dans son éditeur HTML un symbole ou un caractère, on tape un code (ou entité) directement dans le mode Source HTML de l'éditeur. Voici quelques codes.

CARACTÈRE OU SYMBOLE	CODE	CARACTÈRE OU SYMBOLE	CODE	CARACTÈRE OU SYMBOLE	CODE
°	°	¼	¼	œ	œ
«	«	½	½	×	×
»	»	¾	¾	÷	÷
•	•	–	–	—	—

Coordonnées

Toutes les coordonnées apparaissant dans un site web s'écrivent comme dans les versions papier, par exemple l'adresse et le numéro de téléphone.

10111, rue Parchemin Est, Montréal (Québec) H2L 4S9 514-123-4567

Coupures et séparations de mots

Pour empêcher les coupures à certains traits d'union ou les séparations interdites de mots, on entoure de balises **nobr** les éléments qu'on veut conserver ensemble.

<nobr>à-propos**</nobr>** **<nobr>**24 juin 2012**</nobr>**

Espace insécable ( )

Comme la largeur du texte peut varier pour s'adapter au format de la fenêtre du navigateur, il est important de mettre des espaces insécables **partout** où on le recommande (page 114).

<body>page 324**</body>** **<body>**M. Durand**</body>**

J'ai frappé un camion stationné qui venait dans l'autre sens.

Espace fine

Une espace fine est une espace insécable rapetissée à 40 %. Elle précède, entre autres, le point-virgule, le point d'interrogation et le point d'exclamation. Souvent, pour les pages web, on choisit de ne pas s'en servir et on opte pour la solution de remplacement décrite sous *Espacements de la ponctuation,* page 191. De cette façon, on ne met pas d'espace, par exemple, devant le point-virgule. Par souci d'uniformité, on fera de même pour le point d'interrogation et le point d'exclamation. Toutefois, si on y tient, il existe deux codes pour faire une espace étroite : ** ** ou ** ** (selon l'éditeur ou selon la taille que l'on veut obtenir). Comme ces deux espaces ne sont pas insécables, je suggère, pour faire une espace fine, d'utiliser la balise *nobr.* Celle-ci empêchera ainsi de séparer ci-dessous le mot *veut* du point d'interrogation.

<body>Qui en **<nobr>**veut&8202?**</nobr></body>** → Qui en veut?

Gabarit

Au moment de la conception d'un site web, comme on le fait pour l'édition papier avec la marche (page 34), on définit un modèle de mise en page, un gabarit, qu'on appliquera ensuite à toutes les pages du site. Ce gabarit détermine tout ce qui concerne la présentation des pages, de l'aspect graphique (forme du menu, image ou couleur d'arrière-plan, illustrations...) à l'aspect textuel (styles). La navigation se fera ainsi plus aisément, car il sera plus facile de s'y retrouver, d'une page à l'autre.

Menu

On considère le menu, présenté à l'horizontale ou à la verticale, comme une énumération ou une liste. Il doit être formé d'éléments de la même catégorie grammaticale pour assurer l'uniformité de la présentation : une série de noms, une série d'infinitifs ou une série d'impératifs. Dans la plupart des cas, on optera pour des éléments de menu sous forme de noms.

Site de l'OQLF :	Accueil	Plan de site	Courrier	Coordonnées
Site du *Ramat* :	Accueil	Informations	Coordonnées	Auteurs

✤ On utilise *Coordonnées* ou *Nos coordonnées* de préférence à l'expression *Nous contacter* (un anglicisme), dont l'emploi est critiqué par plusieurs et qui, en plus, fait tache dans un menu formé d'une série de noms.

On traite de la même façon les menus de deuxième niveau **(sous-menus),** qui équivalent aux énumérations secondaires. Voici un exemple tiré du site de la STM (www.stm.info) :

HORAIRE BUS
- Trouvez les prochains passages
- Cherchez votre code d'arrêt
- Choisissez une ligne d'autobus
- Consultez le planibus

Styles

L'utilisation de feuilles de styles (CSS) permet de gérer plus facilement la mise en page et assure une présentation homogène de chaque niveau de texte. Un usage adéquat des styles rend les textes plus lisibles à l'écran et, conséquemment, en favorise la compréhension. On donne le même style à tous les paragraphes pour lesquels on veut une présentation visuelle identique, conforme au gabarit, comme on le fait en traitement de texte (pages 126 et 127). De plus, l'application de styles dans les textes affichés dans les pages web facilite grandement la mise à jour du site web.

Wysiwyg

Ce mot comprend les lettres initiales des mots de l'expression *what you see is what you get* (ce que vous voyez sur l'écran est ce que vous verrez sur le papier). L'affichage à l'écran correspond ainsi à l'imprimé. C'est ce que l'on voit en mode **Normal** de bon nombre d'éditeurs HTML. On y voit donc le résultat des styles qu'on a appliqués en mode **Source**. L'OQLF suggère à la place de *Wysiwyg* d'utiliser «tel-tel», qui n'est pas encore entré dans l'usage.

Révision et correction à l'écran

On peut corriger des textes directement à l'écran. Habituellement, on fait avec le logiciel **Word** la révision des fichiers qui sont en traitement de texte. Pour ce qui est de la correction d'épreuves des fichiers PDF, on la fait avec des logiciels spécialisés, comme **Adobe Reader,** ou, plus simplement, avec **Aperçu** d'Apple.

Révision avec Word

On peut facilement réviser des textes avec le logiciel Microsoft Word et transmettre ensuite par courriel le fichier auquel on a apporté des corrections.

1. Cliquer sur l'onglet **Révision.**
2. Choisir **Final avec marques** ou **Original avec marques.**
3. Choisir **avec bulles** ou **sans bulles,** ou ajuster les préférences dans **Options** sous **Suivi des modifications.**
4. Cliquer sur le bouton **Suivi des modifications (actif/inactif).**
5. Corriger dans le texte même. Il est souvent plus clair de corriger tout le mot plutôt qu'une partie seulement, sauf si on apporte la correction aux extrémités du mot. Pour modifier une correction, cliquer de nouveau sur le bouton **Suivi des modifications (actif/inactif),** et recommencer au besoin.
6. Pour ajouter ou enlever un commentaire, se servir du bouton **Nouveau commentaire.**

Correction sur PDF avec Adobe Reader

Il est possible d'apporter des corrections à un fichier PDF avec le logiciel Adobe Reader, dont il existe une version non professionnelle (un gratuiciel). Il faut s'assurer au préalable qu'au moment de sa création, le fichier n'a pas été enregistré avec une option de sécurité, et qu'ainsi on est autorisé à le modifier. Les explications ci-dessous concernent le gratuiciel.

1. Ouvrir avec Adobe Reader le fichier à corriger.
2. Si ce n'est pas déjà fait, ajouter à la barre d'outils les icônes de correction **Note** (bulle jaune) et **Texte surligné** (papier + crayon) :
   a) **Affichage > Afficher/Masquer > Éléments de barre d'outils > Commentaires > Note.**
   b) **Affichage > Afficher/Masquer > Éléments de barre d'outils > Commentaires > Texte surligné.**
3. Cliquer sur l'icône **Texte surligné,** puis surligner le passage à corriger.
4. Cliquer sur l'icône **Note** et placer le commentaire au-dessus du passage surligné à corriger.
5. Dans la petite fenêtre qui s'est ouverte, écrire la correction à apporter.
6. Fermer cette fenêtre en cliquant sur le petit carré en haut à droite.
7. Pour prendre connaissance du commentaire, pointer la flèche de la souris sur la bulle du commentaire : le texte devient visible.
8. Au besoin, cliquer sur la bulle du commentaire (la flèche se transforme alors en croix) afin de la déplacer à un autre endroit.
9. Pour apporter des modifications au commentaire, cliquer sur la bulle et changer le texte dans la fenêtre.
10. Pour effacer un commentaire, sélectionner la bulle et utiliser la touche d'effacement.

Correction avec Aperçu (Apple)

On peut faire la correction d'un fichier PDF (ou même d'un fichier JPEG) avec le logiciel Aperçu. Ce logiciel est intégré dans le système d'exploitation Mac OS d'Apple. On le trouve donc dans les applications de tout ordinateur Macintosh.

1. Faire une copie du fichier (PDF ou JPEG) à corriger.
2. Ouvrir ce fichier avec Aperçu :
   Fichier > Ouvrir, puis choisir la copie du fichier à corriger.
3. Afficher la barre d'outils d'annotations :
   Présentation > Afficher la barre d'outils d'annotations.
   Ou : **Outils > Annoter**, puis choisir un outil.
   Ou : Bouton **Annoter** dans la barre d'outils, en haut.
4. Choisir un outil dans la barre d'outils d'annotations, qui se trouve en bas de la fenêtre : flèche, ovale, rectangle ou texte.
5. Pour modifier une forme ajoutée avec Aperçu, cliquer dessus : un encadré s'affiche. Puis apporter des changements, par exemple l'épaisseur ou la couleur du trait.
6. Pour modifier un texte ajouté avec Aperçu, double-cliquer d'abord dessus et choisir **Aa** (tableau des polices). Apporter ensuite des modifications, par exemple le type de police, la taille, le style ou la couleur du caractère.

✤ Pour la correction d'un fichier JPEG, toujours travailler sur une copie, sinon, une fois les corrections enregistrées, il est impossible de revenir à la version originale.

Touches et boutons

Voici quelques icônes ou signes que l'on voit sur les touches des claviers d'ordinateurs, les appareils technologiques ou les boutons de logiciels.

⚙	Options/Paramètres
↵	Entrée/Retour
⎋	Échappement (Échapp)
⌥	Alternative (Alt)
⌫	Effacement (Effac)
⌦	Suppression (Suppr)
⌘	Commande (Cmd)
⌅	Entrée
^	Contrôle (Ctrl)
⇧	Majuscule (Maj)
⇪	Verrouillage des majuscules (Verr. maj.)
↹	Tabulations (Tab)
⎘	Page suivante
⎗	Page précédente
⇱	Début
⇲	Fin
🔍	Recherche
🏠	Page d'accueil
⏻	Démarrage
⌨	Clavier
✂	Couper
¶	Paragraphe

Word facile

Ces conseils s'adressent aux personnes utilisant le logiciel de traitement de texte Word. Les opérations ou les commandes à suivre dans le menu sont indiquées par le chevron simple fermant (>). Comme il existe des variantes d'une version de Word à une autre, vous trouverez dans l'**Aide Word (?)** de votre logiciel des explications plus précises.

Alignement des chiffres à droite

bonne présentation		mauvaise présentation	
1.	texte	1.	texte
23.	texte	23.	texte
101.	texte	101.	texte

Numérotation automatique. On peut la faire avec **Puces et Numéros,** ou l'onglet **Accueil > Paragraphe > Liste numérotée.** On fait les réglages désirés dans **Personnaliser (Définir un nouveau format).** Par exemple, pour obtenir l'alignement des chiffres à droite, on choisit **droite** sous le format de numérotation.

Barres

Barre d'espacement. C'est la longue touche au bas du clavier, qui produit l'espace sécable que l'on met entre les mots. Cette espace n'a pas toujours la même largeur ; il ne faut donc pas l'utiliser pour réaliser des alignements.

Barre de titre. C'est la barre tout en haut de la fenêtre, qui indique le titre du fichier.

Barre d'état. Affichage > Barre d'état. C'est la barre au bas de l'écran qui indique la **Page,** la **Section,** le **Nombre de mots,** etc. Quand les deux chiffres indiquant la page sont différents, c'est que l'on a fait dans le document deux paginations commençant à 1.

Barres d'outils. Faire **Affichage > Barres d'outils,** puis choisir dans la liste les outils utiles au travail prévu. La plus importante des Barres d'outils est probablement **Mise en forme,** qui donne le **Style,** la **Police,** la **Taille,** le **Gras,** l'**Italique,** l'**Alignement,** etc.

Barres de défilement. Affichage > Barres de défilement. Les deux barres de défilement sont la barre horizontale (en bas) et la barre verticale (à droite), qui servent à faire avancer ou reculer le texte, grâce à une barre coulissante et à des flèches. La barre verticale sert aussi à parcourir le texte par **Page,** par **Section,** par **Titre,** etc.

Barre des menus. C'est la barre en haut de l'écran qui comprend l'icône de la version de Word, puis **Accueil, Édition, Affichage, Insertion, Révision,** etc. On ne peut pas supprimer cette barre de menus.

Calcul

Faites **Outils** ou **Options > Personnaliser > Catégories : Toutes les commandes.** À droite, sélectionnez **OutilsCalculer.** Dans **Nouveau raccourci clavier,** essayez par exemple **Alt+c** et, si ce raccourci n'est pas déjà attribué, cliquez sur **Attribuer,** sinon changez de raccourci. Pour faire une addition, vous écrirez des nombres, séparés par une touche de la barre d'espacement. Sélectionnez le tout, tapez **Alt+c** et vous verrez le résultat dans la barre d'état. Vous pourrez coller ce nombre où vous voudrez ensuite, en faisant **Coller.** Pour les grands nombres, mettez une espace insécable entre les tranches de trois chiffres. Voici les signes à utiliser pour réaliser les opérations : pour additionner, la barre d'espacement ; pour diviser, la barre oblique ; pour multiplier, l'astérisque ; pour soustraire, le trait d'union.

Centrage vertical

Il est possible de centrer verticalement tout le texte d'une page. Pour cela, à l'aide de **Insertion > Saut > Saut de section (page suivante),** on met deux sauts : un au début du texte et un à la fin. Le texte doit avoir une section à lui. Placez le curseur à l'intérieur de la section, ensuite **Disposition > Alignement vertical,** et choisissez **Centré.**

Le récidiviste n'avait jamais rien eu à se reprocher.

Espacement entre les paragraphes

À la fin d'un paragraphe, n'appuyez pas deux fois sur la touche **Entrée**, mais une seule fois. Sélectionnez tous les paragraphes à séparer, puis **Paragraphe > Espacement > Après**, et choisissez par exemple 6 pt. Vous pouvez opter pour **Avant** au lieu d'**Après**. Dans ce cas, la dernière ligne n'aura pas de blanc après elle. On peut aussi mettre un blanc avant et après.

Ligne de rappel

La ligne de rappel est une ligne en petits caractères que l'on place dans l'**entête** ou le **pied de page** pour identifier le fichier. Placez votre curseur à l'endroit où vous voulez insérer la ligne. **Insertion > Champ > Toutes**, puis à droite cliquez sur chacun des champs souhaités (en faisant OK entre chacun d'eux), comme :

NomFichier NumRév DateEnreg Page NbPages

On peut insérer du texte ou un signe de ponctuation dans les champs. Par exemple, entre les deux derniers champs, on peut taper **de.** Ainsi, à la correction d'épreuves, on pourra être certain, en vérifiant le numéro de révision ou la date d'enregistrement, que l'épreuve qu'on lit est bien celle qui est dans l'ordinateur. (**NumRév** est le numéro du dernier enregistrement.)

Liste des commandes

On peut changer les raccourcis des commandes ou en attribuer de nouveaux, en faisant **Outils** ou **Options > Personnaliser > Catégories : Toutes les commandes**. Par exemple, dans **BarréDouble**, essayez **Alt+d**. Si ce raccourci n'est pas déjà attribué, cliquez sur **Attribuer**, sinon essayez un autre raccourci.

Modèles

Quand vous avez fait un travail qui comprend un bon nombre de styles que vous aimeriez utiliser de nouveau, créez un modèle. D'abord, faites une copie de votre fichier, à laquelle vous donnerez un nom, puis ouvrez ce nouveau fichier. Ensuite, sélectionnez tout le contenu du fichier **(Sélectionner tout)** et effacez-le avec la touche **Effacement arrière**. Enfin, faites **Enregistrer sous** et choisissez **Modèle Word** ; ainsi l'extension devient *dotx*. Vous pourrez plus tard modifier ce modèle au besoin.

Points de suite

Pour obtenir l'alignement des points de suite à leur extrémité droite, il faut mettre un taquet de tabulation droit à la fin des points, et un autre à la fin des chiffres. Dans une table des matières ou un index avec les chiffres à droite, l'ordinateur ne met qu'un taquet. Il faut donc sélectionner la table ou l'index, et faire un remplacement de **^t** par **^t^t.** On trouve cela dans la fenêtre de remplacement **Remplacer > Spécial > Tabulation**.

Abc de typographie 7
Abréviations 35
Ponctuation 189

Raccourci pour un caractère

Une façon simple d'obtenir, par exemple, la ligature **æ** est par la correction automatique. Trouvez la ligature **æ** dans **Symbole > Caractères spéciaux**, insérez-la dans votre texte et sélectionnez-la. Allez dans **Correction automatique**. Vous la voyez dans la case **Par**. Cochez **Texte brut**, puis dans la case **Remplacer**, tapez deux fois le signe **;** et cliquez sur **Remplacer**, et enfin sur **OK**. Ainsi, chaque fois que vous voudrez obtenir **æ** dans votre texte, vous aurez seulement à taper deux **;** et immédiatement le **æ** les remplacera.

Ruban

Le ruban est une interface graphique qui permet de trouver rapidement les commandes pour effectuer des tâches dans un logiciel comme le Word.

Sections et colonnes

Par défaut, un document est composé sur une seule colonne. Si l'on désire composer sur plusieurs colonnes dans une page, on met un saut avant et un autre après : **Saut > Saut de section (page suivante)**. Si le texte en colonnes n'est qu'une partie de la page, on met un saut continu avant et après : **Saut > Saut de section (continu)**. Dans **Colonnes**, on choisit le nombre et la forme qu'on veut obtenir. Pour un texte existant, on sélectionne ce texte auparavant.

La **gouttière** est le blanc entre les colonnes. Cet espacement est fixé par défaut à 1,27 cm. Choisissez vous-même un autre chiffre dans la fenêtre **Colonnes** et cochez **Largeur de colonnes identique**. Pour obtenir une ligne séparatrice, cochez la case du même nom. Si vous trouvez que la ligne séparatrice est trop près du texte, augmentez la gouttière d'un dixième à la fois, jusqu'à satisfaction.

Sélection verticale

Pour faire une sélection verticale de caractères afin, par exemple, de changer le style des premières lettres des mots, placez le curseur à l'endroit voulu, maintenez la touche **Alt** enfoncée, puis descendez à droite ou à gauche avec la souris.

Style

Un style s'applique à un paragraphe à la fois, c'est-à-dire au texte compris entre deux ¶. Mettez en forme un paragraphe, comme celui-ci, par exemple, en faisant **Police > Verdana > Style Normal > Taille 7 pt.** Ensuite, faites **Paragraphe > Alignement justifié > Retrait 0**, choisissez **de première ligne « aucun »** et **Interligne exactement 9,6 pt.** Laissez le curseur à l'intérieur du présent texte, faites **Style > Nouveau**, ensuite donnez-lui un nom assez court, par exemple *ram.* Cochez la case **Ajouter**, mais ne cochez jamais la case **Mettre à jour automatiquement**. Pour rappeler le style, vous déroulerez la liste **Styles** jusqu'à *ram.* Vous pouvez faire **Options > Affichage > Largeur de la zone de style** et mettre 2 cm, par exemple. En mode **Brouillon**, vous verrez alors à gauche le nom du style en regard du texte que vous êtes en train de taper.

Table des matières et index

Dans une **table,** ce sont d'abord les styles de **Titre** qui feront les **Niveaux** par défaut. Mais on peut accepter tout autre style et lui donner un niveau. Dans **Options**, faites **Rétablir** et donnez un niveau à un style. Si vous lui donnez le niveau 3, il sera au même niveau que le Titre 3. On peut changer la mise en forme des TM1, TM2, TM3, qui, dans la table finie, correspondent aux niveaux. Dans un **index,** placez le curseur le plus près possible du mot à indexer, faites **Marquer les entrées d'index,** puis écrivez en romain dans la case **Entrée.** Si vous voulez un mot en italique ou en gras, cliquez deux fois sur le mot dans l'**Entrée,** pesez sur le bouton droit de la souris et faites **Police > Gras** ou **Italique.**

Tabulations

Cliquez sur la petite icône à gauche de la règle pour choisir l'alignement de la colonne. Cliquez sur la règle pour installer le taquet de tabulation. Appuyez ensuite sur **Tab** pour passer d'un taquet à l'autre. *Barre* se trouve dans **Tabulations.**

début	gauche	droit	centré	décimal	barre
texte	autre texte	25,05	texte	25,3	|
texte	texte	3,12	texte aussi	3,12	|
texte	texte aussi	123,45	encore	123,4568	|

Début n'a pas de taquet. *Gauche* sert pour du texte. *Droit* sert pour des chiffres qui ont le même nombre de décimales ou pour du texte aligné à droite. *Centré* sert pour du texte. *Décimal* aligne tout sur la virgule. *Barre* insère une barre verticale à l'emplacement du taquet. Il faut préalablement sélectionner le texte sur lequel on désire appliquer les tabulations.

Taille des marges

Au Canada, on utilise le format Lettre US, que l'on choisit dans : **Fichier > Mise en page.** Sous l'onglet **Disposition,** désignez les marges que vous désirez des quatre côtés. Si vous avez choisi 2,5 cm pour la marge du haut, votre texte débutera à 2,5 cm. Si vous désirez utiliser un en-tête en petits caractères au-dessus, mettez un chiffre inférieur dans la case **En-tête (Disposition),** par exemple 1,5 cm. Il en est de même pour le pied de page.

Titres

Si l'on déroule la liste **Styles,** en haut, on trouve les styles prédéfinis pour les titres : Titre 1, Titre 2, etc. Par exemple, pour ce livre, j'ai changé la mise en forme du style Titre 3, qui est le style du mot *Titres* au dessus de ce paragraphe. J'ai mis le curseur sur le mot *Titres,* puis, en pesant sur le bouton droit de la souris, j'ai sélectionné **Modifier.** D'abord, dans **Police,** j'ai choisi **Verdana, Gras, 8,5 pt**; ensuite, dans **Paragraphe,** j'ai précisé **Alignement gauche, Interligne exactement 10 pt, Espacement Avant 10 pt, Espacement Après 1 pt.** Voilà pourquoi il y a un blanc au-dessus du mot *Titres,* et un petit blanc au-dessous de lui. Les styles de titres serviront à la table des matières, le Titre 1 correspondant au niveau 1, le Titre 2 au niveau 2, etc.

Tri

Pour trier un texte **sans le convertir en tableau,** on le sélectionne d'abord et, ensuite, on clique sur le bouton , un *A* et un *Z* accompagnés d'une flèche descendante. Si l'on désire, par exemple, trier la quatrième colonne d'une tabulation, on signalera le champ 4 dans la clé 1. Si l'on entre le champ 3 dans la clé 2, le logiciel mettra l'ordre alphabétique aussi dans la colonne 3.

Pour changer une colonne de place, il est plus rapide de convertir la tabulation en tableau, faire le changement et reconvertir en texte, en cochant l'option **Tabulations.**

Exemple de tri

- Il y a une tabulation entre les quatre éléments des lignes en gras.
- On met une tabulation et un saut de ligne **(Maj+Entrée)** à la fin des lignes en gras.
- On met un saut de paragraphe **(Entrée)** à la fin du texte en maigre.
- Si l'on trie par le premier champ, on aura les noms par ordre alphabétique. Si l'on trie par le champ 2, on aura les dates de naissance par ordre croissant. Si l'on trie par le champ 3, on aura les personnes qui sont nées dans la même ville. Si l'on trie par le champ 4, on aura les personnes qui sont mortes dans la même ville.

BENOÎT, Saint 1480-1547 Nursie Mont-Cassin
Père et législateur du monachisme chrétien d'Occident. Élevé dans une famille noble romaine, il se retire dans la solitude de Subiaco, puis fonde, vers 529, le monastère du Mont-Cassin, berceau de l'ordre des bénédictins.

PISAN, Christine de 1365-1430 Venise Paris
Mariée en France à 15 ans, elle se trouve veuve 10 ans plus tard avec trois enfants. Retirée dans un couvent en 1418, elle écrit un éloge de Jeanne d'Arc après la délivrance d'Orléans. Ses poésies glorifient la défense des femmes.

VALOIS, Marguerite de 1553-1615 Saint-Germain Paris
Fille de Catherine de Médicis, elle est mariée au futur roi Henri IV. Cultivée et spirituelle, elle est victime de sa nymphomanie. Elle consent à l'annulation de son mariage avec Henri IV, qui épouse Marie de Médicis en 1600.

Italique

Latin

Latin : mots francisés

Les mots latins francisés s'écrivent dans la même face que le texte et comportent des accents (la nouvelle orthographe a uniformisé cette graphie). Les noms prennent la marque du pluriel **s**. Cette liste ne comprend pas les citations latines, par exemple *Carpe diem* ou *Alea jacta est,* dont on peut trouver la liste dans les grands dictionnaires. Les mots suivants sont maintenant francisés.

à capella
à contrario
addenda, s
à fortiori
agenda, s
alibi, s
alinéa, s
alléluia, s
alter égo, s
à minima
angélus
à postériori
à priori (*locution adv.*)
apriori, s (*nom*)
arborétum, s
bénédicité, s
bis
candéla, s
consortium, s
crédo, s (*non religieux*)
curriculum vitae
curriculums vitae
de visu
décorum, s
déléatur, s
délirium trémens
déliriums trémens
désidérata, s
duplicata, s
égo, s
emporium, s
erratum, s
etcétéra, s
exéat, s
exéquatur, s
exlibris
extramuros
extrémum, s
exvoto, s
facsimilé, s
grosso modo
impédimenta, s
imprimatur, s
in extenso
in extrémis
incipit, s
intramuros
in vitro
in vivo
latifundium, s
limès
maximum, s
mea-culpa, inv.
média, s
médium, s
mémento, s
mémorandum, s
minimum, s
muséum, s
nova, s
numérus clausus
oppidum, s
optimum, s
par intérim
parabellum, s
pensum, s
placébo, s
plénum, s
pomérium, s
postabortum, s
postpartum, s
postscriptum, s
prorata, s
proscénium, s
putto, s
quantum, s
quatuor, s
quorum, s
quota, s
recto, s
référendum, s
sanatorium, s
satisfécit, s
scénario, s
sédum, s
sempervivum, s
sénior, s
sérapéum, s
sic
solo, s
spéculum, s
statuquo, s
tépidarium, s
ter
tollé, s
triplicata, s
ultimatum, s
ultrapétita
vadémécum, s
varia, s
vélarium, s
verso, s
véto, s
via

Latin : mots non francisés

Dans un texte en romain, ces mots doivent s'écrire en italique, sans accents et ils restent invariables. Les abréviations de plusieurs éléments de une lettre ne prennent pas d'espace entre les éléments. Le tiret (—) signifie qu'il n'y a pas d'abréviation.

Locution	**Abréviation**	**Traduction**
ad hoc	—	qui convient à la situation
ad libitum	*ad lib.*	à volonté, au choix
ad litem	—	limité au seul procès

Locution	Abréviation	Traduction
ad litteram	*ad litt.*	littéralement
ad nauseam	—	à n'en plus finir
ad nutum	—	de façon instantanée
ad patres	—	vers les ancêtres, mourir
ad valorem	—	selon la valeur
ad vitam æternam	—	pour toujours
casus belli	—	cas de guerre
confer	*cf.* ou *conf.*	se reporter à
de facto	—	selon le fait
de jure	—	selon le droit
delineavit	*delin.*	a dessiné
duplicata littera	*dupl. litt.*	lettre redoublée
eadem pagina	*ead. pag.*	même page
et alii	*et al.*[1]	et autres
ex aequo	—	à égalité
ex cathedra	—	avec un ton doctoral
exempli gratia	*e.g.*[1]	par exemple, p. ex.
hoc est	*h.e.*	c'est
ibidem	*ibid.*	au même endroit
id est	*i.e.*[1]	c'est-à-dire, c.-à-d.
idem	*id.*	le même
in limine	*in lim.*	au commencement
in memoriam	—	à la mémoire de
in situ	—	dans son milieu naturel
in transitu	*in trans.*	en passant
initio	*init.*	au début
invenit	*inv.*	a créé, inventé
ipso facto	—	par le fait même
lato sensu	—	au sens large
loco citato	*loc. cit.*	passage cité
loco laudato	*loc. laud.*	passage approuvé
manu militari	—	par la force militaire
minus habens	—	personne peu intelligente
modus vivendi	—	manière de vivre
ne varietur	*n.v.*	édition définitive
nec plus ultra	—	ce qu'il y a de mieux
nota bene	*NB*	notez bien
opere citato	*op. cit.*	dans l'ouvrage déjà cité
opere laudato	*op. laud.*	ouvrage approuvé
passim	*pass.*	en divers endroits
persona grata	—	personne bienvenue
persona non grata	—	personne non souhaitée
pinxit	*pinx.*	a peint
requiem	—	prière pour les morts
sequiturque	*sq.*	et suivant
sine die	—	sans fixer de jour
sine qua non	—	condition indispensable
stricto sensu	—	au sens strict
supra	*sup.*	ci-dessus
ultimo	*ult.*	en dernier lieu
ut dictum	*ut dict.*	comme il a été dit
vice-versa ou *vice versa*	—	inversement

1. Cette abréviation latine doit être évitée ; on la remplace par la traduction française.

Titres d'œuvres

Les titres d'œuvres s'écrivent en italique dans un texte en romain. Liste des œuvres :

ballet	conte	gravure	peinture	récit	tableau art.
chanson	essai	hymne	pensées	roman	téléroman
comédie mus.	film	nouvelle	poésie	sculpture	théâtre

Méthode 1

Cette méthode est utilisée dans ce livre. C'est aussi la méthode préconisée pour les ouvrages scientifiques. Elle est bien plus simple que la méthode 2.

Seul le premier mot, quel qu'il soit, prend une capitale initiale.

J'ai lu *Le français au bureau.*
J'ai lu *Le roi se meurt.*
J'ai vu le film *À bout de souffle.*
J'ai lu *Les fausses confidences.*
J'ai lu *On ne badine pas avec l'amour.*
J'ai lu *Le loup et l'agneau.*

Deux éléments unis par *ou*

S'il s'agit d'un titre composé de deux éléments unis par **ou** et dont le second sert de sous-titre, seul le premier mot de chaque élément prend une capitale. Tout est en italique.

J'ai lu *Le feu sur la terre ou Le pays sans chemin.*

Mots qui gardent leur capitale

J'ai lu *Les coutumes des Français.*	*Français*	gentilé
J'ai lu *Ma vache Bossie.*	*Bossie*	nom propre
J'ai lu *L'histoire de l'Alliance atlantique.*	*Alliance*	organisme
J'ai lu *Le meurtre de la rue du Marché.*	*Marché*	spécifique de toponyme
J'ai lu *Fanfan la Tulipe.*	*Tulipe*	surnom
J'ai lu *La vie de* La Presse.	La Presse	titre de journal (p. 136)

Méthode 2

Le titre commence par l'article défini, mais il n'est pas une proposition

On met un bas-de-casse et l'italique à l'article défini, ainsi qu'une capitale au premier nom et à l'adjectif qui éventuellement le précède.

J'ai lu *le Français au bureau.*
J'ai lu *les Fausses Confidences.*

Le titre commence par l'article défini, mais il est une proposition

Seul l'article défini prend la capitale.

J'ai lu *Le roi se meurt.*
J'ai lu *Les fées ont soif.*

Le titre ne commence pas par l'article défini

On met une capitale au premier mot seulement.

J'ai vu *À bout de souffle.*
J'ai lu *On ne badine pas avec l'amour.*

Noms réunis par *et* ou par *ou*

Les deux noms qui sont réunis par ces mots commencent par une capitale.

J'ai lu *le Loup et l'Agneau,* ainsi que *le Feu sur la terre ou le Pays sans chemin.*

Ordre alphabétique des titres d'œuvres

On classe l'œuvre selon le premier mot important, en excluant les articles.

Après l'orage	on cherche à	*après*	préposition
Du contrat social	on cherche à	*contrat*	nom
La jeune captive	on cherche à	*jeune*	adjectif
Très riches heures	on cherche à	*très*	adverbe

Le roi prit les reines du pouvoir.

Définitions d'œuvres artistiques

Ballet
Danse exécutée par plusieurs personnes, qui comporte le plus souvent une part de pantomime, avec un accompagnement de musique et quelquefois de texte parlé.

Comédie musicale
Genre de spectacle où alternent des scènes dansées et chantées, des textes parlés et de la musique.

Conte
Récit, souvent assez court, de faits, d'aventures imaginaires.
Conte de fées : récit merveilleux dans lequel interviennent les fées.

Essai
Ouvrage en prose rassemblant des réflexions diverses ou traitant un sujet d'intérêt général sans prétendre l'épuiser ni arriver à des conclusions fermes ou définitives. Souvent la première production d'un auteur.

Gravure
Résultat du fait de tracer des traits, des caractères, des figures sur une surface dure pour les reproduire.

Histoire
Relation des faits, des évènements passés concernant la vie de l'humanité, d'une personne, d'une société, etc.

Hymne
Chant, poème lyrique à la gloire d'un personnage ou d'une grande idée.
Hymne national : chant patriotique associé aux cérémonies publiques.

Nouvelle
Récit plus court que le roman, de construction dramatique simple, mettant en scène peu de personnages.

Pensées
Réflexions écrites sur divers sujets, par exemple les *Pensées* de Pascal.

Poésie
Art de combiner les sonorités, les rythmes, les mots d'une langue pour évoquer des images, suggérer des sensations, des émotions.

Récit
Narration écrite ou orale de faits réels ou imaginaires.

Roman
Œuvre littéraire, récit en prose généralement assez long, dont l'intérêt est dans la narration d'aventures, l'étude de mœurs ou de caractères, l'analyse de sentiments ou de passions, la représentation, objective ou subjective, du réel.

Téléroman
Feuilleton télévisé.

Ancien boxeur poids-plume cherche emploi dans les écritures.

Titres d'œuvres en gras

Dans un texte courant, les titres d'œuvres s'écrivent en italique maigre, mais, quand ils sont dans une liste, en première position, ils peuvent être écrits en gras romain.

Le, La, Les (dans un titre d'œuvre)

Si le titre est complet, l'article défini en faisant partie se met en italique aussi et prend une capitale. Il se met en romain bas-de-casse s'il ne fait pas partie du titre.

J'ai lu *Les caractères* de La Bruyère. J'ai lu les *Pensées* de Pascal.

Dans des listes alphabétiques, ces titres apparaissent ainsi :

Caractères (Les) de La Bruyère... *Pensées* de Pascal...

Si le titre est **elliptique,** l'article reste en romain bas-de-casse.

Dans le *Malade,* Molière parle des médecins (*titre elliptique*).

Si l'article est contracté (*du, des, au, aux*), il reste en romain bas-de-casse.

La présentation du *Malade imaginaire* a eu lieu hier soir.

Accord du titre d'œuvre

Le titre est un nom propre : accord en genre.

Athalie a été jouée hier. *Émile* a été écrit par Jean-Jacques Rousseau.

Le titre est un nom commun précédé de l'article défini : accord en genre et en nombre.

Les misérables ont été joués hier.

Le titre est un nom commun non précédé de l'article défini : masculin singulier.

Romances sans parole a été lu en classe.

Le titre est une proposition : accord avec le sujet de cette proposition.

La guerre de Troie n'aura pas lieu a été jouée hier.

Le titre contient deux noms unis par *et* ou bien par *ou* : accord avec le premier nom.

La belle et la bête a été écrite par Jean Cocteau.
La répétition ou l'amour puni a été représentée récemment.

Exemples de titres d'œuvres

Le lac des cygnes	ballet	Peter Illitch Tchaïkovsky
Pour que tu m'aimes encore	chanson	Jean-Jacques Goldman
Notre-Dame de Paris	comédie musicale	Luc Plamondon
Ma vache Bossie	conte	Gabrielle Roy
Jack Kérouac	essai	Victor-Lévy Beaulieu
Les invasions barbares	film	Denys Arcand
Le moucheticaire	gravure	Pierre Ayotte
Le Québec : un pays, une culture	histoire	Françoise Tétu de Labsade
La Marseillaise	hymne	Rouget de Lisle
Fuites et poursuites	nouvelle	Chrystine Brouillet
Quatre femmes	peinture	Alfred Pellan
Le dictionnaire insolite	pensées	Jacques Languirand
Je vous entends rêver	poésie	Gilles Vigneault
Les voyageurs sacrés	récit	Marie-Claire Blais
Les fous de Bassan	roman	Anne Hébert
L'homme de fer	sculpture	Germain Bergeron
Le temps des lilas	téléroman	Marcel Dubé
Avec l'hiver qui s'en vient	théâtre (pièce)	Marie Laberge
Le Petit Robert	dictionnaire	Paul Robert

Cas particuliers de l'italique

Bibliographie

Voici l'ordre des entrées (10 et 11 sont facultatives) :

1.	Auteurs	point	RAMAT, Aurel, et Anne-Marie BENOIT.
2.	Titre	virgule	*Le Ramat de la typographie,*
3.	Auteurs secondaires	virgule	—
4.	Numéro de l'édition	virgule	10e éd., *ou* 10e édition,
5.	Collection	virgule	—
6.	Lieu de publication	virgule	Montréal,
7.	Nom de l'éditeur	virgule	Anne-Marie Benoit éditrice,
8.	Date	virgule	2012,
9.	Volume	virgule	— (*monographie*)
10.	Nombre de pages	virgule	256 p., *ou* 256 pages,
11.	Renseignements	point final	ISBN 978-2-9813513-0-2.

RAMAT, Aurel, et Anne-Marie BENOIT. *Le Ramat de la typographie,* 10e éd., Montréal, Anne-Marie Benoit éditrice, 2012, 256 p., ISBN 978-2-9813513-0-2.

- Auteurs :
  Un seul auteur — RAMAT, Aurel.
  Trois auteurs — DUBOIS, Luc, Ève DUPONT et Chantal DURAND.
  Plus de trois auteurs — DUBOIS, Luc, et autres (*de préférence à* et al.)
- La composition se fait en sommaire simple, c'est-à-dire que la première ligne est au fer à gauche (sans retrait) et les lignes suivantes sont en retrait ;
- S'il n'y a pas de nom d'auteur, on commence par le titre en italique ;
- S'il n'y a qu'un seul volume (monographie), on ne mentionne pas *1 vol.* ;
- S'il s'agit d'un article dans un périodique, on met le titre de l'article entre guillemets, le nom du périodique en italique, ainsi que la ou les pages au lieu du nombre.

  DUSSAULT, Stéphan. « Refaire sa cuisine : Étape par étape », *Protégez-Vous,* mai 2012, Montréal, éditions Protégez-vous, p. 32-36.

Créations commerciales

Les créations commerciales (surtout dans la parfumerie et la haute couture) s'écrivent en italique avec une capitale au nom spécifique ainsi qu'à l'adjectif qui le précède.

le parfum *Chanel no 5* — le parfum *Soir de Paris*
le chemisier *Petit Prince* — la robe *Premier Bal*

Devise, maxime et proverbe

En français ou dans une langue étrangère, on les écrit en italique et sans guillemets.

Devise de la sobriété : *Prenons garde aux grands crus qui provoquent les cuites.*
Elle avait pour maxime : *When you do something, do it right.*
Proverbe géométrique : *Quand on prend les virages en ligne droite, c'est que ça ne tourne pas rond dans le carré de l'hypoténuse.*

Indications aux lecteurs

Les parenthèses sont en romain. On met une capitale initiale et un point final.

(*Suite de la page précédente.*) (*Suite à la page 324.*)

Italique dans ce livre

Les exemples sont en italique quand ils sont à l'intérieur d'un texte.
Les exemples sont en romain quand ils sont sur des lignes séparées.

Le verbe s'accorde avec son sujet : *Les feuilles tombent en automne.*
la Belle Époque — les Temps modernes

Italique et guillemets en opposition

En principe, l'italique ou les guillemets sont utilisés pour faire ressortir un mot ou une expression. Pour les opposer, on utilise d'abord l'italique, puis les guillemets.

Dans ce contrat, les mots *la Compagnie* signifient « la Compagnie d'assurances ».

✤ Par souci de simplicité, on peut garder l'italique sans guillemets partout.

Dans ce contrat, les mots *la Compagnie* signifient *la Compagnie d'assurances.*

On n'ajoute pas de guillemets à des mots en italique, sauf s'il s'agit d'une citation de mots étrangers.

Il lui déclara : « *I love you* » en anglais. (Les guillemets restent en romain.)

Italique dans italique

Dans un texte en romain, les mots suivant les règles énoncées dans ce chapitre se mettent en italique.

Inversement, dans un texte en italique, les mêmes mots, pour les mêmes raisons, se mettent **en romain,** comme *La Presse* dans l'exemple ci-dessous. Exception : notes de musique.

J'ai lu *La vie de* La Presse.
J'ai lu L'écume des jours, *de Boris Vian.*
Quintette avec clarinette en la majeur

Langue étrangère

Un mot ou une expression dans une langue étrangère se met en italique.

« Comment allez-vous ? » se traduit par *How do you do?*

Dans certains dictionnaires, des mots français d'origine anglaise sont notés comme (*angl.*), par exemple *hockey* et *football*, laissant croire qu'il faut donc les écrire en italique. Or, ils s'écrivent en romain, car ils sont devenus français. On écrit en italique seulement ceux qui ont la mention **Anglicisme** ou **Anglic.**

Je joue au hockey.
J'aime aussi le football.
À New York, j'ai fait du *shopping.*
J'y ai aussi fait du *business.*

Qu'ils soient traduits en français ou non, les dénominations suivantes restent en romain :

Organismes	le Foreign Office, le Labour Party
Sociétés	la Toronto Public Library, la National Gallery
Écoles	la Wilson Junior High School
Manifestations	le Fourth of July Parade
Sports	le Queen's Plate, le Super Bowl
Fêtes	la Thanksgiving Day
Patronymes	Mme Greenwood, M. Smith

Lettres de l'alphabet

Les lettres de l'alphabet ou les lettres de référence s'écrivent en italique. Il est inutile d'y ajouter des guillemets. On peut aussi utiliser le gras romain ou le gras italique.

La lettre *m* est large.
La figure **b** est très détaillée.

Loi

Le nom d'une loi est généralement en romain, mais en italique dans l'administration fédérale canadienne. Évidemment, s'il s'agit du titre d'un livre, il s'écrit en italique (deuxième ligne).

la Loi de l'impôt sur le revenu
la *Loi de l'impôt sur le revenu* (Canada)
le livre *Loi de l'impôt sur le revenu*

Concernant la casse, le mot *loi* dans les textes juridiques prend un bas-de-casse s'il est suivi d'un nom propre, et une capitale s'il n'est pas suivi d'un nom propre.

la loi Murphy
la Loi sur les accidents du travail

Mise en valeur de mots

On met en valeur les mots de langue étrangère, les mots familiers ou populaires, les autonymes (lettres ou mots eux-mêmes). Dans ces cas, on doit utiliser l'italique ou les guillemets, mais l'italique est préférable.

Son *coloc* trouve que c'est *cool* !
Dans ce texte, le mot *suivant* est très important.
Dans ce texte, le mot « suivant » est très important.
Dans ce texte, le mot suivant est très important. (*non-sens*)
Il y a beaucoup de *a* dans *abracadabra.*

Notes de musique

Seule la note est en italique. Dans un titre d'œuvre, la note reste en italique.

un *si* bémol | *Concerto en fa majeur*

Ouragan ou cyclone

Ces deux noms sont synonymes. L'accord se fait au masculin (*fort*), le générique *ouragan* ou *cyclone* étant sous-entendu. L'italique est préférable dans les noms d'ouragans, afin d'éviter une confusion avec la personne (à droite).

C'est l'ouragan *Nargis.* *Katrina* a été très fort. *Diana* a fait des ravages.

Pages liminaires d'un livre

Les pages liminaires sont les pages qui précèdent le chapitre premier.

Introduction Texte rédigé en page impaire par l'auteur pour présenter son livre et donner des précisions. Elle se compose en romain ou en italique.

Préface Texte rédigé par une autorité en la matière et destiné à présenter le livre et son auteur. Elle se compose en romain ou en italique, et se place au début du livre. Synonyme : **Avant-propos.**

Produits, jeux et spécialités

Les produits et les jeux de société qui portent des noms propres se composent en romain et prennent une capitale initiale. Ils restent invariables.

deux Boeing	cinq Chevrolet	trois Airbus	plusieurs Ricard
trois Honda	trois Mirage	deux Monopoly	des Mario

Si le produit portant un nom propre est si connu qu'il est devenu un nom commun, il s'écrit avec un bas-de-casse. Il prend la marque du pluriel s'il s'agit d'un nom simple, mais il reste invariable s'il s'agit d'un nom composé.

Noms simples	**Noms composés**
des camemberts, des bourgognes	des pont-l'évêque, des pouilly-fuissé

Si cet ancien nom propre est précédé de son générique (*fromage, vin,* etc.), il reprend sa capitale et son invariabilité.

des fromages de Camembert | des vins de Bourgogne

Voici des noms communs ; ils prennent le bas-de-casse et le pluriel.

vodka, vodkas | martini, martinis | whisky, whiskys | sudoku, sudokus

Renvoi

Un renvoi est une invitation faite au lecteur pour le renvoyer à un autre mot ou à une autre page. L'invitation se met en romain et le mot ou titre est en italique. On peut utiliser ou non les parenthèses, qui seront en romain. Quand il s'agit d'un mot ou d'un groupe de mots qui doivent normalement s'écrire en italique, on les garde en italique. La ponctuation finale se met avant la parenthèse si le mot *Voir* a une capitale initiale.

(Voir le chapitre *Abréviations.*) | … (voir le chapitre *Capitales*).
Consulter *Le Ramat de la typographie.* | … (comparer avec le mot *ibidem*).

La Chine est le pays le plus peuplé, avec un milliard d'habitants au kilomètre carré.

Séminaires, cours, concours, etc.

Les titres de séminaires, cours, concours, programmes et expositions se composent en italique, avec une capitale initiale au premier mot seulement, quel qu'il soit.

Le séminaire *L'an 2000 sans bogue* était intéressant.
J'ai assisté au cours *Faire de l'argent avec celui des autres* la semaine dernière.
Le concours *L'orthographe facile* a été un succès.
L'orateur nous a parlé du programme *Risques limités* avec clarté et précision.
Nous avons visité l'exposition *Le mystérieux peuple des tourbières* hier soir.

Théâtre et jeux de scène

S'ils sont placés avant le début du dialogue, qui commence par un tiret, les tons et les mouvements se mettent en italique, sans parenthèses.

Juliette, *d'un air sévère.* — Je n'ai jamais dit ça.

S'ils sont placés après, ils se mettent en italique, avec parenthèses en romain et ponctuation finale avant la parenthèse fermante.

Jules. — Je vous verrai demain. (*Il sort par la porte côté jardin.*)

Les réactions sont en italique, avec parenthèses, en bas-de-casse, sans ponctuation. Elles comportent les mots *applaudissements, huées, murmures, rires, sifflets*.

Le ministre. — Je vous promets une réduction d'impôts (*applaudissements*).

Véhicules

Les noms propres de bateaux, d'avions, de trains et même de locomotives sont en italique avec une capitale au premier nom ainsi qu'à l'adjectif qui le précède. Dans un texte courant, on met des traits d'union dans les noms, sauf avec *Le, La, Les, De, Du, Des*.

le *Jean-Bart* — le *Prince-de-Galles*

Avec son générique : article en italique avec une capitale s'il fait partie du nom.

J'ai pris le train *Le Corridor.* — J'ai pris l'avion *Château-de-Versailles.*

Sans son générique : l'article est en romain avec un bas-de-casse.

J'ai pris le *Corridor.* — J'ai pris le *Château-de-Versailles.*

Quand le nom du véhicule est **masculin,** l'article qui le précède est masculin, même si le type de véhicule est féminin.

le *Prince-de-Galles*	*Prince*	(*est masculin, il s'agit d'un paquebot*)
le *Château-de-Versailles*	*Château*	(*est masculin, il s'agit d'un avion*)
le *Corridor*	*Corridor*	(*est masculin, il s'agit d'un train*)
le *Jean-Tangue*	*Jean*	(*est masculin, il s'agit d'une frégate*)

Quand le nom du véhicule est **féminin,** l'article qui le précède est masculin si le type de véhicule est masculin ; cet article est féminin si le type de véhicule est féminin.

le *France*	*France*	(*est féminin, il s'agit d'un paquebot*)
le *Maryse-Bastié*	*Maryse*	(*est féminin, il s'agit d'un avion*)
le *Chaleur*	*Chaleur*	(*est féminin, il s'agit d'un train*)
la *Chamade*	*Chamade*	(*est féminin, il s'agit d'une frégate*)
la *Trombe*	*Trombe*	(*est féminin, il s'agit d'une locomotive*)

On écrit avec italique : la capsule *Apollo,* la navette *Columbia.*

Villas

On applique les mêmes règles qu'aux titres d'œuvres : tout en italique et capitale au premier mot.

J'adore notre villa *La belle vie.* — Notre propriété *Belle vue* est agréable.

Le motif du vol était le meurtre.

Nombres

Écriture des nombres en lettres

L'orthographe traditionnelle est indiquée entre crochets. Choisissez.

Définitions

Numéral cardinal (quantité)

un, deux, trois, dix-sept, vingt-cinq, cent, mille, etc.

Numéral ordinal (rang)

premier, deuxième, troisième, dix-septième, centième, etc.

Il n'y a jamais de trait d'union entre un numéral et le nom qu'il accompagne.

vingt-deux jours	(*et non :* vingt-deux-jours)
vingt-deuxième jour	(*et non :* vingt-deuxième-jour)

Fraction

Le chiffre qui se trouve avant la barre oblique est le numérateur, celui après est le dénominateur. Il n'y a jamais de trait d'union entre eux. Le dénominateur s'accorde en nombre. On utilise le mot *de* après une fraction en lettres : *trois quarts de tarte.*

1/4	un quart	3/4	trois quarts
1/5	un cinquième	3/5	trois cinquièmes
6/10	six dixièmes	25/100	vingt-cinq centièmes

Trait d'union

En nouvelle orthographe (à gauche), tous les éléments sont reliés par un trait d'union. En orthographe traditionnelle, ils sont reliés par un trait d'union dans les dizaines, sauf quand il y a *et.*

Numéral cardinal (quantité)

cent-trente-deux	vingt-et-un	[cent trente-deux]	[vingt et un]
soixante-et-onze	quatre-vingt-un	[soixante et onze]	[quatre-vingt-un]

Numéral ordinal (rang)

deux-cent-cinquante-troisième	[deux cent cinquante-troisième]
soixante-dixième, vingt-et-unième	[soixante-dixième, vingt et unième]
Elle est arrivée six-centième (600e).	[Elle est arrivée six centième (600e).]
Ils sont arrivés six-centièmes (600es).	[Ils sont arrivés six centièmes (600es.]

Fraction

Il n'y a pas de trait d'union entre le numérateur (*vingt-et-un*) et le dénominateur (*centièmes*).

Ils sont arrivés avec vingt-et-un centièmes de seconde de retard (21/100).
[Ils sont arrivés avec vingt et un centièmes de seconde de retard (21/100).]

La nouvelle orthographe permet de différencier diverses fractions et un rang.

mille-cent-vingt septièmes	1120/7	[mille cent vingt septièmes]
mille-cent vingt-septièmes	1100/27	[mille cent vingt-septièmes]
mille cent-vingt-septièmes	1000/127	[mille cent vingt-septièmes]
mille-cent-vingt-septièmes	1127^{es}	[mille cent vingt-septièmes]

Chiffres et lettres mélangés

Il faut éviter de mélanger les chiffres et les lettres, sauf avec **million** et **milliard** quand ils sont employés **seuls.** On le fait pour éviter les nombreux zéros et ainsi faciliter la lecture. Dans ce cas, il n'y a pas de trait d'union dans les deux orthographes.

120,3 millions de dollars	la somme de 28 milliards de dollars
Mais pas : 120 millions 300 mille	*ni :* 27-milliards-six-cent-millions

Noms sans traits d'union

Les noms suivants ne sont pas des numéraux. En nouvelle orthographe tout comme en orthographe traditionnelle [entre crochets], ils ne prennent pas de trait d'union avant ni après eux (sauf *demi* quand il est suivi d'un nom, comme dans *une demi-heure*).

neuvaine	quinzaine	quarantaine	centaine	demi
dizaine	vingtaine	cinquantaine	millier	tiers
douzaine	trentaine	soixantaine	moitié	quart

vingt-et-une douzaines d'œufs		[vingt et une douzaines d'œufs]
vingt-et-un tiers	21/3	[vingt et un tiers]
vingt et un tiers	20 1/3	[vingt et un tiers]
trente-et-un et quart	31 1/4	[trente et un et quart]
vingt-et-un trois quarts	21 3/4	[vingt et un trois quarts]

Les noms *million* et *milliard*

Ces noms prennent la marque du pluriel. En nouvelle orthographe, ils sont reliés aux autres mots par des traits d'union (à gauche). En orthographe traditionnelle, ils ne sont pas reliés aux autres mots par des traits d'union (à droite).

un-million-six-cent-mille	[un million six cent mille]
six-millions-cent-dix-sept-mille	[six millions cent dix-sept mille]
un-milliard-trois-cent-millions	[un milliard trois cents millions]
dix-milliards-six-cent-millions	[dix milliards six cents millions]

Accord de *cent*

Multiplié et suivi d'un nom	→	six-cents euros	[six cents euros]
Pas multiplié	→	mille-cent euros	[mille cent euros
Suivi d'un numéral	→	deux-cent-trois	[deux cent trois]
Suivi de **mille** (numéral invariable)	→	deux-cent-mille	[deux cent mille]
Suivi de **millions** ou **milliards**	→	deux-cent-millions	[deux cents millions]
Désignant une quantité	→	deux-cents pages	[deux cents pages]
Désignant un rang	→	la page deux-cent	[la page deux cent]

Accord de *quatre-vingt*

Suivi d'un nom	→	quatre-vingts ans	[quatre-vingts ans]
Suivi d'un numéral	→	quatre-vingt-deux	[quatre-vingt-deux]
Suivi de **mille** (numéral invariable)	→	quatre-vingt-mille	[quatre-vingt mille]
Suivi de **millions** ou **milliards**	→	quatre-vingt-millions	[quatre-vingts millions]
Désignant une quantité	→	quatre-vingts pages	[quatre-vingts pages]
Désignant un rang	→	la page quatre-vingt	[la page quatre-vingt]

Le mot *un*

Élision

Quand le mot **un** ou **une** est numéral cardinal, on ne fait généralement pas l'élision : on écrit *de un, que un.* Quand il est article indéfini, on fait l'élision : *d'un, qu'un.*

une pièce de un dollar (*numéral*)	le chant d'un oiseau (*article indéfini*)
Ce crayon ne vaut que un dollar.	Il faut qu'une solution soit trouvée.

Trait d'union

Quand le mot **un** fait partie d'un numéral, il prend un trait d'union en nouvelle orthographe, mais il ne prend pas de trait d'union en orthographe traditionnelle, sauf dans *quatre-vingt-un.* Il n'en prend jamais quand il est un article indéfini.

avoir un-million [un million] de dollars à la banque (*numéral, somme exacte*)
avoir un million [un million] de choses à faire (*article indéfini, approximation*)

La loi de la pesanteur montre que c'est toujours le plus gros qui gagne toujours.

Emplois des nombres

Historique

Avant Jésus-Christ, les Arabes utilisaient des cailloux pour calculer. (Le mot *calcul* vient du latin *calculus,* qui signifie *caillou.*) Leur système ne comprenait pas de zéro. Pour compter ses moutons, le berger posait par terre un caillou pour chaque mouton qui passait. Le soir, il comparait les cailloux avec les moutons. Au cinquième siècle après Jésus-Christ, on emploie aux Indes les dix chiffres de 0 à 9. Le mot *zéro* vient de l'arabe *sifr,* changé en *zero* en 1491 dans un traité de Florence. C'est à partir de 1440, grâce aux imprimeurs, que la forme des dix chiffres a été définitivement fixée.

Travaux juridiques

Dans les travaux juridiques, on écrit le nombre en lettres et on le répète en chiffres entre parenthèses. Si l'un des deux nombres devenait illisible par accident, l'autre donnerait alors la précision souhaitée.

> Cette proposition expirera après un délai de quatre-vingt-dix (90) jours.

Travaux littéraires

Les nombres s'écrivent en lettres dans les travaux littéraires. Les nombres y sont peu nombreux et donnent rarement lieu à des comparaisons.

> Mon âme aux mille voix, que le dieu que j'adore
> Mit au centre de tout, comme un écho sonore. — Victor Hugo

Travaux scientifiques

Les nombres s'écrivent en chiffres dans les travaux scientifiques. Ces ouvrages comportent de nombreux chiffres, de sorte qu'écrire ces derniers en lettres prendrait trop de place. Il faut dire que la lecture d'un nombre écrit en chiffres est toujours plus facile.

> Le nombre π (3,141 592 653 5...) se retient en comptant les lettres des mots de ce poème, ces totaux représentant chacun des chiffres de π :
>
> Que j'aime à faire apprendre un nombre utile aux sages...
> 3 1 4 1 5...

Travaux ordinaires

Dans les travaux ordinaires, quand les nombres n'entrent pas dans l'une des catégories mentionnées dans la section *Chiffres arabes* (pages 143 à 145), ils s'écrivent :

En lettres

pour les nombres de **un** à **neuf** inclus.

> Charles IV le Bel a régné pendant six ans.

En chiffres

pour les nombres à partir de **10** s'ils sont entiers.

> Louis XIV a régné pendant 72 ans.
> Son règne a duré soixante-douze ans et demi environ.

En chiffres

si les deux cas se trouvent dans la même phrase.

> George Sand passa sa jeunesse à Nohant entre 4 et 14 ans.

✤ Ces règles dans les travaux ordinaires ne sont pas obligatoires. Cela pourra dépendre de la place disponible, ainsi que de la sorte de travail. Si ce travail est plutôt littéraire, les lettres seront préférées. L'important sera de rester cohérent.

Archimède a été le premier à prouver qu'une baignoire peut flotter.

Chiffres arabes

Nombre signifiant une quantité

Les nombres signifiant une quantité (et non pas un rang) sont séparés en groupes de trois chiffres détachés par une espace fine (typographie de qualité) ou une espace insécable, même dans la partie des décimales. Si le nombre n'a que quatre chiffres (sans décimales), on peut l'écrire avec ou sans espace. Toutefois, dans un tableau, on met l'espace pour que le nombre à quatre chiffres s'aligne avec ceux à cinq chiffres et plus. Quand il y a des décimales, on aligne sur la virgule (voir page 126). On met une espace insécable entre le nombre et le symbole. Le pluriel d'un nombre commence à partir de 2 seulement (dernier exemple).

23 234,78 $ 2 678 kg *ou* 2678 kg   52,791 22 g   1,99 mètre - 2 mètres

Nombre signifiant un rang

Les numéros d'adresses, d'années, d'articles, de circulaires, de loteries, de pages et de projets de lois s'écrivent en chiffres. On ne met **pas d'espace** entre les tranches de trois chiffres, car il ne s'agit pas d'une quantité mais d'un rang.

12345, rue Dupont   l'année 2009   l'article 3243   la circulaire 18976
le billet 879809   la page 14565   le projet de loi 1056

Début d'une phrase

Un nombre au début d'une phrase s'écrit en lettres. On évitera cette tournure de phrase si le nombre est très grand.

Il y avait 25 personnes. Dix-huit d'entre elles appartenaient à la Société.
Il y avait 25 personnes, dont 18 appartenaient à la Société.

Âges

Les nombres dans les âges s'écrivent en lettres de un à neuf inclus, et en chiffres à partir de 10. Si le nombre n'est pas entier, on l'écrit en lettres.

Ce bébé a deux mois.   Victor Hugo est mort à 83 ans.
Geneviève a deux ans et onze mois.   François a dix-sept ans et demi.

Cartes à jouer

Les nombres des cartes à jouer s'écrivent en lettres.

le neuf de carreau   le dix de pique

Classes d'école

On écrit en lettres avec bas-de-casse initial les classes d'école, de train ou d'avion.

les 2e et 3e secondaire   la classe de quatrième
en deuxième année, en 2e année   voyager en première

Densité

Un nombre dans une densité s'écrit en chiffres. Il est décimal, donc avec une virgule.

Le plomb a une densité de 11,35. Il fond à 327,5 °C. Il bout à 1740 °C.

Statistiques

Les nombres dans les statistiques s'écrivent tous en chiffres.

Sont-ils pour ou contre les vacances ? 456 sont pour, et 4 sont contre.

Proverbes

Les nombres dans les proverbes s'écrivent en lettres.

Une image vaut mille mots.

Degré

Le signe de degré (un petit cercle ° supérieur) s'emploie dans les domaines suivants : longitude et latitude, angles plans, degrés d'alcool et températures. Il ne peut être utilisé que lorsqu'il est précédé d'un nombre de quantité écrit en chiffres (premier exemple), et non s'il est précédé d'un numéro d'ordre (*30e*, à droite). On ne l'emploie pas s'il n'y a pas de nombres écrits en chiffres.

Il a fait 4° à l'ombre aujourd'hui.
Il fait plus chaud de trois degrés.

Il est au 30e degré de latitude N.
Il faut indiquer votre degré de parenté.

Longitude, latitude, angles plans

Le signe ° est collé au nombre qui le précède. On met une espace insécable entre les éléments. Ces valeurs sont données en degrés, minutes d'angle et secondes d'angle. On ne met pas de zéro devant les chiffres inférieurs à 10. Il y a 360 degrés dans une circonférence, 60 minutes dans un degré et 60 secondes dans une minute. La longitude est précisée par E. ou O., la latitude par N. ou S.

Ce point est situé par 41° 8′ 25″ de latitude N. exactement.
Ce triangle a un angle de 43° 9′ 25″ exactement.
Un angle droit est un angle de 90° exactement.

Degré d'alcool

Le signe ° est collé au nombre qui le précède (décimales comprises) et il est suivi d'une espace sécable. Ces valeurs sont décimales, donc avec la virgule.

un vin de 10° très fruité

un vin de 10,4° excellent

Degré de température

Si la précision C ou F (Celsius ou Fahrenheit) n'est pas donnée, le signe ° est collé au nombre qui le précède (décimales comprises) et il est suivi d'une espace sécable ; si le signe est précisé par C ou F, il est détaché du nombre par une espace insécable et collé à la lettre C ou F. Ces valeurs sont décimales, donc avec une virgule. Quand le chiffre est sous zéro (chiffre négatif), on utilise le trait d'union collé.

Il a fait 26,7° aujourd'hui.
Il a fait -6,4° aujourd'hui.

Il a fait 26,7 °C aujourd'hui.
Il a fait -15,6 °C aujourd'hui.

Horaires

Les horaires de trains, d'avions ou d'autocars sont donnés en heures et en minutes. La journée commence à minuit. Dans un même jour, le premier train peut partir à 00:00 et le dernier à 23:59. On utilise toujours quatre chiffres.

00:00	*ou*	0000	minuit
01:01	*ou*	0101	une heure une minute du matin
12:15	*ou*	1215	midi et quart
15:00	*ou*	1500	quinze heures (trois heures de l'après-midi)
23:59	*ou*	2359	une minute avant le jour suivant

Poésies

Dans les poésies, les nombres s'écrivent tous en lettres.

Trois mille six cents fois par heure, la Seconde chuchote : Souviens-toi !
— Charles Baudelaire

Votes

Les nombres indiquant le résultat d'un vote s'écrivent tous en chiffres.

Le résultat du vote fut le suivant : 16 voix pour, et 5 voix contre.

Vitamines

Les chiffres dans les noms des vitamines s'écrivent sans exposant et sans indice.

Ce supplément contient des vitamines B6 et B12.

Pourcentages et fractions

Dans les pourcentages, les nombres accompagnés du signe **%** s'écrivent en chiffres. Le signe % est détaché du nombre par une espace insécable, alors que les fractions (¼, ½, ¾, etc., en petits caractères) sont précédées si possible d'une espace fine, ou sinon elles sont collées au nombre qui les précède.

50 % 12 ½ % 6,125 % 3,5 p. 100 dix pour cent

On emploiera la forme % dans les textes scientifiques, les tableaux et les textes ordinaires. La forme *p. 100* sera utilisée sur demande de l'auteur seulement. La forme *pour cent* sera utilisée dans les textes littéraires. Si le nombre n'est pas entier, il est préférable d'utiliser la forme avec la virgule plutôt que les fractions (6,25 % plutôt que 6 ¼ %). Les mêmes règles s'appliquent à *‰* (pour mille).

Répétition de symboles

Les symboles peuvent être répétés (à gauche) ou non dans les exemples suivants :

un intérêt annuel de 4 % à 6 %	un intérêt annuel de 4 à 6 %
un gain de 100 $ à 150 $	un gain de 100 à 150 $
une température entre 6 °C et 12 °C	une température entre 6 et 12 °C

✤ Il faut dire **un quart pour cent** (0,25 %) plutôt que « un quart de un pour cent ».

Nombres négatifs

Certains organismes, comme l'ISO et l'AFNOR, préconisent de faire précéder le nombre négatif par un tiret court (demi-cadratin), lui-même suivi d'une espace insécable.

une température de – 18 °C *ou :* une température de – 18°

Je préconise d'utiliser un trait d'union collé au nombre, forme d'écriture des nombres négatifs qui est universellement utilisée dans les travaux ordinaires.

une température de -18 °C *ou :* une température de -18°

De plus, si on fait dans Word une **soustraction** avec le tiret (encadré ou non d'espaces), l'opération donne un résultat inexact : un total plutôt qu'une différence.

Avec trait d'union	**Avec tiret court**
30-5 = 25 (*exact*)	30–5 = 35 (*inexact*)
30 - 5 = 25 (*exact*)	30 – 5 = 35 (*inexact*)

Nombres en lettres dans les années

Noter la casse et les nombres en lettres dans les locutions suivantes :

souhaiter la bonne année	Bonne Année !
être dans sa quinzième année	mes meilleurs vœux de bonne année
les Années folles (1920-1930)	d'année en année
l'Année sainte	l'année olympique
les années trente (ou 30)	une année-lumière, des années-lumière
les années quatre-vingt (ou 80)	s'en ficher comme de l'an quarante

L'écriture avec l'**apostrophe** ('80) est un anglicisme et n'est pas permise en français.

Le mot **circa** est un mot latin qui a été adopté en langue anglaise et qui s'abrège « ca. », avec le point abréviatif selon la méthode anglaise. Ce mot est un **anglicisme** et il ne figure pas dans les dictionnaires français. À sa place, on utilise le mot **vers.**

vers 1920 (*et non :* circa 1920)

Chiffres romains

Les chiffres romains sont utilisés pour définir un **rang** et non une quantité.
Les lettres supérieures ^{e}, ^{es}, ^{er}, ^{re} restent toujours en bas-de-casse.

Alignement

Dans un tableau, les chiffres arabes s'alignent sur la droite et les chiffres romains sur la gauche ou la droite. Dans une table des matières, ils s'alignent sur la droite.

Exemple de tableau

1	I	9	IX	80	LXXX
2	II	10	X	90	XC
3	III	20	XX	100	C
4	IV	30	XXX	200	CC
5	V	40	XL	300	CCC
6	VI	50	L	400	CD
7	VII	60	LX	500	D
8	VIII	70	LXX	1000	M

Table des matières

I.	Abc de typographie
II.	Abréviations
III.	Capitales
IV.	Coupures
V.	Italique
VI.	Nombres
VII.	Orthographe
VIII.	Ponctuation

I peut se soustraire de *V* et *X*	→	IV	=	4	IX	=	9
X peut se soustraire de *L* et *C*	→	XL	=	40	XC	=	90
C peut se soustraire de *D* et *M*	→	CD	=	400	CM	=	900

Acte de théâtre

acte III, scène II — *ou :* acte III, scène ɪɪ (*petites capitales*)

Chapitre, tome, volume

le chapitre IV — le tome III — le volume II

Concile

le concile Vatican II — le concile de Latran IV

Manifestation commerciale

les XXXes Jeux olympiques — le XVe Salon de l'automobile

Millénaire

le IIIe millénaire — le Ier millénaire

Monument

Pour indiquer la date sur un monument : MCMLXXXVII (*1987*)

Régime politique

la IVe République — le IIIe Reich

Siècle

le XXe siècle — LE XXe SIÈCLE

On peut aussi écrire : le vingtième siècle, le 20e siècle.

Souverain

Louis XIV — Jean XXIII

Le carré est un rectangle un peu plus court d'un côté.

Orthographe

Nomenclature simplifiée

NOM : mot variable qui désigne soit un être, soit une chose.

Genre	nom masculin (*un sac*), féminin (*une vie*), épicène (*un, une élève*).
Nombre	nom singulier (*un chat, une table*), pluriel (*des chats, des tables*).
Forme	nom simple (*timbre, ciel*), composé (*timbre-poste, arc-en-ciel*).
Sens	sens propre (*une fleur des champs*), figuré (*la fleur de l'âge*).
Acception	nom concret (*enfant, maison*), abstrait (*confiance, fermeté*).
Statut	nom commun (*chien, fauteuil*), propre (*Dupont, Montréal*).
Pluralité	nom individuel (*rédacteur, banc*), collectif (*un groupe, une foule*).

DÉTERMINANT : mot variable qui précise un nom et le précède.

Démonstratif	*ce, cet, cette, ces.*
Possessif	*mon, ton, son, ma, ta, sa, mes, tes, ses, notre, votre* (sans accents)...
Interrogatif	*quel, quelle, quels, quelles.*
Indéfini	*certains, certaines, aucun, aucune, plusieurs, divers, tout, toute...*
Numéral	cardinal (*un, deux, trois, dix, cent, mille*)...
Article	défini (*le, la, les*), indéfini (*un, une, des*), partitif (*du, de la, des*).

PRONOM : mot variable qui remplace un nom déjà exprimé ou sous-entendu.

Démonstratif	*ce, ceci, cela, celle, celle-ci, celle-là, celui, celui-ci, celui-là...*
Possessif	*le mien, le tien, le sien, la mienne, la nôtre, les vôtres* (avec accents)...
Interrogatif	*qui, que, quoi, lequel, laquelle, duquel, auquel...*
Indéfini	*aucun, certains, plus d'un, personne, plusieurs, l'un, quelqu'un...*
Personnel	*je, tu, il, elle, on, nous, vous, ils, elles, me, te, se, moi, toi, soi...*
Relatif	*qui, que, quoi, dont, où, lequel, laquelle, lesquels, desquelles...*

ADJECTIF : mot variable qui qualifie le nom ou le pronom.

Qualificatif	qui qualifie un nom (*petit, grand, chanceux, habile*).
Verbal	venant d'un verbe (*souriant, souriante*).
Ordinal	indique un rang (*premier, deuxième, centième, millième*)...
De couleur	simple (*bleu, rouge*), formé d'un nom (*cerise, noisette*).

VERBE : mot variable qui exprime l'action ou l'état du sujet.

Voix	active (*je lis*), passive (*le livre est lu*), pronominale (*il se lit bien*).
Transitivité	transitif direct, transitif indirect, intransitif.
Personnes	1re (*je, nous*), 2e (*tu, vous*), 3e (*il, elle, ils, elles, on*).
Modes	infinitif, indicatif, subjonctif, impératif, participe (voir page 156)
Temps	

présent (indic.)	*j'aime*	passé composé	*j'ai aimé*
imparfait (indic.)	*j'aimais*	plus-que-parfait	*j'avais aimé*
passé simple (indic.)	*j'aimai*	passé antérieur	*j'eus aimé*
futur simple (indic.)	*j'aimerai*	futur antérieur	*j'aurai aimé*
cond. présent (indic.)	*j'aimerais*	cond. passé	*j'aurais aimé*
présent (subj.)	*que j'aime*	passé (subj.)	*que j'aie aimé*

ADVERBE : mot invariable qui modifie un verbe, un adjectif ou un autre adverbe.
Elle marche *vite.* Ils sont *peu* efficaces. Elle parle *très* bien.

CONJONCTION : mot invariable qui joint des mots ou des propositions.
Coordination (*mais, ou, et, or, ni, car*), subordination (*si, que, quand, puisque...*).

INTERJECTION : mot (ou groupe de mots) invariable qui signale une émotion.
Douleur ou joie (*Ah !* que je suis content !), regret (*Hélas !* il pleut.)...

PRÉPOSITION : mot invariable qui sert à introduire un complément.
à, de, en, sur, avec, par, pour... (Je vais *à* Québec. J'aime les chansons *de* Céline.)

Le plombier a pris la fuite après avoir fumé un joint.

Fonctions du nom

Sujet

Il répond à la question **qui est-ce qui?** ou **qu'est-ce qui?** posée avant le verbe.

Caroline joue au tennis. La *pluie* tombe.

Complément d'objet direct (c.o.d.)

Il répond à la question **qui?** ou **quoi?** posée après le sujet et le verbe. On dit alors que le verbe est *transitif direct.*

Paul appelle le *directeur.* La jeune fille lit le *journal.*

Complément d'objet indirect (c.o.i.)

Il répond aux questions **à qui? à quoi? de qui? de quoi?** posées après le sujet et le verbe. Le verbe est alors *transitif indirect,* car il est construit avec une préposition. Un verbe qui n'a ni c.o.d. ni c.o.i. est dit *intransitif.*

Les soldats obéissent *au* capitaine. La dame renonce *à* la poursuite.
Il se souvient *de* ses parents. Je marche. (*verbe intransitif*)

Apposition

Un nom est en apposition quand il est à côté d'un autre nom pour le préciser.

Madame Ève Roy, présidente, a pris la parole. (*présidente* : apposition détachée)
Le professeur nous a montré des lettres types. (*types* : apposition attachée)

Propositions

Subordonnée circonstancielle

Elle indique les circonstances de temps, de lieu, de manière, etc. Elle est suivie d'une virgule si elle est au début.

Quand le chat est parti, les souris dansent.

Subordonnées relatives explicative et déterminative

La relative est introduite par un pronom relatif : *qui, que, quoi, dont, où...* Entre deux virgules, elle «explique», ci-dessous, que tous les joueurs étaient présents et qu'ils ont tous été félicités. Sans virgules, elle «détermine» (restreint) le nombre de joueurs qui ont été félicités (seuls ceux qui étaient présents).

Les joueurs, *qui étaient présents,* ont été félicités. (*explicative*)
Les joueurs *qui étaient présents* ont été félicités. (*déterminative*)

Subordonnées participiale et infinitive

Le verbe de la participiale est un participe (présent ou passé) ; le verbe de l'infinitive est un infinitif (présent ou passé). Elles sont suivies d'une virgule si elles sont au début.

Espérant une réponse, je vous adresse mes sincères salutations.
Le beau temps revenu, nous avons repris notre marche.
Après s'être aperçues de son stratagème, elles ont décidé de lui rendre visite.

Incise et incidente

L'incise (verbe indiquant qu'on rapporte des paroles) et l'incidente (intervention personnelle) sont entre deux virgules.

«Cette salade, *dit-elle,* est délicieuse.» (*incise*)
«Ce cheval, *il me semble,* est nerveux.» (*incidente*)

Accords

Accord du verbe avec le sujet

Le verbe s'accorde en personne et en nombre avec son sujet (en italique).

La *fille* et le *gars* s'avancent. *Luc* sort les tiroirs et les fouille.
Ils nous donneront les résultats quand *nous* les demanderons.
Toute la nombreuse *famille* était réunie.

Accord du verbe avec une proposition

Quand le sujet est une proposition, le verbe se met au singulier.

Pratiquer différents sports te formera le corps et l'esprit.
Que les gens te trouvent drôle ne me surprend pas.

Accord du verbe avec des pronoms personnels différents

La première personne l'emporte sur la deuxième, et la deuxième sur la troisième.

Toi et *moi* les verrons. *Vous* et *moi* les verrons. *Vous* et *lui* les verrez.
Elle et *moi* les verrons. *Lui, toi* et *moi* les verrons. *Toi* et *lui* les verrez.

Accord du verbe avec le pronom relatif *qui*

Le verbe se met à la même personne et au même nombre que l'antécédent.

Est-ce *toi qui* as frappé ? C'est *moi qui* ai dit cela. *Celle* de mes amis *qui* dort.

Accord du verbe avec un adverbe de quantité + *de* + nom

Le verbe est au pluriel seulement si le **nom** qui suit est au pluriel et peut se compter.

assez de, bien des, moins de, plus de, tant de,
beaucoup de, combien de, peu de, que de, trop de...

Beaucoup de *gens* en avaient ri. Beaucoup de *moutarde* lui montait au nez.

En l'absence d'un nom, l'accord se fait à la troisième personne du pluriel.

Beaucoup d'entre nous y participeront. *Combien* viendront ?

Accord du participe passé avec deux noms de genre différent

Avec deux noms de genre différent, l'accord se fait au masculin pluriel (genre non marqué).

La fille et le garçon que j'ai *vus* dormaient. La table et le banc ont été *brisés*.

Accord de l'adjectif qualificatif

Cet adjectif s'accorde en genre et en nombre avec le nom ou pronom auquel il se rapporte.

Ces pommes sont *belles* ; je les trouve *appétissantes*.

Accord de l'adjectif avec deux noms de même genre

L'adjectif qui se rapporte à deux noms singuliers s'accorde en genre et se mettent au pluriel.

Le chemin et le pont sont très *beaux*. La route et la rivière sont très *belles*.

Accord de l'adjectif avec deux noms de genre différent

L'adjectif se met au masculin pluriel (genre non marqué).

Il portait une cravate et un veston *noirs*. (*Les deux étaient noirs.*)

Accord de l'adjectif avec un seul des noms

Si l'adjectif se rapporte à un seul des noms, l'accord se fait selon ce que l'on précise.

Il portait une cravate et un veston *noir*. (*Seul le veston était noir.*)

Un kilo de mercure pèse pratiquement une tonne.

Accord de deux adjectifs pour un seul nom

L'accord des adjectifs se fait selon le sens.

Les gouvernements *fédéral* et *provinciaux* sont représentés à cette réunion pancanadienne.
(*Au Canada, il y a un seul gouvernement fédéral et il y a plusieurs gouvernements provinciaux.*)

Accord de l'adjectif avec deux noms unis par *de*

L'accord de l'adjectif se fait selon le sens.

une forêt de sapins immense (*C'est la forêt qui est immense.*)
une forêt de sapins immenses (*Ce sont les sapins qui sont immenses.*)
un panier de cerises solide (*C'est le panier qui est solide.*)
un panier de cerises rouges (*Ce sont les cerises qui sont rouges.*)

Accord de l'adjectif employé comme adverbe

Cet adjectif placé après un verbe et employé comme un adverbe reste invariable, .

Léa parle *fort* (fortement). Ces élèves comptent *juste* (justement).

Accord de l'adjectif de couleur simple

Cet adjectif s'accorde en genre et en nombre avec le nom auquel il se rapporte.

des robes *bleues* des stylos à bille *violets*

Accord de l'adjectif de couleur formé d'un nom

Cet adjectif reste invariable, même au pluriel.

des robes *citron* des blouses *orange*

Accord de l'adjectif de couleur suivi d'un nom

L'adjectif de couleur et le nom qui le suit sont invariables, sans trait d'union.

des robes *rouge cerise* des vestons *bleu marine*

Accord de l'adjectif de couleur suivi d'un adjectif

L'adjectif de couleur et l'adjectif qui le suit sont invariables, sans trait d'union.

des robes *bleu clair* des cheveux *brun foncé*

Accord de l'adjectif composé de deux couleurs mélangées

Les deux adjectifs de couleur sont invariables, avec trait d'union : les couleurs sont mélangées pour former une nouvelle couleur.

une encre *bleu-noir* (*La couleur est entre le bleu et le noir.*)

Accord des adjectifs de deux couleurs unis par *et*

Les deux adjectifs de couleur sont unis par **et,** sans trait d'union. Ils sont soit invariables, soit variables.

des robes *noir et blanc* des robes *noires et blanches*
(*Chaque robe a à la fois du noir et du blanc.*)

Accord des adjectifs de deux couleurs pour une couleur unie

Les deux adjectifs de couleur sont unis par **et,** sans trait d'union. Ils s'accordent. Les noms sont de couleur unie.

des robes *noires* et *blanches* (*comme :* des robes *noires* et des robes *blanches*)
(*Chaque robe est de couleur unie.*)

Accord du participe passé

Règles générales

1. Si participe passé (p.p.) dans la liste des pages 154 et 155 ...... **invariable**

Les reines se sont *succédé.*
Les filles se sont *plu* à raconter des anecdotes.
Les garçons se sont *ri* des menaces qui leur étaient adressées.

2. Sans auxiliaire .... **accord comme un adjectif**

Il reçut enfin la lettre *attendue.*
Celle-ci, *écrite* à la main, lui plut.
Les feuilles *tombées* ont été ramassées.

3. Avec c.o.d. placé avant .... **accord avec le c.o.d.**

La voiture que j'ai *achetée* est bleue.
C'est la règle que lui a *fixée* son père.
Ils se sont *blessés* à la tête.
La table qu'il s'est *fabriquée* est bancale.
Je les en ai *informés*.

4. Avec c.o.d. placé après .... **invariable**

J'ai *écrit* une lettre.
Elle a *acheté* un livre.
Elle s'est *acheté* une robe.
Ils se sont *pardonné* leurs fautes.

5. Avec *avoir* sans c.o.d. .... **invariable**

Elles ont beaucoup *attendu*.
Ils ont *chanté* hier soir.
Elles ont *lu* pendant une heure.
Il vous en a *parlé.*
Cette maison nous a *appartenu*.
Elle a *rêvé* toute la nuit.
Les rivières ont *débordé*.

6. Avec *être* sans c.o.d. .... **accord avec le sujet**

Les joueuses sont *arrivées*.
Toutes les personnes ont été *ravies.*
On est *entré* chez moi par effraction.
La bague et le bracelet ont été *vendus*.
Elle est *allée* à Québec et elle en est *enchantée.*
Ils se sont *souvenus* de leur enfance.
Elle s'est *aperçue* de l'erreur.
Elle s'est *attendue* à cette question.
Elle s'est *trompée* d'escalier.

Sauf si le pronom réfléchi (*nous, vous, se...*) **est c.o.i.** .... **invariable**

Nous nous sommes *parlé* (nous avons parlé l'une *à* l'autre).
Vous vous êtes *téléphoné* (vous avez téléphoné l'une *à* l'autre).
Elles se sont *écrit* (elles ont écrit l'une *à* l'autre).

Caissier cherche place. Libéré dans deux jours.

Cas particuliers du participe passé

7. Verbe impersonnel (se conjugue seulement avec **il** neutre) .... **invariable**

La décision qu'il a *fallu* prendre a été pénible.
Les jours qu'il a *neigé,* c'était beau.
La rumeur qu'il y a *eu* était exagérée.
Les orages qu'il a *fait* ont tout gâché.

8. *L'* neutre (remplace une proposition) .... **invariable**

La photo est plus belle que je l'avais *craint.*
La fleur est plus belle que je l'avais *cru.*
Rendons justice à celui qui l'a *mérité.*
Elle est fâchée, comme je l'avais *prévu.*

9. Si p.p. suivi d'un infinitif, le c.o.d. fait l'action ...... **accord avec le c.o.d.**

Les feuilles que j'ai *vues* tomber.
La dame que j'ai *vue* sourire était jolie.
Ces barbares, je les ai *vus* piller.
La chanteuse que j'ai *entendue* chanter avait une belle voix.

10. Si p.p. suivi d'un infinitif, le c.o.d. ne fait pas l'action .... **invariable**

Les feuilles que j'ai *vu* ramasser.
La rue que j'ai *vu* réparer est ouverte.
Ces victimes, je les ai *vu* piller.
La chanteuse que j'ai *entendu* applaudir le méritait bien.

11. Si p.p. suivi d'un infinitif sous-entendu .... **invariable**

J'ai fait les choses que j'ai *voulu* (sous-entendu : *faire.*)
J'ai rendu les services que j'ai *pu.*
Il a rempli les engagements qu'il a *dû.*

12. *Fait* et *laissé* suivis d'un infinitif .... **invariables**

Elle s'est *fait* entendre. Ils se sont *fait* aimer.
Elles se sont *laissé* convaincre.
Les enfants que nous avons *laissé* jouer.

13. *En* est c.o.d. .... **invariable**

De la confiture, j'en ai *pris* (j'ai pris quoi ? — *en,* mis pour *confiture*).
Des tomates, on en a *mis* beaucoup. Des poires, j'en ai *mangé.*
Des pays, ils en ont *visité.*

14. Le p.p. des verbes *coucher, courir, couter* [*coûter*], *mesurer, peser, souffrir, valoir, vivre*

au sens intransitif .... **invariable**

La nuit que nous avons *couché* chez vous a été agréable.
Il a neigé pendant l'heure qu'il a *couru.*
Je ne regrette pas les dix dollars qu'a *couté* [*coûté*] ce livre.

au sens transitif direct .... **variable**

Les enfants que nous avons *couchés* étaient fatigués.
Les dangers qu'il a *courus* sont chose du passé.
Je me souviens des efforts qu'a *coutés* [*coûtés*] ce travail.

Participes passés invariables

Les verbes...

transitifs indirects	employés avec une préposition	*jouir de*
intransitifs avec *avoir*	sans c.o.d. ni c.o.i.	*éternuer, rire*
transitifs	employés au sens intransitif	*courir, coucher*
impersonnels	conjugués avec *il* seulement	*falloir, neiger*

... ne peuvent pas avoir de c.o.d. Les participes passés suivants sont donc invariables.

abondé
abouti
aboyé [1]
accédé
acquiescé
adhéré
afflué
agi
agonisé
aluni
amerri
appartenu
atermoyé
attenté
atterri
babillé
badiné
baguenaudé
bâillé
banqueté
bataillé
batifolé
bavardé
bénéficié
bifurqué
blêmi
boité
bondi
bourlingué
brillé
bronché
cabriolé
capitulé
caqueté
caracolé
cessé [1]
chancelé
cheminé
chialé
chinoisé
chuté
circulé
clignoté
cliqué
cliqueté
coexisté
cohabité
coïncidé
commercé
comparu
compati
complu
concouru
consisté
contrevenu
contribué
convergé
conversé
convolé
coopéré
copiné
correspondu
couché [1]
couru [1]
cousiné
couté [coûté] [1]
crâné
craqueté
créché
crépité
croulé
croustillé
crouté [croûté]
crû (croitre [croître])
culminé
daigné
déambulé
déblatéré
déchanté
déconné
découché
découlé
décru
défailli
dégénéré
dégoutté
déjeuné
délibéré
déliré
démérité
démordu
déparlé
dépéri
déplu
déraillé
dérapé
dérogé
détalé
détoné
détonné
devisé
dialogué [1]
diné [dîné]
discordé
discouru
divagué
divergé
dormi
duré
émané
empiété
enquêté
équivalu
erré
été
éternué
étincelé
eu *(il y a)*
excellé
excipé
existé
explosé
exulté
faibli
failli
fainéanté
fait (*impersonnel*)
fallu
fauté
finassé
flamboyé
flanché
flâné
foisonné
folâtré
fonctionné
forci
fourmillé
fraichi [fraîchi]
fraternisé
frémi
frétillé
frissonné
fructifié
fugué
fureté
galéré
galopé
gambadé
gargouillé
gazouillé
geint
gémi
gesticulé
giclé
gigoté
gouaillé
gravité
grêlé [1]
grelotté
grimacé
grincé
grisonné
grogné [1]
guerroyé
haleté
henni
herborisé
hésité
hoqueté
implosé
influé
insisté
intercédé
interféré
jailli
jasé
jeuné [jeûné]
jonglé
joui
jubilé
langui
larmoyé
légiféré

1. Participe passé invariable quand ce verbe est employé intransitivement.

Il est à noter que les deux véhicules sont entrés en collision le même jour.

Participes passés invariables (*suite*)

lésiné
louché
louvoyé
lui
lutté
magasiné
mangé [1]
maraudé
médit
menti
mesuré [1]
mésusé
miaulé
milité
minaudé
miroité
monologué
moussé
mugi
musardé
nasillé [1]
navigué
neigé
niaisé
nui
obtempéré
obvié
œuvré
officié
opiné
opté
oscillé
ovulé
pactisé
palabré
palpité
papillonné
papoté
paradé
paressé
parlementé
participé
pataugé
pâti
patienté
patrouillé
pausé
péché
pédalé
perduré
péri
périclité
péroré
persévéré
persisté
pesé [1]
pesté
pétaradé
pétillé
philosophé
pinaillé
pioncé
piqueniqué
pirouetté
pivoté
planché
pleurniché
plu (plaire)
plu (pleuvoir)
poireauté
polémiqué
pontifié
potiné
pouffé
pouliné
prédominé
préexisté
préludé
procédé
profité
progressé
proliféré
prospéré
pu
pué [1]
pullulé
queuté
radoté [1]
raffolé
ragé
râlé
rampé
randonné
réagi
rechigné
récidivé
récriminé
reflué
regorgé
rejailli
relui
remédié
renâclé
renchéri [1]
répugné [1]
résidé
résisté
résonné
resplendi
ressemblé
retenti
rêvassé
réveillonné
ri
ricané
ricoché
rigolé
rivalisé
rôdé
ronchonné
ronflé
roté
roupillé
rouspété
rugi [1]
ruisselé
salivé
sangloté
sautillé
scintillé
scrabblé
séjourné
semblé
sévi
siégé
skié
sombré
sommeillé
songé
souffert [1]
soupé
sourcillé
souri
spéculé
sprinté
stagné
statué [1]
subsisté
subvenu
succédé
succombé
suffi
suppuré
surabondé
surenchéri
surgi
suri
surnagé
sursauté
sursis [1]
survécu
sympathisé
tablé
tâché
tangué
tardé
tâtonné
tempêté
temporisé [1]
tergiversé
testé
titubé
tonitrué
tonné
topé
tourbillonné
tournoyé
toussé
toussoté
transigé
transparu
transpiré [1]
trébuché [1]
tremblé
tremblote
trépigné [1]
tressailli
triché
trimé
trinqué
triomphé
trôné
trotté
trottiné
vacillé
vagabondé
valu [1]
vaqué
vécu [1]
végété
venté
verdoyé
vivoté
vogué
voisiné
volé (*en l'air*)
voleté
voltigé
voyagé
vrombi
zézayé
zigzagué

1. Participe passé invariable quand ce verbe est employé intransitivement.

Modes et temps

Temps moins en usage

Aujourd'hui, dans le français courant :

- Le subjonctif imparfait → Il craignait **que je parlasse.**
  est remplacé par le subjonctif présent. → Il craignait **que je parle.**
- Le subjonctif plus-que-parfait → Il craignait **que j'eusse parlé.**
  est remplacé par le subjonctif passé. → Il craignait **que j'aie parlé.**
- Le conditionnel passé deuxième forme → Si tu l'avais désiré, **j'eusse parlé.**
  est remplacé par le conditionnel passé. → Si tu l'avais désiré, **j'aurais parlé.**

Terminaisons du subjonctif présent

Le subjonctif présent de tous les verbes (excepté **être** et **avoir**) se termine toujours par les lettres en gras de la première colonne.

	Premier groupe	Deuxième groupe	Troisième groupe
-e	que je mang**e**	que je finiss**e**	que je croi**e**
-es	que tu mang**es**	que tu finiss**es**	que tu croi**es**
-e	qu'il/elle mang**e**	qu'il/elle finiss**e**	qu'il/elle croi**e**
-ions	que nous mang**ions**	que nous finiss**ions**	que nous croy**ions**
-iez	que vous mang**iez**	que vous finiss**iez**	que vous croy**iez**
-ent	qu'ils/elles mang**ent**	qu'ils/elles finiss**ent**	qu'ils/elles croi**ent**

Terminaisons de l'impératif

Les verbes en *-er* se terminent par **e** (sauf ***va***) à la deuxième personne du singulier de l'impératif (impératif de *manger : mange).* La règle est la même pour les verbes suivants et leurs dérivés.

Infinitif	Impératif	Infinitif	Impératif	Infinitif	Impératif
assaillir	assaill**e**	défaillir	défaill**e**	souffrir	souffr**e**
avoir	ai**e**	offrir	offr**e**	tressaillir	tressaill**e**
couvrir	couvr**e**	ouvrir	ouvr**e**	vouloir	veuill**e**
cueillir	cueill**e**	savoir	sach**e**		

Devant **-en** et **-y,** on ajoute un **s** à la voyelle finale : mange**s-en**, cueille**s-en,** chante**s-y,** va**s-y.**

Conditionnel

Les linguistes s'accordent aujourd'hui pour ne plus considérer le conditionnel comme un mode, mais comme un temps de l'indicatif. (*Le bon usage,* 14e éd., § 768, *a,* 1°.)

Verbes pronominaux

Les verbes pronominaux se conjuguent tous avec le verbe **être.** Le participe passé des verbes qui sont toujours pronominaux (*s'évader, s'abstenir...*) s'accorde avec le sujet.

Ils se sont *évadés* de leur prison. (*Seul* complu *est toujours invariable.*)

Exception : *s'arroger* s'accorde avec le c.o.d. si celui-ci est placé avant.

Elle s'est *arrogé* les pouvoirs. Les pouvoirs qu'elle s'est *arrogés.*

Syllabe muette

Selon *Le bon usage,* Grevisse-Goosse, 14e éd., § 103, 2°, on a **è** quand la syllabe suivante est formée d'une consonne et d'un **e** muet, et **é** dans le cas contraire. Exceptions : Les préfixes *dé-* et *pré-* (*démesuré, prélever,* etc.) ; les **é** au début (*élever, édredon,* etc.) ; les mots *médecin* et *médecine.*

Avec è	enlèvement	discrètement	il sèmera
Avec é	témoin	léser	téléphone

J'ai exercé mon mandat pendant six ans, dont trois ans d'une administration honnête.

Conjugaison

-ayer **payer.** Le **y** devient **i** devant un **e** muet : *je paie, tu paies, nous payons.* Comparer le présent, l'imparfait et le subjonctif : *payons, payions, payions.*

-cer **avancer.** Noter le **ç** devant **a** et **o** pour garder le son **s** : *avança, avançons.*

-éder **céder.** Avant-dernière syllabe accentuée. On met **è** grave devant une syllabe muette, **é** aigu devant une syllabe non muette : *cède, cédons.* Deux exceptions : futur et conditionnel, **é** : *je céderai, je céderais.* **En nouvelle orthographe,** il n'y a plus d'exceptions : *je cèderai, cèderais.*

-éer **créer.** Ces verbes gardent partout leur **é** du radical. Noter le **e** muet régulier après le **é** au futur et au conditionnel : *créerai, créerais.*

-eler **En orthographe traditionnelle,** il y a 28 verbes avec cette règle :
Quand le **e** devant le **l** est muet, il est suivi de un **l** : *nous épelons.*
Quand le **e** devant le **l** n'est pas muet, il est suivi de **ll** : *j'épelle.*
De plus, il y a 17 verbes avec cette autre règle :
On met un **e** muet devant une syllabe non muette : *nous pelons.*
On met un **è** grave devant une syllabe muette : *je pèle.*

En nouvelle orthographe, tous les verbes se terminant par **-eler** prennent un **e** muet devant une syllabe non muette, et un **è** grave devant une syllabe muette : *épeler, nous épelons, j'épèle, elles épèlent.*
Sur 45 verbes, une seule exception : *appeler* (+dér.), qui ne change pas.

-eter **En orthographe traditionnelle,** il y a 36 verbes avec cette règle :
Quand le **e** devant le **t** est muet, il est suivi de un **t** : *nous cachetons.*
Quand le **e** devant le **t** n'est pas muet, il est suivi de **tt** : *je cachette.*
De plus, il y a 7 verbes avec cette autre règle :
On met un **e** muet devant une syllabe non muette : *nous achetons.*
On met un **è** grave devant une syllabe muette : *j'achète.*

En nouvelle orthographe, tous les verbes se terminant par **-eter** prennent un **e** muet devant une syllabe non muette, et un **è** grave devant une syllabe muette : *cacheter, nous cachetons, je cachète, elles cachètent.*
Sur 43 verbes, une seule exception : *jeter* (+dér.), qui ne change pas.

-ener **mener.** Avant-dernière syllabe muette. On met **è** devant une syllabe muette, **e** muet devant une syllabe non muette : *mène, menons.*

-er **aimer** (et verbes du premier groupe). L'impératif s'écrit sans **s** : *aime.*

-ger **manger.** Le **g** est suivi du **e** devant **a** et **o** : *mangea, mangeons.*

-gner **soigner.** Comparer le présent, l'imparfait et le subjonctif : *soignons, soignions, soignions.* L'impératif s'écrit sans **s** : *soigne.*

-guer **distinguer.** Ces verbes gardent toujours le **u** après le **g**. Attention à certains noms dérivés, sans **u** après le **g** : *allégation, navigation.*

-ier **copier.** Au futur et au conditionnel, le **e** muet subsiste après le **i** : *copierai, copierais.* Présent, imparfait et subjonctif : *copions, copiions, copiions.*

-iller **tailler.** Toujours deux **l.** Noter le présent, l'imparfait et le subjonctif : *taillons, taillions, taillions.* L'impératif s'écrit sans **s** : *taille.*

-ir **finir.** Le deuxième groupe comporte les verbes dont le participe présent finit en *-issant* : *accomplir, agrandir, faiblir, maigrir,* etc.

-oyer **ployer.** Le **y** devient **i** devant un **e** muet : *je ploie, il ploiera.* Comparer le présent, l'imparfait et le subjonctif : *ployons, ployions, ployions.* Au futur et au conditionnel, seul *envoyer* prend **err** : *enverrai, enverrais.*

-quer **appliquer.** Ces verbes gardent toujours le **u** après le **q.** Attention à certains noms dérivés, avec un **c** : *application, fabrication.*

L'acte d'avaler s'appelle l'engloutition.

-uer **jouer.** Le **e** subsiste au futur et au conditionnel : *jouerai, jouerais.*

-uyer **essuyer.** Comparer le présent, l'imparfait et le subjonctif : *essuyons, essuyions, essuyions.* Au futur et au conditionnel, **e** muet devant le **r** : *essuierai, essuierais.*

absoudre *dissoudre.* Pas de **d** au présent : *j'absous, il absout.* Participe passé : *absous, absoute.* **En nouvelle orthographe :** *absout, absoute.*

acquérir *conquérir, requérir.* Un **è** devant une syllabe muette, **é** devant une syllabe non muette : *acquièrent, acquérez.* Futur et conditionnel : *acquerrai, acquerrais.*

aller Noter l'impératif : *va* sans **s,** sauf dans *vas-y* pour faciliter la prononciation.

assaillir *défaillir, tressaillir.* Comparer le présent, l'imparfait et le subjonctif : *assaillons, assaillions, assaillions.* L'impératif s'écrit sans **s** : *assaille.*

asseoir (Littéraire) Comparer le présent, l'imparfait et le subjonctif : *asseyons, asseyions, asseyions.* Noter le **é** au futur et au conditionnel : *assiérai, assiérais.*
(Courant) Comparer le présent, l'imparfait et le subjonctif : *assoyons, assoyions, assoyions.* Le **e** devant le **o** n'existe qu'à l'infinitif : *asseoir, je m'assois.* **En nouvelle orthographe,** l'infinitif s'écrit *assoir.*

battre *abattre, combattre, débattre, s'ébattre, rabattre, rebattre.* Impératif : *bats.* Ces verbes ont **tt** quand il y a plusieurs syllabes : *je bats, il battait.*

boire Pas de **û** au participe passé : *bu, bue, bus, bues.*

conduire *construire, cuire, déduire, détruire, enduire, induire, instruire, introduire, produire, reconduire, réduire, séduire, traduire.* Impératif : *conduis.* Verbes transitifs, donc p.p. variables : *conduit, conduite.*

coudre *découdre, recoudre.* On garde le **d** au présent : *je couds, tu couds, il coud.* Impératif : *couds.*

courir *accourir, concourir, discourir, encourir, parcourir, recourir, secourir.* Le futur et le conditionnel prennent **rr** : *courrai, courrais.* Noter : *je cours, il court / que je coure, qu'il coure.*

craindre *contraindre, plaindre.* Comparer le présent, l'imparfait et le subjonctif : *craignons, craignions, craignions.* Pas de **d** au présent : *je crains, il craint.*

croire Comparer le présent, l'imparfait et le subjonctif : *croyons, croyions, croyions.* Le participe passé n'a pas d'accent circonflexe sur le **u.** Noter : *je crois, il croit / que je croie, qu'il croie.*

croître Verbe intransitif, son participe passé est invariable et prend un **û.** **En nouvelle orthographe,** on garde l'accent seulement pour distinguer ce verbe du verbe *croire* : *croitre, je croîs en sagesse,* mais *je crois en toi.*

cueillir *accueillir, recueillir.* Comparer le présent, l'imparfait et le subjonctif : *cueillons, cueillions, cueillions.* L'impératif s'écrit sans **s** : *cueille.*

devoir *redevoir.* Le participe passé masculin singulier prend un accent circonflexe : *le montant dû, redû, la somme due, les montants redus, les sommes dues.*

dire *redire.* Noter : *nous disons, vous dites.* Mais *vous vous contredisez, vous vous dédisez, vous interdisez, vous médisez, vous prédisez.*

dormir Les verbes *dormir* et *redormir* (intransitifs) ont un p.p. invariable. Les verbes *endormir* et *rendormir* (transitifs) ont un p.p. variable.

écrire *décrire, inscrire, prescrire, proscrire, transcrire.* Verbes transitifs, donc p.p. variable : *écrit, écrite.* Impératif : *écris.*

exclure *conclure.* Comparer le présent et le subjonctif : *j'exclus, que j'exclue.* Le participe passé n'a pas de **s** : *exclu, exclue, conclu, conclue.*

L'alcool permet de rendre l'eau potable.

fuir *s'enfuir.* Comparer le présent, l'imparfait et le subjonctif : *aujourd'hui nous fuyons, hier nous fuyions, il faut que nous fuyions.*

haïr Le **h** est aspiré : on ne fait donc jamais la liaison. Les lettres **ai** se prononcent séparément quand le **i** comporte un tréma : *je hais, j'ai haï.*

inclure *occlure.* Comparer le présent et le subjonctif : *j'inclus, que j'inclue.* Le participe passé comprend un **s** : *inclus, incluse, occlus, occluse.*

joindre *adjoindre, disjoindre, enjoindre, oindre, poindre, rejoindre.* Comparer le présent, l'imparfait et le subjonctif : *joignons, joignions, joignions.*

mordre *démordre, distordre, tordre.* Impératif : *mords.* Le p.p. de *mordre, distordre* et *tordre* est variable. Celui de *démordre* est invariable : *démordu.*

mourir Le futur et le conditionnel prennent **rr** : *mourrai, mourrais.* Les temps composés se conjuguent avec l'auxiliaire *être* : *j'étais mort, je serai mort.*

mouvoir *émouvoir, promouvoir.* Présent : *je meus, j'émeus, je promeus.* Le p.p. de *mouvoir* s'écrit *mû* seulement quand il comporte deux lettres : *mû, mue.* **En nouvelle orthographe,** plus d'accent : *mu,* comme *ému et promu.*

naître Le **î** ne se trouve que devant un **t** (*il naît*) et dans *naquîmes.* **En nouvelle orthographe,** le **î** devant le **t** devient **i** : *naitre, il nait.*

nuire *luire, reluire.* Verbes sans c.o.d., donc p.p. invariables : *nui, lui, relui.* Impératif : *nuis.*

ouvrir *couvrir, découvrir, entrouvrir, offrir, recouvrir, souffrir.* Noter l'impératif qui s'écrit sans **s** : *ouvre.*

paraître et dérivés. Noter le **î** devant un **t** seulement : *paraître, il paraît, je parais.* **En nouvelle orthographe,** plus d'accent : *paraitre, il parait, je parais.*

partir *ressortir, sortir.* Les temps composés se conjuguent avec l'auxiliaire *être* : *je suis parti.* Impératif : *pars.*

perdre Verbe transitif, donc p.p. variable : *perdu, perdue.* Impératif : *perds.*

plaire *complaire, déplaire.* Verbes transitifs indirects, leur participe passé est invariable : *plu, complu, déplu.* Noter le **î** à la troisième personne du présent : *il plaît, elle plaît.* **En nouvelle orthographe,** il n'y a plus d'exception, le **î** devient **i** partout au présent : *je plais, tu plais, il plait, elle plait, nous plaisons, vous plaisez, ils plaisent, elles plaisent.*

pourvoir Comparer le présent, l'imparfait et le subjonctif : *pourvoyons, pourvoyions, pourvoyions.* Futur et conditionnel : *je pourvoirai, je pourvoirais.*

prédire *contredire, se dédire, interdire, médire.* Noter : *vous prédisez, vous vous contredisez, vous vous dédisez, vous interdisez, vous médisez.*

prévaloir Attention au **x** : *je prévaux, tu prévaux.* Impératif : *prévaux.* Noter la différence avec *valoir* au subjonctif : *que je vaille / que je prévale.*

prévoir Comparer le présent, l'imparfait et le subjonctif : *prévoyons, prévoyions, prévoyions.* Futur et conditionnel : *je prévoirai, je prévoirais.*

recevoir *apercevoir, concevoir, décevoir, percevoir.* On met un **ç** seulement devant les lettres **o** et **u** : *reçois, reçu, recevons.* Impératif : *reçois.*

résoudre Pas de **d** au présent : *je résous, il résout.* Participe passé : *résolu, résolue.*

rire *sourire.* Comparer le présent, l'imparfait et le subjonctif : *rions, riions, riions.* Verbes intransitifs, donc p.p. invariables : *ri, souri.* Impératif : *ris.* Noter : *je ris, il rit / que je rie, qu'il rie.*

voir *entrevoir, revoir.* Comparer le présent, l'imparfait et le subjonctif : *voyons, voyions, voyions.* Ces verbes utilisent **err** : *je verrai, entreverrai, reverrai.*

La première condition, pour devenir un bon archéologue : avoir une tête de pioche.

Genres à retenir

Abréviations : f. (féminin), m. (masculin), f.p. (féminin pluriel), m.p. (masculin pluriel), m./f. (masculin ou féminin).

abaque, m.
abatis, m.
abscisse, f.
abysse, m.
acné, f.
acoustique, f.
acrostiche, m.
agrume, m.
aigle, m./f.
albâtre, m.
alcôve, f.
alèse, f.
algèbre, f.
alvéole, f.
amalgame, m.
ambre, m.
améthyste, f.
amiante, m.
amibe, f.
ammoniac, m.
amour, m.
amours, f.p.
ampère, m.
anagramme, f.
anathème, m.
ancre, f.
anicroche, f.
ankylose, f.
antichambre, f.
antidote, m.
antifumée, m.
apanage, m.
aphte, m.
apogée, m.
apologue, m.
apostrophe, f.
apothéose, f.
appendice, m.
appendicite, f.
après-guerre, m.
après-midi, m./f.
arabesque, f.
arachide, f.
arcane, m.
aréna, m.
argile, f.
armistice, m.
arnaque, f.
arnica, m./f.
aromate, m.
arpège, m.
ascenseur, m.
asphalte, m.
astérisque, m.
astragale, m.
athénée, m.
atmosphère, f.
augure, m.
auspices, m.p.
autoclave, f.
autographe, m.
automne, m.
avant-midi, m./f.
azalée, f.
camée, m.
câpre, f.
cent (*mon.*), m.
chrysanthème, m.
chrysalide, f.
cookie, m.
cuticule, f.
débâcle, f.
décombres, m.p.
délice, m.
délices, f.p.
ébène, f.
ébonite, f.
ecchymose, f.
échappatoire, f.
écharde, f.
écritoire, f.
effluve, m.
égide, f.
embâcle, m.
emblème, m.
encaustique, f.
entête, m.
entracte, m.
enzyme, m./f.
éphéméride, f.
épice, f.
épigramme, f.
épigraphe, f.
épitaphe, f.
épithète, f.
épitre [épître], f.
équinoxe, m.
équivoque, f.
escarre, f.
esclandre, m.
espace, m./f.
évangile, m.
exergue, m.
fiasque, f.
gélule, f.
gemme, f.
gens bons, m.p.
bonnes gens, f.p.
gent, f.
girofle, m.
glaire, f.
granule, m.
haltère, m.
hémicycle, m.
hémisphère, m.
hémistiche, m.
holocauste, m.
hyménée, m.
hymne, m./f.
immondices, f.p.
insigne, m.
interfrange, m.
interligne, m.
interstice, m.
interview, m./f.
ivoire, m.
jade, m.
job, m.
jute, m.
libelle, m.
lobule, m.
mandibule, f.
méandre, m.
métatarse, m.
météorite, f.
molécule, f.
moustiquaire, f.
nacre, f.
narcisse, m.
nimbe, m.
oasis, f.
obèle, m.
obélisque, m.
obsèques, f.p.
ocre, f.
octave, f.
odyssée, f.
office, m.
omoplate, f.
once, f.
orbite, f.
orge, m./f.
orgue, m.
orgues, f.p.
oriflamme, f.
orteil, m.
ouïe, f.
ovule, m.
ozone, m.
palabre, f.
pantomime, f.
pâque juive, f.
Pâques, m./f.
parka, m./f.
paroi, f.
pastiche, m.
patère, f.
pénates, m.p.
pendule, m./f.
penne, f.
perce-neige, m./f.
périgée, m.
pétale, m.
pétoncle, m.
planisphère, m.
polichinelle, m.
pore, m.
postiche, m.
prémices, f.p.
prémisse, f.
primevère, f.
psyché, f.
quadrille, m.
réglisse, f.
relâche, m./f.
satire, f.
satyre, m.
sbire, m.
sitcom, m./f.
spore, f.
stalactite, f.
stalagmite, f.
starting-gate, f.
strate, f.
ténèbres, f.p.
tentacule, m.
termite, m.
testicule, m.
topaze, f.
trampoline, m.
trial (moto), f.
trial (sport), m.
tubercule, m.
ulcère, m.
uréthane, m.
urticaire, f.
vermicelle, m.
viscère, m.

Le suspect étant sans domicile fixe, les policiers le cueillirent à la sortie de chez lui.

Orthographes à retenir

Certains de ces mots sont homophones. D'autres concernent la casse et les accents.

accusation (à la cour), l'
acquis (avantage obtenu)
acquit (quittance)
amande (fruit)
amende (contravention)
ammoniac (gaz)
ammoniaque (solution)
appâts (charmes féminins)
appât (pour le poisson)
ayons, ayez (jamais de *i*)
bailler, seulement dans :
vous me la baillez belle
bâiller (ouvrir la bouche)
balade (promenade)
ballade (poème)
ban (proclamation)
ban de tambour
ban (sentence d'exclusion)
banc pour s'assoir [s'asseoir]
banc de sable
banc de poissons
baptiste (égl. protestante)
batiste (toile de lin)
basilic (plante aromatique)
basilique (église)
bayer aux corneilles
box (compartiment)
boxe (sport)
Brigades internationales
buté (obstiné)
butée (butée de pont)
buter (heurter)
butter (garnir de terre)
cadran (d'une montre)
quadrant (¼ de circonf.)
cahot (rebond)
chaos (désordre)
cal (durillon)
cale (pièce d'arrêt)
cap (partie de côte)
cape (manteau)
catarrhe (gros rhume)
cathare (d'une secte)
céans (ici)
séant (convenable)
cendre (qui a brulé [brûlé])
sandre (poisson)
cep (pied de vigne)
cèpe (champignon)
chas (trou d'une aiguille)
chemineau (vagabond)
cheminot (du train)
chorale (société musicale)
corral (lieu pour le bétail)
colline parlementaire, la
cols blancs ou bleus, les
Couronne (à la cour), la
cours (allée)
court (terrain de tennis)
datte (fruit du dattier)
défense (à la cour), la
dessin (de *dessiner*)
dessein (but, intention)
détoner (exploser)
détonner (chanter faux)
différend (désaccord)
différent (distinct)
écho (répétition du son)
écot (contribution)
éthique (morale)
étique (maigre)
étrier (anneau en métal)
étriller (brosser)
exaucer (satisfaire)
exhausser (surélever)
exprès (le faire exprès)
express (un café)
express (un train)
express (une voie)
expresse (une condition)
flan (entremets)
flanc (partie du corps)
fonction publique, la
fond (partie la plus basse)
fonds (de commerce)
fonts (baptismaux)
for (mon for intérieur)
fors (excepté)
foret (outil de perçage)
front commun, le
gué (pour passer à pied)
guet (faire le guet)
heur (chance)
heurt (choc)
jarre (urne de terre cuite)
jars (mâle de l'oie)
livre blanc, le
marines, les
martyr (une personne)
martyre (grande douleur)
mess (pour les officiers)
mines antipersonnel
n'eût été (avec un flexe)
palier (plateforme)
pallier (verbe tr. dir.)
pâté (hachis de viande), le
pâtée (pour animaux), la
pause (du verbe *pauser*)
pose (du verbe *poser*)
pêcher (arbre)
pêcher la truite
pécher (fauter)
pêne (partie de serrure)
penne (longue plume)
pers (des yeux pers)
plain (de plain-pied)
plastic (explosif)
plastique (arts plastiques)
pool (groupement)
pore (orifice de la peau)
port (pour les bateaux)
pouls (battement artériel)
prémices (premiers fruits)
prémisse (de syllogisme)
prou (peu ou prou)
proue (avant d'un navire)
puits (trou pour l'eau)
puy (montagne)
qui l'eût cru ? (avec flexe)
rainette (grenouille)
reinette (pomme)
rendu compte (invariable)
rêne (pr guider le cheval)
renne (animal)
repaire (refuge)
repère (pour trouver)
salon rouge, le
satire (critique)
satyre (homme vicieux)
sceau (cachet officiel)
sceptique (méfiant)
septique (fosse)
session (période)
cession (donation)
soyons, soyez (pas de *i*)
taie (d'oreiller)
tapis rouge, le
tribut (payer un tribut)
tsunami, des tsunamis
union sociale, l'
verni, vernie (adjectif)
vernis (nom)
Verts, les

On m'a volé tous mes effets, et mon assurance est sans effet.

Noms et adjectifs composés

Les lettres après la virgule indiquent la lettre finale de chaque élément quand le mot est au pluriel. Par exemple : *aller-retour,* pluriel : *allers-retours.*

aller-retour, s s
année-lumière, s e
arc-en-ciel, s n l
arrière-saison, e s
attaché-case, s s
auto-infection, o s
avant-centre, s s
avant-coureur, t s
avant-dernier, t s
avant-poste, t s
avion-cargo, s s
avion-citerne, s s
bain-marie, s e
bande-annonce, s s
bande-son, s n
belle-de-nuit, s e t
bloc-notes, s s
bouche-à-bouche, inv.
bouton-pression, s n
bracelet-montre, s s
bric-à-brac, inv.
bulletin-réponse, s e
camion-citerne, s s
carte-lettre, s s
carte-réponse, s e
centre-ville, s s
chef-d'œuvre, s e
cheval-vapeur, aux r
chevau-léger, u s
chou-fleur, x s
compte-chèque, s s
compte-rendu, s s
coq-à-l'âne, inv.
cou-de-pied, s d
couche-tard, inv.
coupon-réponse, s e
court-circuit, s s
court-métrage, s s
court-vêtu, t s
court-vêtue, t s
croc-en-jambe, s n e
cul-de-lampe, s e e
cul-de-sac, s e c
déjà-vu, inv.
delta-plane, a s
dessous-de-plat, inv.
dessus-de-lit, inv.
deux-pièces, inv.
deux-points, inv.
disc-jockey, c s
dos-d'âne, inv.
double-croche, s s
expert-comptable, s s
extra-utérin, a s
face-à-face, inv.
fait-divers, s s
fan-club, s s
fier-à-bras, s à s
franc-parler, s s
franc-tireur, s s
génito-urinaire, o s
grand-guignolesque, d s
grand-père, s s
grand-mère, (s) s
guet-apens, s s
haut-commissaire, s s
haut-fourneau, s x
homme-grenouille, s s
homme-sandwich, s s
hors-d'œuvre, inv.
hors-la-loi (n.), inv.
ingénieur-conseil, s s
jupe-culotte, s s
jusqu'au-boutiste, u s
laissé-pour-compte, s r e
laisser-aller, inv.
laissez-passer, inv.
lève-tôt, inv.
lieu-dit, x s
loi-cadre, s s
long-courrier, g s
long-métrage, s s
main-d'œuvre, s e
mal-en-point, inv.
mandat-carte, s s
médecin-conseil, s s
moins-perçu, s s
montre-bracelet, s s
mort-né, mort-née, s s
moyen-courrier, n s
moyen-métrage, s s
music-hall, c s
nid-d'abeilles, s s
nid-de-poule, s e
non-dit, inv.
nouveau-né, u s
nouveau-née, u s
nu-propriétaire, s s
nu-pieds, inv.
nue-propriété, s s
œil-de-perdrix, s e x
oiseau-mouche, x s
on-dit, inv.
opéra-comique, s s
orang-outan, s s
papier-émeri, s i
papier-filtre, s s
pas-de-porte, inv.
pas-grand-chose, inv.
pause-café, s s
personne-ressource, s s
petit-beurre, s e
petit-four, s s
photoroman, s s
pied-à-terre, inv.
pied-de-poule (adj.), inv.
pied-de-poule (n.), s e e
pis-aller, inv.
plein-temps, s s
point-virgule, s s
porte-à-porte, inv.
pot-au-feu, inv.
pot-de-vin, s e n
prêt-à-manger, s à r
prêt-à-porter, s à r
pro-vie, inv.
propre-à-rien, s n
punching-ball, g s
pur-sang, inv.
quatre-saisons, inv.
queue-de-cheval, s e l
raz-de-marée, inv.
rez-de-chaussée, inv.
roman-feuilleton, s s
saint-honoré, inv.
saisie-exécution, s s
saut-de-lit, s e t
soutien-gorge, s e
tête-à-tête, inv.
timbre-poste, s e
tout-petit, t s
tout-puissant, t s
tout-terrain, inv.
toute-puissante, s s

Quand on apprend tout seul à conduire sa moto, on est un motodidacte.

Rhétorique

La rhétorique est l'art de s'exprimer ou d'écrire avec justesse, éloquence et persuasion, et ce, en se servant de figures de style.

Allitération. Des mots débutent par la même lettre ou le même son.

En Papouasie, il y a des Papous papas à poux et des Papous pas papas à poux.

Anagramme. Mot formé des lettres d'un autre mot dans un ordre différent.

niche – chien   barre – arbre   une tartine – internaute

Antonomase. Un nom propre devenu un nom commun.

Une silhouette (*le ministre Silhouette*)   une poubelle (*le préfet Poubelle*)

Apologue. Récit qui a pour but de donner une leçon de morale.

Il a écrit un apologue pour enseigner l'honnêteté.

Apostrophe rhétorique. On s'adresse à une personne ou à une chose.

À moi, comte, deux mots.   Montagnes, vous êtes mes amours.

Comparaison. Rapprochement entre réalités, à l'aide d'un mot de comparaison (*ainsi, comme,* etc.).

Ce guerrier s'élance comme un lion.

Ellipse. On supprime un ou plusieurs mots pour plus de rapidité.

Deux personnes sont venues, et six sont parties.

Euphémisme. Il adoucit une expression trop cruelle ou choquante.

Il a vécu. (*Il est mort.*)   Il ne se sent pas bien. (*Il est malade.*)

Gradation. On écrit une suite de mots dans un ordre

ascendant : Il part, il court, il vole.
descendant : Un souffle, une ombre, un rien lui fait peur.

Hyperbole. Figure par laquelle on exagère les choses.

Il court plus vite que le vent.   Il va plus lentement qu'une tortue.

Image. Comparaison ou métaphore.

Inversion. On inverse l'ordre naturel des mots.

À la pêche aux moules je ne veux plus aller.

Litote. On dit moins pour faire entendre plus.

Elle ne dit pas non. (*Elle accepte.*)

Métaphore. Comparaison sans mot de comparaison et par association d'idées.

Ce lion s'élance. (*On parle d'un homme.*)

Palindrome. Mot ou groupe de mots qui peut être lu dans les deux sens.

Laval.   Ésope reste ici et se repose.   Oh ! cela te perd ! répéta l'écho.

Pléonasme. C'est le contraire de l'ellipse. On ajoute un mot inutile, pour insister.

Bon : Je l'ai vu de mes propres yeux.   **Mauvais :** Monter en haut.

Si tu n'as qu'une parole, ne la donne à personne.

Difficultés orthographiques

Ces entrées sont par ordre alphabétique.

accents en français

On distingue 12 voyelles accentuées. (L'accent circonflexe se dit *flexe* en imprimerie.)

Accent aigu	**é**	Accents circonflexes	**â, ê, î, ô, û**
Accents graves	**à, è, ù**	Trémas	**ë, ï, ü**

à	pour éviter les confusions	→ a/à, la/là, ça/çà
â	pour éviter les confusions	→ acre/âcre, mat/mât, tache/tâche
é	devant une syllabe non muette	→ irrémédiable, problématique, régner
è	devant une syllabe muette	→ remède, problème, je règne
ê	remplace souvent un ancien **s**	→ bête (beste), fête (feste)
ë	dans certains noms propres	→ Noëlle, Raphaël, Israël, Citroën
î	au passé simple et au subjonctif	→ nous fîmes, qu'elle fît
ï	pour prononcer séparément	→ haïr, maïs, Haïti, Adélaïde
ô	remplace souvent un ancien **s**	→ hôpital (hospital), hôte (hoste)
û	au passé simple et au subjonctif	→ nous fûmes, qu'elle fût
ù	pour éviter la confusion	→ ou/où (*où* indique le lieu)
ü	pour prononcer séparément	→ aigüe [aiguë], argüer [aiguer], gageüre [gageure]

aide-

Nom masculin	un aide de camp, des aides de camp
Nom féminin	une aide ménagère, des aides ménagères une aide familiale, des aides familiales une aide maternelle, des aides maternelles
Nom + métier	un aide-comptable, des aides-comptables une aide-comptable, des aides-comptables un aide-soignant, des aides-soignants une aide-soignante, des aides-soignantes
Verbe + nom	un aide-mémoire, des aide-mémoires

attendu – excepté – vu

Placés **avant** le nom, ces mots sont des **prépositions.** Ils sont donc **invariables.**

Attendu les évènements, la fête est annulée.
Nous avons cueilli les pommes, excepté les vertes.
Je vous signale que, vu les difficultés, nous renonçons à ce projet.

Placés **après** le nom, ils sont des **participes passés** et ils **s'accordent** avec le nom.

Les évènements attendus ne se sont pas produits.
Nous avons cueilli les pommes, les vertes exceptées.
Les difficultés, vues sous cet angle, sont surmontables.

aucun

Le nom qui suit *aucun* est au singulier, sauf si le singulier n'existe pas.

Aucun effort n'a été épargné, et il n'y aura aucuns frais.

aussi tôt – aussitôt

Remplacement par *aussi tard* : en deux mots. Remplacement impossible : en un mot.

Pourquoi es-tu venu aussi tôt ?   Je partirai aussitôt que tu arriveras.

Avoir cent ans, c'est être centenaire. Avoir mille ans, c'est être millionnaire ?

avant que – après que

Avant que veut un subjonctif (*éventualité*). *Après que* veut un indicatif (*réalité*).

Je dois sortir avant qu'il pleuve. Il a plu après que je suis sorti.

avoir l'air

Remplacement de *l'air* par *l'air d'être*	→	Elle a l'air heureuse dans son travail.
Remplacement impossible	→	Elle a l'air heureux des gens calmes.

ça – çà – ç'a – c'en – ceci – cela

ça	(ça = cela *et* **ç** *devant un* **a**)	Ça va bien.
çà	(*dans l'expression* çà et là *seulement*)	Il s'en allait çà et là.
ç'a	(*raccourci pour* cela a *et* **ç** *devant un* **a**)	Ç'a été dur.
c'en	(*raccourci pour* cela en *et* **c** *devant un* **e**)	C'en est touchant.
ceci	(*introduit ce qui suit*)	Dites ceci : « Oui, je le veux. »
cela	(*renvoie à ce qui précède*)	Tu es amer, et cela se comprend.

c cédille

Devant	**a**	ça	→	avança	(*on obtient le son* **s**)
Devant	**o**	ço	→	façon	(*on obtient le son* **s**)
Devant	**u**	çu	→	reçu	(*on obtient le son* **s**)
Pas devant	**e**	ce	→	cela	(*on a déjà le son* **s**)
Pas devant	**i**	ci	→	merci	(*on a déjà le son* **s**)

censé – sensé

Remplacement par *supposé*	→	Vous êtes censé être présent à la réunion.
Remplacement par *qui a du bon sens*	→	Vous êtes une personne sensée.

c'est – ce sont

Avec un nom singulier : *c'est.* Avec un nom pluriel : *ce sont.*

C'est une belle *voiture.* Ce sont de belles *voitures.*

Avec *moi, toi, lui, elle, nous, vous,* on emploie *c'est.*

C'est *moi,* c'est *toi,* c'est *lui,* c'est *elle,* c'est *nous,* c'est *vous.*

Avec *eux, elles,* on peut employer *ce sont* ou *c'est.*

Ce sont *eux* qui ont perdu. Ce sont *elles* qui ont gagné.
C'est *eux* qui ont perdu. C'est *elles* qui ont gagné.

Avec un complément circonstanciel ou amené par une préposition : *c'est.*

C'est *tous les jours* que je la vois. C'est *avec mes amies* que je sors.

c'était – s'était

Remplacement de *c'* par *cela*	→	Comme c'était permis,
Remplacement impossible	→	il s'était assis dans l'herbe.

chef

Avant le nom : var. sans trait d'union	→	des chefs traducteurs
Après le nom : var. avec trait d'union	→	des adjudants-chefs
Avec *en* : invariable	→	des infirmières en chef

chez

Quand ce n'est pas un nom commun	→	chez moi, chez toi, chez soi
Quand il fait partie d'un nom commun	→	mon chez-moi, ton chez-toi, un chez-soi

ci-annexé – ci-inclus – ci-joint

Placés avant le nom : invariables → Veuillez trouver ci-joint les épreuves.
Placés après le nom : variables → Veuillez trouver les épreuves ci-jointes.

comme

Avec deux virgules, verbe au singulier → L'eau, comme l'air, se refroidissait.
Sans virgules, verbe au pluriel → L'eau comme l'air se refroidissaient.

compris – non compris

Placés avant le nom : invariables. Placés après le nom : variables.

8 $, compris la taxe ; 8 $, non compris la taxe
8 $, taxe comprise ; 8 $, taxe non comprise

continuer *à* ou *de*

Nuance très faible. Éviter *à + a.*
Au lieu de *continuer à aller* → continuer d'aller
Éviter aussi *de + de.*
Au lieu de *continuer de demander* → continuer à demander

convenir

Ce verbe transitif indirect peut se conjuguer avec *avoir* ou *être* (littéraire).
Nous avons convenu de ce moment-là. *Ou bien :* Nous sommes convenus de ce moment-là.

dans – d'en

Remplacement par *à l'intérieur de* → J'ai des bonbons dans ma poche, car
Remplacement impossible → je viens d'en mettre.

davantage – d'avantage

Remplacement par *plus* : en un mot. → Je l'estime davantage chaque jour.
Remplacement impossible : avec *d'.* → Il n'y a pas d'avantage à agir ainsi.

de

Quand deux noms sont liés par **de,** la difficulté consiste à savoir si l'on doit mettre le second nom au singulier ou au pluriel. Le **second nom** est :

au singulier s'il donne l'idée d'**unicité**

des chefs de bureau — des couvertures de lit
des comités d'entreprise — des peaux de mouton

au pluriel s'il donne l'idée de **pluralité**

un carnet de chèques — un règlement de comptes
un chiffre d'affaires — une divergence d'opinions

au singulier avec **gelée, jus, liqueur** ou **sirop**

des gelées de groseille — des liqueurs de framboise
des jus de pomme — des sirops de fraise

au pluriel avec **compote, confiture, marmelade, purée** ou **pâte**

de la compote de poires — de la marmelade d'abricots
de la confiture de fraises — de la pâte de tomates

de ou *à* nouveau

Les deux sont admis. Éviter *de + de* et *a + à.*

Il a de nouveau repeint sa cuisine. (*et non :* Il *a à* nouveau repeint sa cuisine.)

Ce monsieur a une famille de six enfants et un autre chemin faisant.

déjeuner

Du latin *disjejunare,* rompre le jeûne. Le premier repas qui rompt le jeûne s'appelle le *déjeuner,* comme son nom l'indique. Le repas du midi est le *diner* [*dîner*]. Le repas du soir est le *souper.* Cette méthode s'applique au Canada, en Suisse et en Belgique.

Dans une bonne partie de la France, ces trois repas se nomment le *petit-déjeuner,* le *déjeuner* et le *diner* [*dîner*]. Il est curieux de noter que le repas de midi se nomme *déjeuner*, alors que le jeûne a déjà été rompu par le *petit-déjeuner.*

de même que

Avec deux virgules, verbe au singulier → L'art, de même que le sport, m'attire.
Sans virgules, verbe au pluriel → L'art de même que le sport m'attirent.

demi

Avant un nom,
invar., avec trait d'union → Il me téléphone toutes les demi-heures.
Après un nom,
accord en genre seulement → La réunion a duré deux heures et demie.

Si **à demi** peut être remplacé tel quel par *à moitié* : invar., sans trait d'union.

Une tasse à demi vide, à demi remplie. (*tasse* à moitié *vide,* à moitié *remplie*)

des plus – des moins – des mieux

Remplacement par *parmi les plus* → C'est un homme des plus désagréables.
Remplacement impossible → Cela devient des plus désagréable.
Remplacement de *des plus* par *très* → C'est un homme des plus désagréable.

différent – différend

Différent (adjectif) → Ce joueur est différent des autres.
Différend (nom) = dispute → Ces deux athlètes ont eu un différend.

dont – d'on

Remplacement de *d'on* par *de l'on* → La nouvelle vient d'on ne sait où.
Remplacement impossible → C'est la personne dont je t'ai parlé.

Ne pas écrire :	*Mais écrire :*
Le gars dont j'ai marché sur les pieds.	Le gars sur les pieds de qui j'ai marché.
L'auteur dont je m'intéresse à l'œuvre.	L'auteur à l'œuvre de qui je m'intéresse.
L'église dont on aperçoit son clocher.	L'église dont on aperçoit le clocher.

double

Adjectif : accord normal → un double foyer, des doubles foyers
Adverbe = *doublement* : invariable → Les gens ivres voient double.
Nom : accord normal → faire des doubles, les doubles au tennis

é – er

Essayer *prendre.* Si l'on obtient *pris* ou *prise* : p.p. Si l'on obtient *prendre* : infinitif.

Sa collation *terminée,* il s'est mis à *chausser* ses patins.

échapper

Au Québec, ce verbe peut être transitif direct. *Il a échappé le ballon.* Dans le reste de la francophonie, on écrit *Il a laissé échapper le ballon,* ou bien *Il a lâché le ballon.*

échappé belle

Toujours invariable. → Elle l'a échappé belle.

en – en n'

On remplace le verbe par un autre qui commence par une consonne,

On n'ira pas à Tadoussac. (*On ne va pas à Tadoussac.*)
On ira à Tadoussac. (*On va à Tadoussac.*)

et/ou

Il faut éviter d'employer cette forme, qui est un anglicisme. C'est par l'accord au singulier ou au pluriel que l'on montrera ce que l'on veut dire.

Pierre ou Paul est le bienvenu. (*l'un ou l'autre*)
Pierre ou Paul sont les bienvenus. (*l'un ou l'autre, ou les deux*)

et surtout

Avec deux virgules, le verbe est au singulier. Sans virgules, le verbe est au pluriel.

Le sport, et surtout la course, m'attire énormément.
Le sport et surtout la course m'attirent énormément.

étant donné

Placé avant le nom : invariable. Placé après le nom : accord avec ce dernier.

Étant donné les circonstances, la réunion sera reportée.
Ces précisions étant données, nous avons pu discuter de l'affaire.

faux

Avec un trait d'union : *faux-bord, faux-cul, faux-filet, faux-fuyant, faux-monnayeur, faux-semblant, faux-sens.* Sans trait d'union : *faux bond, faux cils, faux témoignage.*

fin

Remplacement par *tout à fait* : invariable. Remplacement impossible : variable.

Elles sont fin prêtes. Ils sont fin prêts.
La pointe de ce crayon est fine. Il a des traits fins.

fleurs

Fleurs d'une même espèce : singulier → un poirier en fleur / des poiriers en fleur
Fleurs d'espèces diverses : pluriel → un pré en fleurs / des prés en fleurs
(Cette nuance n'est pas toujours respectée : on tend à utiliser le pluriel partout.)

genre non marqué

Il s'emploie pour désigner les deux sexes et il a la même forme que le masculin.

étudiants = étudiants *et* étudiantes Les étudiants se sont réunis hier.

On peut opter à la place pour la féminisation (voir page 176).

Les étudiants et étudiantes se sont réunis hier. *Ou :* Les étudiantes et étudiants...

grand

Employé adverbialement : variable (sauf dans des expressions comme *en grand, voir grand, faire grand*).

Les portes sont grandes ouvertes. Comme elle voit grand !

Noms composés : variables en nombre.

des grands-pères des grand-mères *ou* des grands-mères

hors

Sans trait d'union : en dehors de → Ces joueurs étaient hors jeu.
Avec trait d'union : nom commun → Ils ont commis des hors-jeux.

Elle prit une gomme et s'effaça discrètement.

là – ci

Si **là** ou **ci** touche le mot auquel il se rapporte : trait d'union.

cette robe-là ces deux-là cette idée-ci ces trois enfants-ci

Si **là** ou **ci** touche un nom composé avec au moins un trait d'union : trait d'union. Sinon, aucun trait d'union.

cet arc-en-ciel-là ce trait d'union ci

Si **là** ou **ci** ne touche pas le mot auquel il se rapporte : pas de trait d'union.

cette robe d'été là (*là* se rapporte à *robe,* non à *été)*
cette tarte aux fraises ci (*ci* se rapporte à *tarte,* non à *fraises*)

la plupart

Le verbe se met au pluriel. → La plupart sont courageux.

le peu de

Quantité suffisante : verbe au pluriel → Le peu d'efforts lui ont suffi pour réussir.
Quantité insuffisante : verbe au sing. → Le peu d'efforts a été la cause de l'échec.

le plus – le moins – le mieux

Avec comparaison : l'article **le** est variable.

C'est la fille *la* plus brillante, *la* moins rusée, *la* mieux préparée de sa classe.

Sans comparaison, quand il s'agit du degré extrême : l'article **le** est invariable.

C'est à l'oral qu'elle a été *le* plus brillante, *le* moins rusée, *le* mieux préparée.

le plus... que – le moins... que

Avec le subjonctif quand on veut insister sur le côté exceptionnel. Avec l'indicatif quand on veut montrer simplement la réalité d'un fait.

C'est la personne la plus extraordinaire que j'aie rencontrée.
C'est la personne la plus extraordinaire que j'ai rencontrée.

le premier qui – le seul qui

Avec le subjonctif quand on veut insister sur le côté exceptionnel. Avec l'indicatif quand on veut montrer simplement la réalité d'un fait.

Tu es le premier qui ait compris. Elle est la seule qui ait compris.
Tu es le premier qui a fini son devoir. Elle est la seule qui a fini son devoir.

leur – son

Avec **chacun,** on peut employer *son* ou *leur.*

Ils sont partis chacun de son côté. Ils sont partis chacun de leur côté.

leur – leurs

Ces mots sont variables en nombre seulement (première ligne).
Mais **leur** est invariable quand on peut le remplacer par **lui** (seconde ligne).

Les enfants jouent avec leur balle. Ils retroussent leurs manches.
Je leur ai répondu. Je les leur donne.

l'un et l'autre

Le verbe peut se mettre au singulier ou au pluriel (plus rarement).

L'un et l'autre projet est accepté. L'un et l'autre projets sont acceptés.

Il y a une recrue d'essence de vols dans les stations-service.

l'un ou l'autre

Si seul l'un des deux : verbe au sing. → L'un ou l'autre jour est acceptable.

même

Adjectif : accord en nombre avec le nom ou le pronom démonstratif.

la fille même | les mêmes nuits | les garçons mêmes | ceux-là mêmes

Pronom personnel : trait d'union et accord en nombre.

lui-même | elle-même | eux-mêmes | elles-mêmes

Adverbe que l'on peut remplacer par *aussi* : invariable.

Même les hommes sont mortels. | Ils se disaient même médecins.
Les hommes même sont mortels. | Elles voulaient même l'épouser.

moins de deux

Le verbe se met au pluriel. → Moins de deux mois se sont écoulés.

ne explétif

En langue écrite, il peut s'employer avec les verbes exprimant la crainte, le doute, la négation, mais il n'est pas obligatoire (sauf après *plutôt que*).

Je crains qu'il ne pleuve. *Ou :* Je crains qu'il pleuve.
Ils se complètent plutôt qu'ils ne s'opposent. (*obligatoire*)

ne... que

Si l'on remplace le **ne... que** par **seulement,** le *ne* s'efface. Comme ces deux expressions ont le même sens, on ne peut pas les trouver ensemble.

On *ne* prend son parapluie *que* s'il pleut.
On prend son parapluie *seulement* s'il pleut.
Ils *n'*ont *qu'*un repas à payer. (*et non :* Ils n'ont seulement qu'un repas à payer.)

ni... ni

Le verbe se met généralement au pluriel, sauf si le sens est singulier.

Ni son père ni sa mère ne chantent. | Ni Lise ni Luce n'est sa gardienne.
Ni l'un ni l'autre ne sont venus. | Ni l'une ni l'autre n'est venue.

ni – n'y

Remplacement par *ne* ou *n'* → Nous n'y allons pas. (*Nous n'allons pas là.*)
Remplacement impossible → Ni toi ni moi ne le pourrons.

nom collectif

Collectif : nom qui, au singulier, désigne un ensemble. Liste partielle :

assemblée	équipe	masse	poignée
bande	foule	meute	quantité
caravane	groupe	multitude	série
comité	infinité	nombre	tas
cortège	lot	nuée	totalité
ensemble	majorité	paquet	troupe

Si l'on considère l'ensemble global, le verbe se met au singulier. Si l'on considère le nombre d'êtres ou de choses, le verbe se met au pluriel.

Le *groupe* des manifestants grossissait lentement.
Un groupe de *manifestants* chantaient divers slogans.

Elle découvrit un *paquet* de lettres qui était bien ficelé.
Elle découvrit un paquet de *lettres* qui étaient toutes manuscrites.

J'ai mal dans le bas du dos. Je crois que j'ai attrapé un bungalow.

nom de quantité

Liste des mots suivant la règle énoncée ci-dessous :

dizaine	cinquantaine	quinzaine	soixantaine	trentaine	tiers
douzaine	centaine	vingtaine	quarantaine	quart	moitié

S'il s'agit d'un nombre précis, le verbe se met au singulier. Mais, s'il s'agit d'un nombre approximatif, le verbe se met au pluriel.

La douzaine d'œufs est de plus en plus chère.
La douzaine de membres présents ont applaudi.

non seulement..., mais

Le verbe s'accorde avec le second sujet.

Non seulement ses richesses, mais tout son honneur a disparu.
Non seulement son honneur, mais toutes ses richesses ont disparu.

nous d'humilité

Si *nous* = *je,* le verbe se met au pluriel, le participe passé ou l'adjectif est au singulier.

« Dans ce livre, nous nous sommes efforcée d'être claire », dit cette auteure.

on

Si *on* = *quelqu'un,* le verbe et le participe passé ou l'adjectif se mettent au singulier.

On s'est introduit dans ma maison. = *Quelqu'un* s'est introduit dans ma maison.

Si *on* = *nous* (dans la langue familière), le verbe reste au singulier. Le participe passé et l'adjectif s'accordent au pluriel.

En langue écrite normale → Nous sommes allés au cinéma.
En langue familière → On est allés au cinéma.

on – on n'

Remplacement de *on* par *il* → On n'attend pas d'invités.
C'est la liaison qu'on entend → On attend des invités.

ou

Si *ou* signifie un choix entre deux termes, le verbe se met au singulier. Si *ou* signifie *et,* le verbe se met au pluriel.

Le maire ou le secrétaire fera un discours. (*l'un des deux*)
Un choc physique ou une émotion peuvent lui être fatals. (*tous les deux*)

ou – où

Remplacement par *ou bien* → Préfères-tu l'été ou l'hiver ?
Remplacement impossible → Voici l'école où j'ai étudié.

palier – pallier

Un palier est une plateforme dans un escalier.
Le verbe *pallier* est transitif direct : *Nous devons pallier le froid en nous habillant.*

par

Si *par* signifie *pour chaque* : singulier → Il y aura deux pommes par personne.
Si *par* signifie *en plusieurs* : pluriel → Classer par couleurs.

par ce que – parce que

Remplacement par *par la chose que* → Je suis intéressé par ce que tu me dis.
Remplacement par *puisque* → Tu réussiras parce que tu es intelligent.

pas – sans

Au singulier ou au pluriel, selon la réponse à : *s'il y en avait, y en aurait-il plusieurs ?*

Ces pêches n'ont pas de noyau.	(*Si elles en avaient, elles n'en auraient qu'un.*)
Ces pêches sont sans noyau.	(*Si elles en avaient, elles n'en auraient qu'un.*)
Cette pomme n'a pas de pépins.	(*Si elle en avait, elle en aurait plusieurs.*)
Cette pomme est sans pépins.	(*Si elle en avait, elle en aurait plusieurs.*)

passé (préposition)

Remplacement par *après* : invariable	→	Passé l'église, tournez à droite.
Même règle pour le lieu et le temps	→	Passé cette date, vous serez pénalisé.

personne

Ce mot englobe les hommes et les femmes : *Les personnes présentes étaient ravies.*
En personne est toujours invariable : *Nous sommes allés à la réunion en personne.*
Quand *personne* est pronom indéfini, il est masculin : *Personne n'est parfait.*
Quand *personne* désigne une femme, il est féminin : *Personne n'est plus belle qu'elle.*

✤ Noter l'accord au singulier : *Rien ni personne ne l'en empêchera.*

pétrolière – pétrolifère

L'adjectif *pétrolier* désigne ce qui a rapport au pétrole : *l'industrie pétrolière.* Au Canada, en faisant l'ellipse de *compagnie,* on trouve : *Les pétrolières encaissent des bénéfices.*

Pétrolifère (du latin *ferre,* porter) ne s'applique qu'à ce qui « porte » du pétrole : *terrain pétrolifère, gisement pétrolifère, couche pétrolifère.*

peut – peu

Remplacement par *pouvait = peut*	→	Elle peut faire cela. Il sourit peu.

peu importe – qu'importe

Le verbe s'accorde avec son sujet inversé ou reste invariable. Les deux sont permis.

Peu importent les menaces.	Peu importe les menaces.
Qu'importent les dangers.	Qu'importe les dangers.

peut-être – peut être

Remplacement par *probablement*	→	Elle arrivera peut-être demain.
Remplacement par *pouvait*	→	Jean peut être fier de sa victoire.

plein

Plein + article défini : invariable	→	Ils ont des dollars plein les poches.

pluriel en *-als*

Avals, bals, bancals, cals, caracals, carnavals, cérémonials, chacals, chorals, fatals, festivals, jovials, natals, navals, récitals, régals.

pluriel des noms propres

Familles normales :	inv.	→	les Dupont, les Tremblay, les Maréchal
Familles célèbres :	var.	→	les Tudors, les Bourbons, les Césars
Œuvres célèbres :	var.	→	des Renoirs, des Rembrandts, des Picassos
Journaux, livres (sans l'article) :	inv.	→	deux *Presse,* trois *Parisien libéré*
Toponymes, quand plusieurs :	var.	→	les Amériques, les Guyanes, les Corées
Toponymes en général :	inv.	→	les Montréal sont nombreux en France
Noms de marques :	inv.	→	deux Chevrolet, trois Boeing, deux Peugeot

✤ La tendance est aujourd'hui à l'invariabilité pour la plupart de ces cas.

J'ai un ongle de pied incarcéré.

plus d'un

Le verbe se met au singulier.	→	Plus d'un élève fut étonné.

plutôt – plus tôt

Remplacement par *de préférence*	→	Je viendrai plutôt demain.
Remplacement impossible	→	J'arriverai plus tôt que toi.

plutôt que

Accord avec le sujet devant *plutôt que*	→	La gloire plutôt que les profits l'intéresse.

possible

Remplacement par *qu'il est possible*	→	Nous ferons le moins de fautes possible.
Remplacement par *qui sont possibles*	→	Nous ferons tous les efforts possibles.

pour cent

Suivi d'un nom singulier : verbe au singulier, et accord de l'adj. et du p.p. avec le nom.

Dix pour cent de la *population* est contente et soulagée.

Suivi d'un nom pluriel : verbe au pluriel, et accord de l'adj. et du p.p. avec le nom.

Dix pour cent des *joueuses* sont contentes et soulagées.

Précédé de *les, mes, ces* : verbe au pluriel ; adj. et p.p. au masculin pluriel.

Les dix pour cent de la population sont contents et soulagés.

pourquoi – pour quoi

Remplacement par *pour quelle raison*	→	Pourquoi vous habillez-vous ?
Remplacement impossible	→	Pour quoi faire vous habillez-vous ?

près – prêt

Remplacement de *près* par *proche*	→	Il est près de la fenêtre.
Remplacement de *prêt* par *préparé*	→	Il est prêt à jouer.

quant à – tant qu'à

Quant à = en ce qui concerne	→	Quant à la tarte, elle était excellente.
Tant qu'à + inf. = puisqu'il faut	→	Tant qu'à lire une partie, lisons le tout.
Tant qu'à + nom ou pronom (*fautif*)	→	Tant qu'à moi... (*incorrect*) Quant à moi... (*correct*)

quelque – quel que

Remplacement par *n'importe quel*	→	Pour quelque motif que ce soit...
Remplacement par *une quelconque*	→	Il faut faire quelque chose.
Remplacement par *plusieurs*	→	J'ai cueilli quelques pommes.
Remplacement par *environ*	→	J'ai cueilli quelque soixante pommes.
Remplacement par *aussi*	→	Quelque bonnes qu'elles soient...
Juste devant *être* au subj. : accord	→	Quel que *soit* le lieu, quel qu'il *soit*, quelle qu'en *puisse être* la date, nous irons.

quelquefois – quelques fois

Remplacement par *parfois*	→	Quelquefois, il venait me voir.
Remplacement par *plusieurs fois*	→	Ce soir-là, il a ri quelques fois.

qui

Si le pronom relatif *qui* a pour antécédent un pronom personnel, le verbe se met à la même personne et au même nombre que l'antécédent.

C'est *nous* qui *perdons*. C'est *vous* qui l'*avez* vu. C'est *toi* qui l'*as* gagnée.

La boulangère s'est fait rouler dans la farine ; elle est dans le pétrin.

quoique – quoi que

Remplacement par *bien que* → Quoique cela soit difficile, elle persiste.
Remplacement impossible → Quoi que tu en penses, je viendrai.

rappeler (se) – souvenir (se)

Se rappeler, trans. direct (sans prép.) → On se rappelle son enfance.
Se souvenir, trans. indirect (avec *de*) → On se souvient de son enfance.

reçu

Placé avant, invariable : *reçu la somme de 100.* Après, accord : *la somme reçue.*

remercier *de* ou *pour*

Avec un nom abstrait, on utilise *de* → Je vous remercie de votre amabilité.
Avec un nom concret, on utilise *pour* → Je vous remercie pour vos cadeaux.

second – deuxième

Généralement, on utilise **deuxième** quand on sait qu'il y aura au total plus de deux éléments dans l'énumération : *la deuxième période d'une partie de hockey.* On utilise **second** quand l'énumération s'arrête à deux : *le second garçon de ce couple* (cela signifie que le couple n'a que deux garçons). On écrit : *la Seconde Guerre mondiale,* en espérant qu'il n'y en aura pas une troisième.

si (concordance des temps)

Verbe de la principale au futur : celui de la subordonnée se met au présent.

Je sortirai demain s'il fait beau. (*et non :* s'il fera beau)

Verbe de la principale au conditionnel : celui de la subordonnée se met à l'imparfait.

J'irais avec toi si tu le voulais. (*et non :* si tu le voudrais)

si + il(s)

Toujours élision du *i* de *si* devant *il* ou *ils* : **s'il, s'ils.**

Je ne sais pas s'ils en riront. (*et non :* Je ne sais pas si ils en riront.)

si tôt – sitôt

Remplacement par *si tard* → Je ne pensais pas que tu viendrais si tôt.
Remplacement par *aussitôt* → Sitôt dit, sitôt fait.

soi-disant

Peut s'utiliser avec des personnes → Ces dames soi-disant intéressantes...
ou avec des objets : toujours invar. → Des voitures soi-disant en bon état...

soussigné

Sans virgules et accord avec le sujet → Nous soussignés reconnaissons...
Suivi d'une apposition avec virgules → Je soussignée, Marie Dupont, reconnais...

sur-le-champ – sur le champ

Remplacement par *immédiatement* → Nous avons réagi sur-le-champ.
Remplacement impossible → Il a mis de l'engrais sur le champ de maïs.

t euphonique

Pour faciliter la prononciation → Les convainc-t-il ? Y sera-t-il ? A-t-on sonné ?
Pas après un **d** → Prend-elle du thé ? Répond-elle souvent ?
Pas après un **t** → Veut-il venir me voir ? Voyait-elle bien ?
✣ Attention à l'élision du **e** de **te** → Va-t'en. Achète-t'en une. Fie-t'y.

J'en ai assez, chaque fois que j'ouvre la bouche, il y a un imbécile qui parle !

tel

tel s'accorde en genre et en nombre avec le nom qui suit.

J'ai vu que tel était son désir. Un animal telle la girafe a un long cou.

tel que s'accorde en genre et en nombre avec le nom qui précède.

Un animal tel que la girafe... Des animaux tels que les girafes...

tel quel, qui signifie *sans changement,* s'accorde en genre et en nombre.

J'ai emprunté vos lunettes en bon état; je vous les rends telles quelles.

On n'écrit pas : Tel que je vous l'ai dit..., *mais on écrit :* Comme je vous l'ai dit...

tout

Adjectif : accord en genre et en nombre avec le nom.

tout le jour toute la nuit tous les matins toutes les heures

Adverbe signifiant *entièrement* ou *tout à fait* : invariable devant un p.p. ou un adjectif...

Je portais des vêtements tout usés. Elle est tout attristée.

...mais variable si c'est un *féminin* débutant par une consonne ou un **h** aspiré.

Elle est toute contente. Elle est toute honteuse. Ce sont les toutes premières.

On écrit : de toute façon, de toute manière, de toute évidence, de toute(s) sorte(s).

un de ceux qui – un des... qui

Le verbe se met au pluriel.

Vous êtes un de ceux qui ont été élus. Vous êtes un des auteurs qui ont été élus.

villes

Noms de villes débutant par **Le** ou **La** : même genre que cet article.

Le Gardeur est beau. La Pocatière est belle.

Noms de villes finissant par **-e** ou **-es** : genre féminin.

Saint-Jérôme est belle. Trois-Rivières est belle.

Noms de villes finissant autrement que par **-e** ou **-es** : genre masculin, généralement. On accepte aussi le féminin (accord avec *ville* sous-entendu).

Québec est beau. Montréal est beau. Montréal est belle.

villes francisées

Vérifier dans le dictionnaire pour savoir quelles villes ont été francisées. Francisées : *Saint-Pétersbourg, Édimbourg.* Non francisées : *Stratford-on-Avon, Henley-on-Thames.*

vive

Interjection invariable → Vive la liberté! Vive les gens d'esprit!

vous de politesse

Quand *vous = tu,* le verbe est au pluriel, mais le p.p. ou l'adjectif reste au singulier.

Vous êtes *arrivée* toute seule. Êtes-vous *content* du résultat, Jacques?

Féminisation des textes

Féminisation : emploi facultatif

Pour l'Office québécois de la langue française (OQLF), la féminisation des textes demeure toujours facultative, mais son emploi permet de rendre visible la présence des femmes.

Formes tronquées : à exclure

Selon la Banque de dépannage linguistique (BDL) de l'OQLF, les formes tronquées, c'est-à-dire modifiées par l'emploi de différentes marques graphiques (parenthèses, trait d'union, barre oblique) ou encore par le recours à la majuscule, sont fortement déconseillées.

On évitera :	**Donc, on n'écrira pas :**
les parenthèses	les enseignant(e)s retraité(e)s
les traits d'union	les citoyen-ne-s âgé-e-s
les barres obliques	les étudiant/e/s inscrit/e/s
les majuscules	les auteurEs sélectionnéEs

Note explicative

« L'emploi d'une note explicative comme : *Dans ce texte, le masculin englobe les deux genres et est utilisé pour alléger le texte,* ne permet pas l'emploi des noms féminins et empêche par le fait même d'accorder une certaine visibilité aux femmes dans les textes. »

— Office québécois de la langue française, dans la BDL

Charte des droits et libertés de la personne (Québec)

Article 10. — Toute personne a droit à la reconnaissance et à l'exercice, en pleine égalité, des droits et libertés de la personne, sans distinction, exclusion ou préférence fondée sur la race, la couleur, le sexe...

Loi canadienne sur les droits de la personne (Canada)

Article 2, a). — Tous ont droit, dans la mesure compatible avec leurs devoirs et obligations au sein de la société, à l'égalité des chances d'épanouissement, indépendamment des considérations fondées sur la race, l'origine nationale ou ethnique, la couleur, la religion, l'âge, le sexe...

Grevisse : *Nouvelle grammaire française*

Les noms qui connaissent la variation en genre d'après le sexe de la personne désignée sont employés au masculin dans les circonstances où ils visent aussi bien des êtres masculins que des êtres féminins. En effet, le genre masculin n'est pas seulement le genre des êtres mâles, mais aussi le genre indifférencié, le genre asexué.

Il a quatre beaux enfants : deux garçons et deux filles.
L'héritier qui renonce est censé n'avoir jamais été héritier.

Larousse : *La nouvelle grammaire du français*

Le masculin s'emploie pour désigner n'importe quel représentant de l'espèce, sans considération de sexe ; c'est le masculin générique.

L'homme est un être doué de raison (homme = homme + femme).
Les enseignants se sont réunis hier (enseignants = enseignants + enseignantes).

La nouvelle orthographe et la féminisation

La nouvelle orthographe ne change rien à la féminisation dans ses principes.

Le facteur, légèrement timbré, prenait tout à la lettre.

Méthode de féminisation

Les stratégies décrites ci-dessous sont des extraits du *Guide de féminisation* de l'UQAM.

Utilisation des doublets

Une étudiante ou un étudiant. Les enseignants et enseignantes.

Stratégies de rédaction (*la forme recommandée est en italique*)

En plus d'assumer les responsabilités de tuteur...
En plus d'assumer les responsabilités de tutorat...

Un archiviste est responsable de la conservation des documents.
Le Service des archives est responsable de la conservation des documents.

La réunion d'information aura lieu demain pour les employés du secrétariat.
La réunion d'information aura lieu demain pour le personnel du secrétariat.

On demande la collaboration de chacun des membres.
On demande la collaboration de chaque membre.

Les étudiants ont été conviés à cette réunion. Plusieurs étudiants y ont assisté.
Les étudiants et étudiantes ont été conviés à cette réunion. Plusieurs y ont assisté.

L'étudiant pour lequel la demande a été formulée...
L'étudiante ou l'étudiant pour qui la demande a été formulée...

... les travaux des étudiants seront remis à ces derniers.
... les travaux des étudiants et étudiantes leur seront remis.

Le ou la responsable invitera les membres de son équipe à participer...
Les responsables inviteront les membres de leur équipe à participer...

... équivalence entre l'expérience et un cours du programme de l'étudiant.
... équivalence entre l'expérience et un cours du programme choisi.

... avec obligation pour eux de diffuser...
... avec obligation de leur part de diffuser...

Un des membres assurera la présidence. Il sera nommé par l'assemblée.
Un ou une des membres assurera la présidence. L'assemblée verra à sa nomination.

... en cas d'absence du cadre. Si l'absence de celui-ci se prolongeait...
... en cas d'absence du ou de la cadre. Si son absence se prolongeait...

Si l'étudiant n'est pas satisfait de sa note, il peut faire...
Si l'étudiante ou l'étudiant n'est pas satisfait de sa note, il lui est possible de faire...

Un étudiant pourra changer de groupe sans qu'il ait à débourser des frais.
Un étudiant ou une étudiante pourra changer de groupe sans encourir de frais.

Les cadres ne doivent pas s'y inscrire et, s'ils le font, on annulera leur inscription.
Les cadres ne doivent pas s'y inscrire et, le cas échéant, on annulera leur inscription.

Chers collègues, vous êtes convoqués, par la présente, à la réunion...
Chers et chères collègues, nous vous convoquons, par la présente, à la réunion...

L'étudiant doit en faire lui-même la demande.
L'étudiante ou l'étudiant doit en faire la demande.

Le directeur vérifie la demande et il la transmet...
La directrice ou le directeur vérifie la demande et la transmet...

Il mettra fin à sa collaboration, s'il le juge nécessaire...
Il ou elle mettra fin à sa collaboration, si cette décision s'avère nécessaire...

Voir aussi : *Avoir bon genre à l'écrit* (Office québécois de la langue française).

Féminisation des fonctions

Cette liste est tirée de la BDL, dans laquelle l'Office québécois de la langue française propose des féminins. L'usage dira lesquelles parmi ces formes s'imposeront.

une accordeuse
une acquéreuse
une acuponctrice
une adjudante
une administratrice
une agente
une agricultrice
une aiguilleuse
une ajusteuse
une amatrice
une aménageuse
une amirale
une animatrice
une annonceure
une apicultrice
une apparitrice
une applicatrice
une arbitre
une arboricultrice
une architecte
une archiviste
une armurière
une arpenteuse
une artisane
une artiste
une assesseure
une assureure
une astrologue
une astronome
une attachée
une auteure
une avicultrice
une avocate
une ayant droit
une banquière
une bâtonnière
une bénéficiaire
une bottière
une boursière
une brigadière
une briqueteuse
une bruiteuse
une buandière
une bucheronne
une câbleuse
une cadre
une cadreuse
une camelot
une camionneuse
une canoteuse
une capitaine
une caporale
une cardiologue
une carreleuse
une catalogueuse
une cégépienne
une censeure
une chapelière
une chargée de cours
une chargeuse
une charpentière
une chaudronnière
une chauffeuse
une chef
une chercheuse
une chiropraticienne
une chirurgienne
une chômeuse
une chroniqueuse
une chronométreuse
une cimentière
une clown
une collègue
une colonelle
une commandante
une commis
une commissaire
une communicatrice
une compositrice
une conceptrice
une conductrice
une conseil
une consule
une contractuelle
une contremaitresse
une contrôleuse
une coopérante
une coordonnatrice
une cordonnière
une coroner
une correctrice
une coureuse
une courrière
une courtière
une couseuse
une couvreuse
une créatrice
une critique
une débardeuse
une débosseleuse
une découvreuse
une décrocheuse
une délatrice
une déléguée
une délinquante
une demanderesse
une demandeuse
une dentiste
une dépanneuse
une députée
une dessinatrice
une détective
une détentrice
une diététiste
une diffuseuse
une diplomate
une docteure
une écrivaine
une éditorialiste
une électronicienne
une éleveuse
une émettrice
une employeuse
une emprunteuse
une encodeuse
une enquêteuse
une entraineuse
une entrepreneuse
une équarrisseuse
une essayeuse
une estimatrice
une évaluatrice
une examinatrice
une experte-comptable
une exploitante
une fabricante
une factrice
une femme-grenouille
une ferblantière
une ferrailleuse
une finisseuse
une fondeuse
une foreuse
une fournisseuse

une fraiseuse
une franchisseuse
une garde
une garde forestière
une générale
une généticienne
une géophysicienne
une gérante
une gouteuse
une gouverneure
une graveuse
une greffière
une guide
une horlogère
une horticultrice
une hôte (*est reçue*)
une hôtesse (*reçoit*)
une huissière
une illustratrice
une imprésario
une imprimeuse
une indicatrice
une industrielle
une ingénieure
une inspectrice
une installatrice
une instructrice
une intendante
une interlocutrice
une interne
une intervenante
une intervieweuse
une investisseuse
une jardinière
une jockey
une juge
une jurée
une juriste
une lamineuse
une lectrice
une législatrice
une lettreuse
une lieutenante
une lieutenante-gouverneure
une locutrice
une lotisseuse
une luthière
une maçonne
une magasinière
une magistrate
une mairesse
une maitre
une malfaitrice
une mannequin
une manœuvre
une maraichère
une marguillère
une marin
une matelot
une médecin
une meneuse
une mentore
une menuisière
une metteure en scène
une ministre
une monteuse
une notaire
une officière
une oratrice
une orienteuse
une pasteure
une pêcheuse
une peintre
une pharmacienne
une physicienne
une pilote
une piscicultrice
une plâtrière
une plombière
une poète
une policière
une pompière
une porte-parole
une potière
une prédécesseure
une préfète
une première ministre
une préposée
une présentatrice
une principale
une procureure
une professeure
une programmeuse
une promotrice
une proposeuse
une prospectrice
une puéricultrice
une rapporteuse
une réalisatrice
une recenseuse
une réceptrice
une recruteuse
une rectifieuse
une rectrice
une rédactrice
une régisseuse
une réparatrice
une répartitrice
une répétitrice
une reporteuse
une réviseure (réviseuse)
une sapeuse-pompière
une sauveteuse
une savante
une scrutatrice
une sculpteure
une sénatrice
une sergente
une serrurière
une soigneuse
une soldate
une solliciteuse
une soudeuse
une souffleuse
une sous-chef
une sous-ministre
une spectatrice
une stagiaire
une substitut
une successeure
une supérieure
une superviseure
une surintendante
une syndique
une tailleuse
une tanneuse
une tapissière
une technicienne
une téléphoniste
une témoin
une teneuse de livres
une tisserande
une titulaire
une tôlière
une topographe
une tourneuse
une traiteuse
une trappeuse
une tricoteuse
une trieuse
une tutrice
une tuyauteuse
une typographe
une universitaire
une utilisatrice
une vainqueur
une vérificatrice
une vice-présidente
une vitrière
une voyagiste
une zootechnicienne

Le tissu tissé autour de notre corps est le tissu tissulaire.

Préfixes des mots

- Les mots créés pour la circonstance sont des mots qui n'apparaissent pas dans les dictionnaires. Il faut en faire un usage modéré. Au lieu de créer des mots avec des préfixes comme *archi, extra, ultra, hyper* ou *super,* on peut très bien utiliser *très.*
- Le trait d'union est maintenu si le mot suivant le préfixe commence par une capitale : *le mouvement pro-France, le mouvement profrançais, les gens pro-ONU.*
- Le trait d'union est maintenu entre deux adjectifs ethniques pour marquer une relation : *la guerre franco-allemande, la lutte gréco-romaine.*
- Le trait d'union est maintenu quand le mot suivant le préfixe contient un ou plusieurs traits d'union : *un super-rendez-vous, un super-arc-en-ciel.*
- Le trait d'union est maintenu quand le préfixe est suivi d'un nombre écrit en chiffres : *le pré-400ᵉ, le post-400ᵉ.*
- Pour éviter une mauvaise prononciation, le **trait d'union** est toujours maintenu quand les voyelles suivantes se rencontrent :

a-i	extra-irritant *et non :* extrairritant	**o-i**	auto-immunité *et non :* autoimmunité
a-u	ultra-universel *et non :* ultrauniversel	**o-u**	micro-univers *et non :* microunivers

anti-	Sans trait d'union : *antialcoolique, antioxydant, antiinflammatoire.*
archi-	Sans trait d'union : *archiprêtre, archiduchesse, archimillionnaire.*
au-	Avec trait d'union : *au-dessus, au-dessous, au-dedans, au-dehors, au-delà...*
auto-	Sans trait d'union : *autoadhésif, autocensure.* Sauf devant **i** ou **u.**
bi-	Sans trait d'union. Devant une consonne : *bifocal, bidirectionnel, bimensuel.* Devant une voyelle, on ajoute un **s** : *bisaïeul, bisannuel.*
bio-	Sans trait d'union : *bioélectricité, biocarburant.* Sauf devant **i** ou **u.**
cyber-	Sans trait d'union : *cyberattaque, cybercafé, cyberespace, cybernaute.*
co-	Sans trait d'union : *coauteur, coéditeur, coopérant, coprésident.* Devant un **i** : *coïnculpé, coïncidence.* Mais *coincer* (*co* n'est pas préfixe).
en	Sans trait d'union : *en dedans, en dehors, en dessus, en dessous.*
ex-	Avec trait d'union : *ex-femme, ex-étudiant, ex-itinérant.*
extra-	Sans trait d'union : *extraconjugal, extrajudiciaire.* Sauf devant **i** ou **u.**
franco-	Les préfixes dérivés d'adjectifs ethniques sont reliés par un trait d'union : *les relations franco-canadiennes, la guerre russo-allemande.*
hyper-	Sans trait d'union : *hyperémotivité, hyperacidité, hyperactive.*
hypo-	Sans trait d'union : *hypodermique, hypoesthésie.* Sauf devant **i** ou **u.**
inter-	Sans trait d'union : *interindustriel, une réunion interentreprises.*
intra-	Sans trait d'union : *intraveineux, intraoculaire.* Sauf devant **i** ou **u.**
méga-	Sans trait d'union : *mégacôlon, mégaphone.* Sauf devant **i** ou **u.**
méta-	Sans trait d'union : *métacentre, métacognition.* Sauf devant **i** ou **u.**
mi-	Avec trait d'union : *mi-bas, mi-figue, mi-janvier, mi-session.*
micro-	Sans trait d'union : *microédition, microfiche.* Sauf devant **i** ou **u.**
mini-	Sans trait d'union : *minibus, minigolf, minijupe, minicassette.* Placé après, sans trait d'union et invariable : *des shorts mini.*
mono-	Sans trait d'union : *monoparental, monoplace.* Sauf devant **i** ou **u.**

Le zéro est très utile, surtout si on le met derrière les autres nombres.

multi- Sans trait d'union : *multiethnique, multidisciplinaire, multipropriété.*

omni- Sans trait d'union : *omnipotent, omniprésent, omnisports.*

pan- Sans trait d'union : *panafricain, panchromatique, panoptique.*

par- Sans trait d'union : *par ailleurs, par contre, par en bas, par en haut, par l'avant, par l'arrière, par ici, par terre.*
Avec trait d'union : *par-ci, par-là, par-devant, par-derrière, par-dessus, par-dessous.*

para- Sans trait d'union : *parafiscalité, parascolaire.* Sauf devant **i** ou **u.**

poly- Sans trait d'union : *polyalcool, polyiodure, polyurie, polycopie.*

post- Sans trait d'union : *postnatal, postindustriel, postscriptum.*
Même devant un **t** : *posttraumatisme, posttraumatique.*
Devant un nom propre : *la post-Renaissance.*

pré- Sans trait d'union : *prééminence, préoccuper.* Sauf devant un nom propre : *la pré-Renaissance,* ou un sigle : *la période pré-ONU.*

pro- Sans trait d'union : *proasiatique, procréation.* Sauf devant **i** ou **u.**
Trait d'union devant un nom propre : *pro-Suède,* un sigle : *pro-ONU,* un nom composé : *pro-tiers-monde,* et les mots *pro-vie* et *pro-choix.*

pseudo- Devant tout nom pour signifier *faux* : *pseudo-médecin, pseudo-pain.*

quasi- Devant un adj., p.p. ou adv. : *quasi fatal, quasi fini, quasi entièrement.*
Devant un nom, trait d'union : *quasi-contrat, quasi-délit, quasi-totalité.*

radio- Sans trait d'union : *radioactif, radiodiffusion.*
Sauf devant **i** ou **u** et devant une capitale : *Radio-Canada.*

re-, ré- Sans trait d'union : *redire, réorganiser, réhydrater.* (*consulter dictionnaire*)

rétro- Sans trait d'union : *rétroactif, rétroviseur.* Sauf devant **i** ou **u.**

sans- Avec trait d'union : *sans-emploi, sans-abri, sans-gêne, sans-le-sou.*

semi- Avec trait d'union : *semi-automatique, semi-rural, semi-voyelle.*

simili- Sans trait d'union : *similibronze, similicuir, similiforme, similimarbre.*

socio- Sans trait d'union : *sociodrame, socioéducatif.* Sauf devant **i** ou **u.**

sous- Avec trait d'union : *sous-directrice, sous-alimenter, sous-entendre.*
Exceptions : *souscrire et soustraire,* ainsi que leurs dérivés.

stéréo- Sans trait d'union : *stéréochimie, stéréométrie.* Sauf devant **i** ou **u.**

super- Sans trait d'union : *superacide, superbénéfice, superordinateur.*
Adjectif, invariable : *des filles super.*
Adverbe, invariable : *des filles super sympas, des robes super haut de gamme.*

supra- Sans trait d'union : *supranational, suprasensible.* Sauf devant **i** ou **u.**

sub- Sans trait d'union : *subalterne, subconscient, subdivision.*

sur- Sans trait d'union : *suramplificateur, suremploi, surimposition.*

sus- Sans trait d'union : *suscription, susdénommé, susdit, susnommer.*
Sauf : *sus-dominante, sus-hépatique, sus-jacent, sus-tonique.*

télé- Sans trait d'union : *téléavertisseur, téléfilm, téléobjectif, téléski.*

trans- Sans trait d'union : *transaction, transatlantique, transborder.*

tri- Sans trait d'union quand il signifie *trois* : *triangle, trière, trithérapie.*

ultra- Sans trait d'union : *ultrachic, ultracourt, ultramicroscope.* Sauf devant **i** ou **u.**

Les Égyptiens transformaient les morts en momies pour les garder vivants.

Nouvelle orthographe : règles

- Pour plus de détails, visitez le site **www.gqmnf.org.** Vous pouvez aussi vous référer au *Grand vadémécum de l'orthographe moderne recommandée : cinq millepattes sur un nénufar.*
- Le *Dictionnaire de l'Académie française,* dans sa 9e édition, rappelle qu'aucune des deux graphies (ni la traditionnelle ni la nouvelle) ne peut être tenue pour fautive. C'est également la position de l'Office québécois de la langue française (communiqué du 3 mai 2004).
- Bien que les deux graphies soient bonnes, il est préférable d'utiliser un seul type de graphie dans un même texte : tout en orthographe traditionnelle ou tout en nouvelle orthographe. Par exemple, il serait malvenu de voir à la fois dans un même texte *s'il vous plait* et *il connaît.*
- La nouvelle orthographe ne concerne ni les noms propres ni leurs dérivés.
- Dans ce livre, l'orthographe traditionnelle est indiquée entre crochets.

L'écriture des nombres en lettres se trouve à la page 140.

1. L'accent grave

Devant une syllabe muette, on écrit **è** et non **é.** Cela concerne notamment la conjugaison au futur et au conditionnel de tous les verbes qui ont à l'infinitif un **é** accent aigu sur l'avant-dernière syllabe (par exemple : *abréger, céder* ou *digérer*).

sècheresse	[sécheresse]	j'abrègerai	[j'abrégerai]
crèmerie	[crémerie]	je cèderai	[je céderai]
règlementaire	[réglementaire]	ils règleraient	[ils régleraient]

Exceptions : a) les préfixes *dé-* et *pré-* : *dégeler, prévenir*; b) les **é** initiaux : *échelon, élever*; c) les mots *médecin* et *médecine.*

2. L'accent circonflexe

L'accent circonflexe disparait sur les lettres **i** et **u.** On le maintient dans les terminaisons du passé simple et du subjonctif, et dans les cas suivants d'ambigüité : les masculins singuliers *dû, mûr, sûr*; le mot *jeûne(s)* pour ne pas le confondre avec *jeune(s)*; les formes de *croitre* qui, sinon, se confondraient avec celles de *croire* : *je crois en toi, je croîs en sagesse*.

il connait	[il connaît]	surcroit	[surcroît]
elle buche	[elle bûche]	voute	[voûte]
nous finîmes	nous fûmes	qu'elle finît	qu'elle fût

3. Le tréma

Le tréma est déplacé sur la lettre **u** prononcée dans les suites *-güe* et *-güi-* et il est ajouté dans quelques mots pour éviter des prononciations défectueuses.

aigüe, ambigüe	[aiguë, ambiguë]	gageüre	[gageure]
ambigüité	[ambiguïté]	vergeüre	[vergeure]
exigüe	[exiguë]	argüer	[arguer]

4. Le trait d'union

La soudure s'impose : a) dans les mots composés de *contr(e)-* et *entr(e)-*; b) dans les onomatopées et dans les mots d'origine étrangère; c) dans les mots composés avec des éléments «savants», en particulier en **-o** (ex. *autoévaluation*).

contrappel	[contre-appel]	entretemps	[entre-temps]
tictac, guiliguili	[tic-tac, guili-guili]	holdup, cowboy	[hold-up, cow-boy]
microéconomie	[micro-économie]	agroalimentaire	[agro-alimentaire]

Les fables de La Fontaine sont si anciennes qu'on ignore le nom de leur auteur.

5. Les noms composés

Dans les noms composés du type *pèse-lettre* (verbe + nom) ou *sans-abri* (préposition + nom), c'est le second élément seulement qui prend la marque du pluriel lorsque le mot est au pluriel. Au singulier, le second élément se met au singulier.

un essuie-main	[un essuie-mains]	des essuie-mains	[des essuie-mains]
un porte-avion	[un porte-avions]	des porte-avions	[des porte-avions]
un sans-emploi	[un sans-emploi]	des sans-emplois	[des sans-emploi]
un après-midi	[un après-midi]	des après-midis	[des après-midi]

6. Les mots empruntés

Les mots empruntés forment leur pluriel de la même manière que les mots français et sont accentués conformément aux règles qui s'appliquent aux mots français.

des matchs	[des matches]	des pésos	[des pesos]
des révolvers	[des revolvers]	des toréros	[des toreros]
des édelweiss	[des edelweiss]	des raviolis	[des ravioli]

7. Les verbes en *-eler* ou *-eter*

Ces verbes se conjuguent sur le modèle de *peler* ou de *acheter.* Les noms dérivés de ces verbes se terminant en *-ment* suivent la même règle.

j'amoncèle	[j'amoncelle]	elle ruissèle	[elle ruisselle]
amoncèlement	[amoncellement]	ruissèlement	[ruissellement]
tu époussèteras	[tu époussetteras]	je cachète	[je cachette]

Exceptions : *appeler, jeter* et leurs composés, y compris *interpeler* [*interpeller*].

8. Les mots en *-olle* et les verbes en *-otter*

Les mots anciennement en *-olle* et les verbes anciennement en *-otter* s'écrivent avec une consonne simple. Les dérivés du verbe ont aussi une consonne simple.

corole	[corolle]	guibole	[guibolle]
frisoter	[frisotter]	greloter	[grelotter]
frisotis	[frisottis]	cachotière	[cachottière]

Exceptions : Les mots *colle, folle, molle,* et les mots de la même famille qu'un nom en *-otte,* comme *botter,* de *botte.*

9. Les anomalies corrigées

Certaines anomalies ont été corrigées pour correspondre à la prononciation ou pour les rapprocher de leur famille. Voici une liste partielle d'exemples :

absout, absoute	[absous, absoute]	joailler, joaillère	[joaillier, joaillière]
assoir, il s'assoit	[asseoir, il s'assoit]	ognon	[oignon]
bonhommie	[bonhomie]	papèterie	[papeterie]
bonnèterie	[bonneterie]	persiffler	[persifler]
briquèterie	[briqueterie]	prudhomme	[prud'homme]
combattif	[combatif]	prudhommie	[prud'homie]
dissout, dissoute	[dissous, dissoute]	quincailler	[quincaillier]
douçâtre	[douceâtre]	recéleur	[receleur]
exéma	[eczéma]	relai	[relais]
féérie	[féerie]	serpillère	[serpillière]
gangréneux	[grangreneux]	sursoir	[surseoir]
imbécilité	[imbécillité]	vilénie	[vilenie]

Les mots commençant par af *prennent deux* f. *Exemples :* affaire, affiche, Affrique.

Nouvelle orthographe : liste

- Les numéros à droite renvoient aux règles des deux pages précédentes. Le **s** ou le **x** s'ajoute au mot pour former le pluriel. Abréviations : dér. = dérivés ; (n.) = nom. Cette liste exclut les mots rares.
- Les verbes comportant un **é** accent aigu sur l'avant-dernière syllabe de l'infinitif (par exemple : *abréger*) changent ce **é** en **è** accent grave au futur et au conditionnel : *j'abrègerai, j'abrègerais*. Les exemples dans la liste ne sont cités qu'au futur.
- Les mots **ile** et **chaine** n'ont pas d'accent quand ils sont des noms communs. Ils gardent leur accent circonflexe quand ils font partie de toponymes administratifs.

Les mots latins se trouvent à la page 130.

baisse-langue, s	5
abat-jour, s	5
abat-son, s	5
abat-vent, s	5
abime + dér.	2
abrègement, s	1
abrègerai (j')	1
absout, absoute	9
accèderai (j')	1
accélérando, s	6
accélèrerai (j')	1
accroche-cœur, s	5
accroche-plat, s	5
accroitre	2
adagio, s	6
adhèrerai (j')	1
aèrerai (j')	1
affèterie, s	1
affrèterai (j')	1
affut + dér.	2
agglomèrerai (j')	1
agrègerai (j')	1
aide-mémoire, s	5
aigu, aigüe	3
aiguiller, s	9
aimè-je	1
ainé, ainée	2
ainesse	2
alèserai (j')	1
aliènerai (j')	1
allècherai (j')	1
allègement, s	1
allègerai (j')	1
allègrement	1
allégretto, s	6
allégro, s	6
allèguerai (j')	1
allume-feu, x	5
altèrerai (j')	1
ambigu, ambigüe	3
ambigüité, s	3
amoncèle (j')	7
amoncèlement, s	7
ampèreheure, s	4
amuse-gueule, s	5
antiâge	4
aout + dér.	2
à-pic, s	5
apparaitre	2
appâts	9
appuie-livre, s	5
appuie-main, s	5
appuie-nuque, s	5
appuie-tête, s	5
après-diner, s	5
après-midi, s	5
après-rasage, s	5
après-ski, s	5
après-vente, s	5
arcbouter + dér.	4
argüer	3
arioso, s	6
arrachepied (d')	4
arrière-gout, s	2
artéfact, s	6
assècherai (j')	1
assènerai (j')	1
assidument	2
assiègerai (j')	1
assoir	9
asti, s	6
attèle (j')	7
attrape-mouche, s	5
attrape-nigaud, s	5
audiovisuel	4
autoécole, s	4
autoérotique	4
autoévaluation, s	4
autostop, s	4
avant-gout, s	5
avant-midi, s	5
avèrera (il s')	1
baby, s	6
babyboum, s	4
babyfoot, s	4
bakchich, s	4
balloter + dér.	8
banquète (je)	7
barcarole, s	8
barman, s	6
baseball	4
basfond, s	4
basketball	4
bassecour, s	4
bat-flanc, s	5
belcanto, s	6
bélitre, s	2
béluga, s	6
benoit + dér.	2
bésicles	9
bestseller, s	4
bienaimé, s	4
bienaimée, s	4
bienêtre	4
bienfondé, s	4
bigbang, s	4
bizut, s	9
blasphèmerai (je)	1
bluejean, s	4
body, s	6
boite + dér.	2
bolchéviste + dér.	6
bonhommie	9
bonnèterie, s	9
boss, des boss	6
bossanova, s	6
bossèle (je)	7
bossèlement, s	7
bottèle (je)	7
bouche-pore, s	5
bouiboui, s	4
boursouffler + dér.	9
boutentrain, s	4
boyscout, s	4
braintrust, s	4
branlebas	4
braséro, s	6
brevète (je)	7
briquèterie, s	9
brise-copeau, x	5
brise-glace, s	5
brise-jet, s	5
brise-lame, s	5
brise-mariage, s	5
brise-menotte, s	5
brise-motte, s	5
brisetout, s	4
brise-vent, s	5
brule-bout, s	5
brule-gueule, s	5
brule-parfum, s	5
brule-pourpoint (à)	2
bruler + dér.	2
buche + dér.	2
cachecache	4
cache-cœur, s	5
cache-col, s	5
cache-corset, s	5
cache-entrée, s	5
cache-flamme, s	5
cache-misère, s	5
cache-museau, x	5
cache-pot, s	5
cache-prise, s	5
cache-sexe, s	5
cache-tampon, s	5
cachète (je)	7
cachoterie + dér.	8
cafétéria, s	6
cahincaha	4
cahutte, s	9
cale-pied, s	5
callgirl, s	4
caméraman, s	6
cannelloni, s	6
capte-suie, s	5
caquète (je)	7
carènerai (je)	1

Mot	Règle
carrèle (je)	7
casse-cou, s	5
casse-croute, s	5
casse-cul, s	5
casse-graine, s	5
casse-gueule, s	5
casse-noisette, s	5
casse-patte, s	5
casse-pied, s	5
casse-pierre, s	5
casse-pipe, s	5
casse-tête, s	5
cèderai (je)	1
célèbrerai (je)	1
cèleri, s	1
chachacha, s	4
chaine + dér.	2
chancèle (je)	7
charriot + dér.	9
chasse-clou, s	5
chasse-marée, s	5
chasse-neige, s	5
chasse-roue, s	5
chauffe-bain, s	5
chauffe-eau, x	5
chauffe-pied, s	5
chauffe-plat, s	5
chaussepied, s	4
chaussetrappe, s	9
chauvesouris	4
chéchia, s	6
checkup, s	4
cherry, s	6
chichekébab, s	4
chistéra, s	6
chlamydia, s	6
chowchow, s	4
cicérone, s	6
ci-git	2
cigüe, s	3
cinéclub, s	4
cinéparc, s	4
cinéroman, s	4
cisèle (je)	7
clairevoie, s	4
clergyman, s	6
cliquète (je)	7
cliquètement, s	7
clochepied (à)	4
cloitre + dér.	2
clopinclopant	4
coincoin, s	4
collète (je me)	7
combattivité + dér.	9
commèrerai (je)	1
comparaitre	2
complait (il/elle)	2
complèterai (je)	1
compte-fil, s	5
compte-goutte, s	5
compte-tour, s	5
concèderai (je)	1
condottière, s	6
confèrerai (je)	1
conglomèrerai (je)	1
congrument	2
connaitre	2
considèrerai (je)	1
contigu, contigüe	3
contigüité, s	3
continument	2
contrallée, s	4
contrappel, s	4
contrattaque, s	4
contrattaquer	4
contrecourant, s	4
contrefeu, x	4
contrefilet, s	4
contrejour, s	4
contremaitre, s	2
contremaitresse, s	2
contremesure, s	4
contrenquête, s	4
contrepied, s	4
contrépreuve, s	4
contreproposition	4
contrerévolution	4
contrespionnage	4
contrevérité, s	4
contrevoie (à)	4
contrevoie, s	4
contrexpertise, s	4
contrindiquer	4
controffensive, s	4
coopèrerai (je)	1
corolaire, s	8
corole, s	8
corrèlerai (je)	1
coucicouça	4
coupe-circuit, s	5
coupe-faim, s	5
coupe-feu, x	5
coupe-file, s	5
coupe-gorge, s	5
coupe-papier, s	5
coupe-vent, s	5
cout + dér.	2
couvrepied, s	4
covergirl, s	4
cowboy, s	4
craquèle (je)	7
craquèlement, s	7
craquète (je)	7
craquètement, s	7
crècerelle	1
crècherai (je)	1
crèmerie, s	1
crescendo, s	6
crève-cœur, s	5
croitre, il croitra	2
croquemadame, s	4
croquemonsieur, s	4
croquemort, s	4
crosscountry, s	4
croute + dér.	2
crument	2
cuisseau, x	9
cure-dent, s	5
cure-ongle, s	5
cure-oreille, s	5
cyclocross	4
daredare	4
déblatèrerai (je)	1
déboiter + dér.	2
débossèle (je)	7
décachète (je)	7
décèderai (je)	1
déchainer + dér.	2
déchèterie, s	1
déchiquète (je)	7
déciller	9
décolèrerai (je)	1
décollète (je)	7
décrescendo, s	6
décrèterai (je)	1
décroitre + dér.	2
défèrerai (je)	1
dégénèrerai (je)	1
dégout + dér.	2
délèguerai (je)	1
délibèrerai (je)	1
dénivèle (je)	7
dénivèlement, s	7
dentelier, s	7
dentelière, s	7
déplait (il/elle)	2
dérèglementation	1
dérèglerai (je)	1
désagrègerai (je)	1
désaltèrerai (je)	1
despérado, s	6
dessècherai (je)	1
diésel, s	6
diffèrerai (je)	1
digèrerai (je)	1
dime, s	2
diminuendo, s	6
diner + dér.	2
disparaitre	2
dissèquerai (je)	1
dissout, dissoute	9
djébel, s	6
donjuan, s	4
donquichotte, s	4
douçâtre	9
duetto, s	6
dument	2
ébrècherai (j')	1
échevèle (j')	7
écrèmerai (j')	1
édelweiss	6
égo, s	6
emboiter + dér.	2
embottèle (j')	7
embuche, s	2
empaquète (j')	7
empiètement, s	1
empièterai (j')	1
encas	4
enchainer + dér.	2
encours	4
encrouter + dér.	2
ensorcèle (j')	7
ensorcèlement, s	7
entête, s	4
entraimer (s')	4
entrainer + dér.	2
entrapercevoir	4
entredéchirer (s')	4
entredeux	4
entredévorer (s')	4
entrégorger (s')	4
entrejambe, s	4
entretemps	4
entretuer (s')	4
énumèrerai (j')	1
envouter + dér.	2
épèle (j')	7
épitre, s	2
époussète (j')	7
espèrerai (j')	1
essuie-glace, s	5
essuie-main, s	5
étincèle (j')	7
étincèlement, s	7
étiquète (j')	7

Préparation de travaux scolaires, corrige les photes. Large expérience.

eussè-je	1
évènement + dér.	1
éviscèrerai (j')	1
exagèrerai (j')	1
exaspèrerai (j')	1
excèderai (j')	1
exècrerai (j')	1
exéma + dér.	9
exigu, exigüe	3
exigüité	3
exonèrerai (j')	1
extra, s	6
extradry, s	4
extrafin	4
extralarge	4
fairepart, s	4
fairplay, s	4
faite (n.) + dér.	2
faitout, s	4
fastfood, s	4
fatma, s	6
favéla, s	6
fédayin, s	6
fédèrerai (je)	1
féérie + dér.	9
fellaga, s	6
ferry, s	6
ferryboat, s	4
feuillète (je)	7
ficèle (je)	7
fiftyfifty	4
finish, s	6
flash, s	6
flashback, s	6
flècherai (je)	1
fleurète (je)	7
flute + dér.	2
fortissimo, s	6
fourmilion, s	4
foxtrot, s	4
fraiche + dér.	2
frèterai (je)	1
fricfrac, s	4
frisoter + dér.	8
froufrou, s	4
fumerole, s	8
furète (je)	7
fussè-je	1
fut (tonneau)	2
gageüre	3
gagne-pain, s	5
gagnepetit, s	4
gaité + dér.	2
galègerai (je)	1
galèrerai (je)	1
ganadéria, s	6
gangrènerai (je)	1
garde-barrière, s	5
garde-boue, s	5
garde-chasse, s	5
garde-chiourme, s	5
garde-côte, s	5
garde-feu, x	5
garde-fou, s	5
garde-frein, s	5
garde-magasin, s	5
garde-malade, s	5
garde-manger, s	5
garde-meuble, s	5
garde-pêche, s	5
garrotage, s	8
garroter	8
gastroentérite, s	4
gay, s	6
gélinotte, s	9
gentleman, s	6
gèrerai (je)	1
girole, s	8
git (il), ci-git	2
gite + dér.	2
globetrotteur, s	4
gobe-mouche, s	5
gobète (je)	7
golden, s	6
goulument	2
gout + dér.	2
graffiti, s	6
grainèterie, s	9
gratte-ciel, s	5
gratte-papier, s	5
greloter + dér.	8
grille-pain, s	5
grole, s	8
grommèle (je)	7
grommèlement, s	7
gruppetto, s	6
guérilléro, s	6
guibole, s	8
guiliguili, s	4
guillemèterai (je)	1
hache-légume, s	5
hache-viande, s	5
halète (je)	7
handball	4
harakiri, s	4
harcèle (je)	7
hautecontre, s	4
hautefidélité, s	4
hautparleur, s	4
hébètement, s	1
hébèterai (j')	1
hèlerai (je)	1
héroïcomique	4
hifi, s	4
hihan, s	4
hippie, s	6
hippy, s	6
hobby, s	6
holdup, s	4
hoquète (je)	7
hors-bilan, s (n.)	5
hors-bord, s (n.)	5
hors-champ, s (n.)	5
hors-cote, s (n.)	5
hors-jeu, x (n.)	5
hors-média, s (n.)	5
hors-piste, s (n.)	5
hors-série, s (n.)	5
hors-sol, s (n.)	5
hors-statut, s (n.)	5
hors-texte, s (n.)	5
hotdog, s	6
huitre + dér.	2
hypothèquerai (j')	1
ile + dér.	2
imbécilité, s	9
impètrerai (j')	1
imprègnerai (j')	1
imprésario, s	6
incarcèrerai (j')	1
incinèrerai (j')	1
incongrument	2
indiffèrerai (j')	1
indument	2
infrason + dér.	4
ingèrerai (j')	1
innommé, s	9
innommée, s	9
inquièterai (j')	1
insèrerai (j')	1
intègrerai (j')	1
intercèderai (j')	1
interfèrerai (j')	1
interpeler	9
interpelons (nous)	9
interprèterai (j')	1
jamborée, s	6
jazzman, s	6
jean, s	6
jeanfoutre, s	4
jeûne, s (diète)	2
jeuner	2
jeuneur, jeuneuse	2
jiujitsu	4
joailler, joaillère	9
jukebox	4
jumèle (je)	7
kakémono, s	6
kana, s	6
kayak, s	6
kibboutz	6
kifkif	4
kilomètrerai (je)	1
knockout, s	4
kolkhoze, s	6
ksar, s	6
lacèrerai (je)	1
lady, s	6
laiche, s	2
lance-flamme, s	5
lance-grenade, s	5
lance-missile, s	5
lance-pierre, s	5
lance-roquette, s	5
lance-torpille, s	5
lapilli, s	6
largo, s	6
lasagne, s	6
lave-linge, s	5
lave-vaisselle, s	5
lazzarone, s	6
lazzi, s	6
lèche-botte, s	5
lèche-cul, s	5
lècherai (je)	1
lèche-vitrine, s	5
légato, s	6
légifèrerai (je)	1
lèguerai (je)	1
leitmotiv, s	6
lento, s	6
lèse-majesté, s	5
lèserai (je)	1
lève-glace, s	5
levreau, x	9
libèrerai (je)	1
libretto, s	6
lied, s	6
lieudit, s	4
linga, s	6
lobby, s	6
lockout, s	4
lombosciatique, s	4
louvète (je)	7
lunch, s	6
lunetier, s	9

Quelle est la devise de la province de Québec ? — Je ne m'en souviens pas.

lunetière, s 9
macèrerai (je) 1
macroéconomie 4
maharadja, s 6
mainforte, inv. 4
maitre + dér. 2
maitresse, s 2
maitrise + dér. 2
malaimé, s 4
malaimée, s 4
mangeoter 8
mangetout, s 4
maniacodépressif 4
maraicher, s 2
maraichère, s 2
marengo, s 6
marguiller, s 9
marguillère, s 9
mariole, s 8
markéting, s 6
marquète (je) 7
marquèterie, s 6
match, s 6
méconnaitre 2
médailler, s (n.) 9
média, s 6
médicolégal 4
méhari, s 6
melba, s 6
mêletout, s 4
mélimélo, s 4
ménin, ménine 6
mésa, s 6
mètrerai (je) 1
microampère, s 4
microanalyse, s 4
microéconomie, s 4
microonde, s 4
microondes (four) 4
microordinateur, s 4
microorganisme, s 4
milkshake, s 4
millefeuille, s 4
millepatte, s 4
millepertuis 4
minicassette, s 4
minichaine, s 4
minijupe, s 4
miss, des miss 6
modérato, s 6
modèrerai (je) 1
monte-charge, s 5
monte-pente, s 5
morcèle (je) 7
morcèlement, s 7
morigènerai (je) 1
motocross 4
mouchète (je) 7
moudjahidine, s 6
mout, s 2
mu (mouvoir) 2
muléta, s 6
mûr, mure, murs 2
mure, s (fruit) 2
murir + dér. 2
musèle (je) 7
musèlement, s 7
muserole, s 8
naitre + dér. 2
négrospiritual, s 4
nénufar, s 9
néoclassicisme 4
newlook, s 4
nivèle (je) 7
nivèlement, s 7
noroit, s 2
nument 2
nurserie, s 6
oblitèrerai (j') 1
obsèderai (j') 1
obtempèrerai (j') 1
offshore, s 4
ognon + dér. 9
oligoélément, s 4
open, s (adj.) 6
opèrerai (j') 1
ossobuco, s 4
otorhino, s 4
ouvre-boite, s 5
ouvre-huitre, s 5
paitre + dér. 2
panèterie, s 9
papèterie, s 9
paraitre 2
pare-balle, s 5
pare-brise, s 5
pare-choc, s 5
pare-étincelle, s 5
pare-feu, x 5
parquèterie, s 9
pasodoble, s 4
passe-droit, s 5
passe-lacet, s 5
passepartout, s 4
passepasse, s 4
passetemps 4
pècherai (fauter) 1
pècheresse 1
pédigrée, s 6
pêlemêle, s (n.) 4
pellèterai (je) 1
pénalty, s 6
pénètrerai (je) 1
pèquenaud, s 1
perce-neige, s 5
perce-oreille, s 5
pérestroïka, s 6
perpètrerai (je) 1
persévèrerai (je) 1
persiffler + dér. 9
pèse-alcool, s 5
pèse-bébé, s 5
pèse-lettre, s 5
pèse-personne, s 5
péséta, s 6
pèse-vin, s 5
péso, s 6
pèterai (je) 1
pickup, s 4
picolo, s 6
piègerai (je) 1
piéta, s 6
pince-fesse, s 5
pingpong 4
pinup, s 4
pipeline, s 4
pique-assiette, s 5
pique-feu, x 5
piquenique + dér. 4
pique-note, s 5
piquète (je) 7
piqure, s 2
pissefroid, s 4
pisse-vinaigre, s 5
pizzicato, s 6
placébo, s 6
plait (il/elle/on) 2
platebande, s 4
plateforme, s 4
playback, s 4
playboy, s 4
pleure-misère, s 5
plumpouding, s 4
pochète (je) 7
policeman, s 6
ponch, s 9
pondèrerai (je) 1
popcorn, s 6
porte-avion, s 5
porte-bagage, s 5
porte-bonheur, s 5
porte-carte, s 5
porteclé, s 4
porte-drapeau, x 5
porte-malheur, s 5
portemanteau, x 4
portemonnaie, s 4
porte-parole, s 5
porte-serviette, s 5
portevoix 4
possèderai (je) 1
postindustriel 4
postmoderne 4
postnatal 4
potpourri, s 4
pourlècherai (je) 1
pousse-café, s 5
poussepousse, s 4
précèderai (je) 1
prêchiprêcha, s 4
préemballé, s 4
préemballée, s 4
préfèrerai (je) 1
presqu'ile, s 2
presse-citron, s 5
presse-papier, s 5
presse-purée, s 5
prestissimo, s 6
primadonna, s 4
procèderai (je) 1
profèrerai (je) 1
prolifèrerai (je) 1
prospèrerai (je) 1
protègerai (je) 1
prudhommal 9
prudhomme 9
prudhommie 9
prunelier, s 9
pseudobulbaire 4
puiné, puinée 2
puissè-je, pussè-je 6
pullover, s 4
putsch, s 6
quantum, s 6
québracho, s 6
quincailler, s 9
quincaillère, s 9
quotepart, s 4
rabat-joie, s 5
radiotaxi, s 4
rafraichir + dér. 2
ragout + dér. 2
ramasse-miette, s 5
ramasse-pâte, s 5
ranch, s 6
rapiècerai (je) 1

Samedi prochain à l'école : grand tournoi d'échecs scolaires.

rase-motte, s	5
rassérènerai (je)	1
rassoir	9
râtèle (je)	7
réaffuter, raffuter	2
réapparaitre	2
recèlerai (je)	1
recéleur, s	9
recéleuse, s	9
reconnaitre	2
reconsidèrerai (je)	1
recordman, s	6
recordwoman, s	6
recru (recroitre)	2
récupèrerai (je)	1
réfèrerai (je)	1
reflèterai (je)	1
réflex (en photo)	6
réfrènement, s	1
réfrènerai (je)	1
régénèrerai	1
règlement + dér.	1
règlerai (je)	1
règnerai (je)	1
réinsèrerai (je)	1
réintègrerai (je)	1
réitèrerai (je)	1
reitre, s	2
relai, s	9
relèguerai (je)	1
remboiter + dér.	2
remue-ménage, s	5
remue-méninge, s	5
rémunèrerai (je)	1
renaitre + dér.	2
renouvèle (je)	7
renouvèlement, s	7
répartie, s	9
repèrerai (je)	1
répèterai (je)	1
repose-tête, s	5
résout, résoute	9
ressemèle (je)	7
rétrocèderai (je)	1
réveille-matin, s	5
révèlerai (je)	1
révèrerai (je)	1
révolver, s	6
ricrac	4
riesling, s	6
rince-bouche, s	5
rince-doigt, s	5
ripiéno, s	6
risquetout, s	4
rivète (je)	7
robinétier, s	9
romancéro, s	6
rondpoint, s	4
ronéo, s	6
rouspèterai (je)	1
royaltie, s	6
rugbyman, s	6
ruissèle (je)	7
ruissèlement, s	7
rush, s	6
saccarifier + dér.	9
sacrosaint, s	4
sagefemme, s	4
sandwich, s	6
sans-abri, s	5
sans-cœur, s	5
sans-culotte, s	5
sans-emploi, s	5
sans-façon, s	5
sans-faute, s	5
sans-gêne, s	5
sans-papier, s	5
sans-patrie, s	5
sans-souci, s	5
sati, s	6
saufconduit, s	4
saute-mouton, s	5
scampi, s	6
scénario, s	6
scotch, s	6
sèche-cheveu, x	5
sèche-linge, s	5
sècherai (je)	1
sècheresse, s	1
sècherie, s	1
sécrèterai (je)	1
séniorita, s	6
serpillère, s	9
serre-frein, s	5
serre-joint, s	5
serre-livre, s	5
serre-tête, s	5
sexy, s	6
sidèrerai (je)	1
siègerai (je)	1
sketch, s	6
snackbar, s	4
socioculturel	4
socioéducatif	4
socioprofessionnel	4
sombréro, s	6
soprano, s	6
sosténuto	6
sottie, s	9
sounflète (je)	7
souffre-douleur, s	5
soul + dér.	2
sous-main, s	5
sous-seing, s	6
sous-verre, s	5
soutasse, s	4
speech, s	6
spermacéti, s	6
staccato, s	6
standard, s	6
stratocumulus	4
striptease + dér.	4
subaigu, subaigüe	3
succèderai (je)	1
suggèrerai (je)	1
sulky, s	6
superman, s	6
sûr, sure, surs	2
suraigu, suraigüe	3
surcroit, s	2
surement	2
surentrainement, s	2
surentrainer	2
sureté, s	2
sursoir	9
tachète (je)	7
taille-crayon, s	5
taliatelle, s	6
tamtam, s	4
tapecul, s	4
tâte-vin, s	5
teeshirt, s	4
téléfilm, s	4
tempèrerai (je)	1
tempo, s	6
tennisman, s	6
ténuto	6
téquila, s	6
terreplein, s	4
têtebêche	4
tèterai (je)	1
teufteuf, s	4
tictac, s	4
tifosi, s	6
tirebouchon, s	4
tirebouchonner	4
tire-fesse, s	5
tirefond, s	4
tire-lait, s	5
tirelarigot (à)	4
tire-ligne, s	5
tocade, s	9
toccata, s	6
tohubohu, s	4
tolèrerai (je)	1
tord-boyau, x	5
toréro, s	6
tory, s	6
tragicomédie, s	4
tragicomique	4
trainer + dér.	2
traitre + dér.	2
transfèrerai (je)	1
trémolo, s	6
trole, s	8
trouble-fête, s	5
tsétsé, s	4
tsointsoin, s	4
tue-mouche, s	5
turbo, s	6
tutti frutti	6
tuttis fruttis (des)	6
ulcèrerai (j')	1
ultrachic, s	4
ultracourt, s	4
ultracourte, s	4
ultrasensible, s	4
ultraviolet, s	4
vanupied, s	4
varia, s	6
vatout, s	4
végèterai (je)	1
vélotaxi, s	4
vénèrerai (je)	1
vènerie, s	1
ventail, s	9
vergeüre, s	3
vide-ordure, s	5
vide-poche, s	5
vide-pomme, s	5
vilénie, s	9
vitupèrerai (je)	1
vocéro, s	6
vocifèrerai (je)	1
volète (je)	7
volètement, s	7
volleyball	4
volteface, s	4
voute + dér.	2
water, s	6
waterpolo	4
weekend, s	4
whisky, s	6
yéyé, s	4
yoyo, s	4
zèbrerai (je)	1

Un prévenu est quelqu'un qu'on a mis au courant.

Ponctuation

Faces de la ponctuation

Ponctuation basse . , ...

Le point, la virgule et les points de suspension reposent tout seuls sur la ligne de base. La ponctuation basse reste toujours dans la même face que le mot qui la précède, qu'elle appartienne au mot ou au reste de la phrase.

Dans ces exemples, les virgules appartiennent à la phrase et devraient être composées en romain, mais elles restent toujours dans la face du mot ou du signe qui les précède. La même règle s'applique pour le point et les points de suspension. Le point abréviatif se confond avec les points de suspension (il n'y a donc jamais quatre points de suite).

> En typographie, on utilise *l'italique,* **le gras,** le romain, ***le gras italique,*** etc.
> Il faut un point abréviatif au mot latin *ibid...*

Ponctuation haute : ; ? !

On appelle ainsi les quatre signes de ponctuation qui ne reposent pas seuls sur la ligne de base : le deux-points, le point-virgule, le point d'interrogation et le point d'exclamation. La ponctuation haute appartient soit au mot qui la précède, soit au reste de la phrase. On la met donc dans la face de l'un ou de l'autre, selon le cas.

Dans le premier exemple, le point-virgule appartient au reste de la phrase et non pas au mot *cent*. Il reste donc en romain. Dans le second exemple, il appartient au titre du livre, qui doit se mettre en italique. Le point-virgule est donc lui aussi en italique.

> La centième partie du dollar est le *cent*; celle de l'euro est le *centime.*
> Le titre du livre est le suivant : *Le théâtre aujourd'hui ; son rôle dans la société.*

Ponctuation double

Les parenthèses, les crochets, les accolades, les guillemets (chevrons), les guillemets anglais, les guillemets droits, les chevrons simples, les tirets longs et les tirets courts s'utilisent, dans les textes, par paires et doivent rester généralement en romain.

> Gabrielle Roy (avec son roman *Bonheur d'occasion*) a gagné le prix Femina.
> On écrit l'abréviation *ad lib.* (*ad libitum*).

Les parenthèses restent en italique seulement quand tout le texte est en italique.

> *Les alouettes font leur nid (très souvent) dans les blés quand ils sont en herbe.*

Si la partie entre parenthèses est en gras ou en gras italique, les parenthèses sont en romain gras.

> Je marche **(très important)** le matin. Je marche **(*très important*)** le matin.

Signes divers ' @ / - * &

Soit l'apostrophe, l'arobas, la barre oblique, le trait d'union, l'astérisque et la perluète. Les 22 signes de cette page sont traités en ordre alphabétique à partir de la page 192.

Casse après la ponctuation

- Après le point final, on met *une capitale.*
- Après la virgule, on met *un bas-de-casse.*
- Après le point-virgule, on met *un bas-de-casse.*
- Après le deux-points, on met *un bas-de-casse dans une énumération avec un collectif ; une capitale si c'est une citation, un titre d'œuvre ou une phrase complète* (voir page 194).
- Après le point d'interrogation, le point d'exclamation, les points de suspension, on met :
  une capitale si une nouvelle phrase commence,
  un bas-de-casse si la phrase continue.

Au pluriel, on dit « cristaux » quand il y a plusieurs cristals.

Espacement de la ponctuation

En **typographie de qualité,** comme dans cet ouvrage, on utilise l'**espace fine dans certains cas.** Si on ne peut pas la faire, on opte pour la solution de rechange, notée ci-dessous entre ( ).

	Espace avant	Espace après	Ex.
Apostrophe '	rien	rien	l'a
Appels de note et astérisque [1] *	fine (rien)	séc.	Poe[1]
Arithmétique **+ - × ÷ : / = ± ≠ < >** ...	inséc.	inséc.	1 + 1 = 2
Barre oblique (mots courts ou fractions) **/**	rien	rien	a/à, ¾
Chevron simple ouvrant **<**	séc.	rien	<a.ramat@
Chevron simple fermant **>**	rien	séc.	mail.ca>
Crochet ouvrant **[**	séc.	rien	rise [sic
Crochet fermant **]**	rien	séc.	sic] de
Deux-points **:**	inséc.	séc.	sont : les
Deux-points dans les heures numériques **:**	rien	rien	21:59
Guillemet anglais ouvrant **"**	séc.	rien	n'a "jamais
Guillemet anglais fermant **"**	rien	séc.	jamais" de
Guillemet droit ouvrant **"**	séc.	rien	dit "oui
Guillemet droit fermant **"**	rien	séc.	oui" à
Guillemet ouvrant **«**	séc.	fine (inséc.)	et « avec
Guillemet fermant **»**	fine (inséc.)	séc.	joie » à
Parenthèse ouvrante **(**	sécable	rien	bas (deux
Parenthèse fermante **)**	rien	séc.	deux) et
Point d'exclamation **!**	fine (rien)	séc.	Oh ! que
Point d'interrogation **?**	fine (rien)	séc.	Qui ? Lui.
Point final d'une phrase et point abréviatif **.**	rien	séc.	fin. Il
Points de suspension après le mot **...**	rien	séc.	vert...
Points de suspension en début de paragr. **...**	rien	fine (inséc.)	... Elle
Points elliptiques entre crochets **...**	rien	rien	[...]
Point-virgule **;**	fine (rien)	séc.	dernier ; il
Pourcentage **%**	inséc.	séc.	100 % de
Préfixes d'unités : **k, M, G**	inséc.	rien	32 Go et
Symbole **h** dans une heure complexe	inséc.	inséc.	16 h 15
Symboles d'unités : **cl, cm, km, g, Mo,** etc. ...	inséc.	séc.	40 km de
Symboles monétaires : **$, €, £, ¥,** etc.	inséc.	séc.	25 $ de
Tiret court dans un toponyme surcomposé **–**	rien	rien	La-La–Duc
Tiret long à l'intérieur d'un texte **—**	séc.	séc.	là — ou
Tiret long de dialogue ou d'énumération **—**	rien	inséc.	— Je vois.
Trait d'union **-**	rien	rien	à-propos
Tranches de trois chiffres dans une quantité.....	fine (inséc.)	fine (inséc.)	1 200 000
Virgule **,**	rien	séc.	Luc, qui
Virgule décimale **,**	rien	rien	1,5

(séc. = espace sécable, inséc. = espace insécable)

J'ai été heurté de plein fouet par un poteau électrique.

Cas particuliers de la ponctuation

Accolades 

L'accolade sert à réunir des lignes. On l'utilise surtout dans des logiciels d'éditique. Dans un traitement de texte, on l'utilise parfois dans les subdivisions, ex. ([{ }]).

Apostrophe 

Espacement de l'apostrophe

L'apostrophe ne prend pas d'espace avant ni après, même devant un chevron ouvrant.

c'est l'aube d'une l'«élément»

L'apostrophe ne fait pas partie du mot à mettre en évidence.

Cette rencontre ne se tiendra qu'à partir du mois d'**octobre** prochain.

En langage familier, l'apostrophe ne supprime pas les espaces entre les mots (cette règle n'est pas toujours suivie).

L'Opéra de quat' sous

Voici les règles d'élision avec les mots suivants :

jusque	*élision toujours devant une voyelle*	jusqu'à, jusqu'ici, jusqu'alors
quelque	*élision seulement dans*	quelqu'un, quelqu'une
presque	*élision seulement dans*	presqu'ile [presqu'île]
lorsque	*élision obligatoire devant*	il, ils, elle, elles, on, un, une, en
puisque	*élision obligatoire devant*	il, ils, elle, elles, on, un, une, en
quoique	*élision obligatoire devant*	il, ils, elle, elles, on, un, une, en

Apostrophe devant un nom propre

Il faut faire l'élision devant un nom propre. S'il débute par un **H,** il faut consulter le *Larousse* pour voir si le **H** est aspiré. (Chercher par exemple hongrois et voir s'il est précédé par * (aspiré). L'apostrophe ne peut jamais se placer en fin de ligne (à droite).

Racine est l'auteur d'*Athalie.*
le ciel d'Haïti, le ciel de Hongrie

L'orchestre sera sous la direction de
ARTHUR BAGUETTE

Apostrophe inutile

L'apostrophe remplace souvent une ou plusieurs lettres manquantes. Il ne faut donc pas l'utiliser là où il ne manque pas de lettre, en langage familier.

Y a beaucoup de monde. *et non :* Y'a beaucoup de monde.

On ne doit jamais utiliser l'apostrophe devant un nombre écrit en **chiffres.**

un bouillon d'onze heures *et non :* un bouillon d'11 heures

✤ Pour remplacer l'apostrophe dactylographique par l'**apostrophe typographique,** trouvez celle-ci dans **Symbole > Caractères spéciaux**, insérez-la dans le texte et copiez-la. Allez dans **Outils > Correction automatique** et collez-la dans la case **Par**. Tapez une apostrophe dans la case **Remplacer**, cliquez sur **Ajouter**, et enfin sur **OK**. Ainsi, chaque fois que vous taperez une apostrophe, cette dernière sera une apostrophe typographique.

Arobas et *a* commercial 

L'arobas et le *a* commercial sont représentés par le même signe : @. L'arobas est utilisé dans les adresses de courriel. Il ne prend pas d'espace avant ni après.

ambenoit.ramat@gmail.com

Le *a* commercial signifie le prix unitaire d'un article. Il est précédé et suivi d'une espace sécable. Ces deux exemples ont la même signification.

deux chemises @ 30 $ deux chemises à 30 $ chacune

Astérisque 

- L'astérisque placé après un mot signifie souvent *voir ce mot* dans le lexique : *né* *.
- Il peut servir d'appel de note dans les travaux scientifiques : *nanoparticules* *.
- Il est un signe de multiplication dans certains logiciels : *5 * 5.*
- En linguistique, placé devant, il signifie *agrammatical* (incorrect) : **Va-t-en.*
- Dans les dictionnaires Larousse, placé avant, il indique un **h** aspiré : **haïr.*
- Dans le *Multidictionnaire,* il indique une forme fautive : *abréger* (et non **abrévier*).
- L'astérisque peut aussi avoir d'autres significations spéciales. Dans ces cas, on doit mentionner en bonne place, au début de l'imprimé, ce qu'il signifie.

Barre oblique 

Barre oblique dans les fractions et les symboles

La barre oblique (/), sans espace avant ni après, est le symbole de la division dans les fractions et les symboles. Elle signifie *divisé par* (5/60) ou simplement *par.*

60 km/h	soixante kilomètres par heure	*ou*	soixante kilomètres à l'heure
15 $/kg	quinze dollars par kilogramme	*ou*	quinze dollars le kilogramme

Barre oblique dans les fractions de temps décimal

Après les secondes, on utilise les dixièmes ou les centièmes de seconde. On ne met pas de lettres supérieures (^{e}, ^{es}), bien qu'on prononce les *ièmes.*

Il a terminé à 12/100 de seconde du gagnant. (*On prononce :* douze centièmes.)

Les fractions s'écrivent en toutes lettres quand elles ne sont pas précises.

La distance est d'environ trois quarts de kilomètre.

Barre oblique pour opposition et traduction

Elles est encadrée d'espaces insécables si le texte de chaque côté est long. On ne met aucune espace si le texte est court. L'oblique *inversée* est utilisée en informatique.

Proofreading / Correction d'épreuves   Marche/Arrêt   c:\winword\typo

Barre oblique signifiant *sur*

La barre oblique sert à indiquer la partie sur le nombre total d'une émission, la taille sur l'interligne, ou les deux chiffres de la tension artérielle.

Thalassa (1/2)   Ce texte est en 7/9,6.   Il a une tension artérielle de 140/90.

Barre oblique pour les tests et les pages

Elle indique la note d'un test, ou le numéro de la page sur le nombre de pages total.

À son examen, il a obtenu 17/20.   Cette page est marquée 193/256.

Barre oblique dans les échelles de cartes

On ne met pas d'espace dans les nombres de quatre chiffres (à gauche), mais on met une espace fine insécable dans les nombres de cinq chiffres et plus (à droite).

une carte au 1/5000   une carte au 1/25 000

Chevrons simples 

On peut utiliser les chevrons simples (sans espaces intérieures) pour entourer une adresse de site. Si l'adresse termine la phrase, on met un point final après le chevron simple fermant.

Mon site est le suivant : <www.ramat.ca>.

Les chevrons simples (avec espaces) signifient *plus petit que* (<) et *plus grand que* (>).

6 < 9   10 > 4.

Le chevron fermant (avec espaces) est utilisé pour décrire les opérations informatiques.

Accueil > Insérer > Forme > Rectangles (*Pour dessiner un rectangle dans Word.*)

Le vétérinaire a un chat dans la gorge et une fièvre de cheval.

Crochets [ ]

Crochets à l'intérieur de parenthèses

Les crochets servent à isoler une partie qui se trouve à l'intérieur de parenthèses.

> L'auteur étudié (Lamartine [1790-1869]) a plu à tous.

Crochets et modification de citation

Les crochets marquent toute modification apportée à une citation. Pour noter une interruption, on utilise **[...]** ; pour noter un usage particulier à l'auteur ou une erreur, on écrit **[sic].**

> Un typographe a dit : « Il faut reconnaitre que l'emploi inconsidéré de la capitale compte parmi les manifestations de la grandiloquence. [...] À force de galvauder [sic] la capitale, on finit par lui enlever toute valeur grammaticale. »
> C'est une utilisation « inconsidéré[e] de la capitale ». (*crochet ouvrant collé au mot*)

Deux-points

Deux-points et capitale

Une capitale suit le deux-points dans les cas suivants : 1. un exemple qui est une phrase complète ; 2. une phrase citée avec guillemets ; 3. une phrase citée sans guillemets, en italique ; 4. un titre d'œuvre ; 5. tout texte qui suit les mots *Avis, Remarque, Note, Attention, Postscriptum, Objet, Pièces jointes* et *Copies conformes*.

1. Le verbe s'accorde avec son sujet : *Les feuilles tombent en automne.*
2. Elle me répondit : « Je ne comprends rien à votre discours. »
3. Voici un proverbe utile : *Qui veut voyager loin ménage sa monture.*
4. Titre du roman : *Les fous de Bassan.*
5. PS : Ne pas oublier d'éteindre l'appareil après usage.

Deux-points et bas-de-casse

Le bas-de-casse suit le deux-points dans les autres cas, notamment : a) une explication ; b) le premier mot (*tout*) qui résume ce qui précède ; c) le deux-points qui remplace *car, parce que, puisque, étant donné que, de sorte que* ; d) une énumération, mais seulement si, avant le deux-points, il y a un mot collectif (*cas* dans l'exemple ci-dessous).

a) Voici ce que nous allons faire : nous allons nous réunir demain matin.
b) Il aimait Anna. Son regard, sa voix : tout en elle le fascinait.
c) Je ne sortirai pas, car il va pleuvoir. Je ne sortirai pas : il va pleuvoir.
d) Ce livre traite des cas suivants : les capitales, les coupures, etc. (*collectif*)
   Ce livre traite des capitales, des coupures, etc. (*pas de collectif*)

✤ Il faut toujours éviter d'utiliser plusieurs fois le deux-points dans la même phrase.

Guillemets

Les guillemets français ou *chevrons* (« ») sont les plus importants. Les guillemets anglais (" ") ou les guillemets droits (" ") entourent une citation incluse dans une autre.

Guillemets pour émettre un doute

S'il y a une citation incluse, on utilise les guillemets anglais ou les guillemets droits.

> L'arbitre n'a pas cru à la « blessure » du joueur.
> L'arbitre a dit : « Je n'ai pas cru à la "blessure" du joueur. »

Guillemet fermant et ponctuation

Si la partie entre guillemets débute par un bas-de-casse (excepté les noms propres), la ponctuation finale se met *à l'extérieur.* Si elle débute par une capitale, la ponctuation finale se met *à l'intérieur.* Une capitale à l'intérieur ne change rien (*Rire* dernier exemple).

> Vous me dites qu'il est dommage que « les roses aient des épines ».
> Je vous réponds : « Heureusement, les épines ont des roses. »
> Je pense que « marcher fait du bien. Rire aussi ».

Les avions lançaient des espadrilles contre l'ennemi.

Guillemets dans les titres de subdivision

Si on cite le livre, la subdivision est en romain avec une capitale et entre guillemets. Sinon, elle est en italique.

> La section «Mise en page» se trouve dans *Le Ramat de la typographie.*
> Voir la section *Mise en page.*

Guillemets dans les citations

On met un guillemet ouvrant («) au début, puis un guillemet ouvrant à chaque alinéa jusqu'à la ponctuation finale, qui est suivie d'un guillemet fermant. S'il y a une **citation incluse** (citation à l'intérieur de la citation), on utilise les guillemets anglais (‟ ”) ou les guillemets droits (" ").

« . . . .
. . . .
« . . . .
. . . .
. . . .
« . . . .
. . . .
. . . . »

« . . . .
. . . .
« . . . . ‟début de l'incluse. . .
. . . .
. . . . fin de l'incluse**”.**
« . . . . ‟Début de l'incluse. . . .
. . . .
. . . . fin de l'incluse**.”** »

Si l'incluse se trouve à la fin de la citation englobante, le guillemet anglais fermant subsiste ainsi que le chevron. Le point final se place avant le guillemet anglais fermant si la phrase de l'incluse est complète (débutant avec une capitale comme dans l'exemple), et à l'extérieur si la phrase n'est pas complète : **‟début de l'incluse… fin de l'incluse”.** »

Guillemets dans un dialogue

Il existe deux méthodes de présentation du dialogue :

1. On commence le dialogue par un guillemet ouvrant. À chaque changement d'interlocuteur, on va à la ligne et on met un tiret long suivi d'une espace insécable. On termine le dialogue par un guillemet fermant **après** la ponctuation finale.

2. On peut supprimer tous les guillemets et commencer par un tiret long (à droite).

✤ La méthode 1 (à gauche) est plus précise ; la méthode 2 est très utilisée dans les romans.

« . . . .
. . . .
— . . . .
. . . .
. . . .
— . . . .
. . . .
. . . . »

— . . . .
. . . .
— . . . .
. . . .
. . . .
— . . . .
. . . .
. . . .

Guillemets et interlocuteur

Quand le texte d'un interlocuteur comporte plusieurs paragraphes, on ne met pas de guillemet au début des paragraphes, mais on peut insérer des mots comme *ajouta-t-il* ou *poursuivit-elle,* ce qui indiquera que c'est toujours la même personne qui parle.

Guillemets et limites

Les guillemets se limitent aux mots que l'on veut faire ressortir.

> On l'appelle «la terreur du village». On l'appelle «la terreur», dans le village.

Guillemets de répétition dans les catalogues

En Amérique du Nord, on utilise le guillemet fermant pour la répétition, et le tiret long pour la nullité, c'est-à-dire l'absence de prix dans l'exemple ci-dessous. (En France, c'est l'inverse.) Au lieu du tiret de nullité, on peut utiliser les lettres *n.d.,* qui signifient *non déterminé.*

Canne à pêche	sans moulinet	25,50	
» »	avec moulinet	—	(*ou* n.d.)

Mon amie Kim habite dans le pâté chinois à Montréal.

Guillemets ou italique

On utilise l'italique pour nommer un ou plusieurs mots. (Dans un courriel, on ne pourra utiliser l'italique qu'en **Enrichi**. En **Brut**, on utilisera les guillemets.)

Les mots *million* et *milliard* sont traités dans ce livre.

On utilise les guillemets pour nuancer ou relativiser. Souvent, pour montrer qu'il s'agit de guillemets, nous faisons le geste de lever et d'agiter deux doigts de chaque main.

Quand j'ai signé mon premier autographe, j'ai vu que j'étais « célèbre ».

Parenthèses 

Parenthèses et casse

Si la phrase entre parenthèses est complète, capitale initiale et ponctuation finale à l'intérieur. Si elle n'est pas complète, bas-de-casse initial et ponctuation à l'extérieur.

Nous avons pris le train du matin. (J'avais réservé les places.)
Nous avons pris le train du matin (après avoir réservé les places).

Parenthèses pour indiquer les prénoms

Dans les dictionnaires Larousse, les parenthèses entourent les prénoms et le titre.

Pompadour (Jeanne Antoinette Poisson, marquise de)

Parenthèses pour s'adresser au lecteur

L'auteur met un point d'interrogation entre parenthèses pour transmettre un doute au lecteur. Il y a une espace insécable avant la parenthèse ouvrante.

Jean Dupont a gagné cette course en 1988 (?) et il est célèbre depuis.

Les parenthèses peuvent aussi signifier que deux orthographes sont possibles.

Les grand(s)-mères... (*parenthèse ouvrante collée au mot*)

Perluète 

La perluète (ou esperluette, ou *et* commercial) se met dans une raison sociale entre deux patronymes, ainsi que devant les mots suivants et leur pluriel : *Frère, Sœur, Fils, Fille, Associé, Associée.* Même règle pour Cie. En dehors de ces cas, on doit utiliser le mot *et* (dernier exemple).

Menuiserie Dupont & Durand inc. Plomberie Dubois & Cie
Librairie Jean Durand & Filles ltée Ceintures et sacs de cuir inc.

Point 

Point précédant les points de suite

On ne doit pas mettre de point final ni de deux-points après le mot qui précède les points de suite (parfois appelés *points de conduite*). Le point abréviatif subsiste toujours. Il est préférable de mettre une espace sécable avant les points de suite.

Liste des employés .... 245 inc. 22

Point et tiret long

Si l'on veut utiliser un tiret long dans une énumération, on met un point après le signe.

III. — Ponctuation A. — Règles 4. — Principes

Point dans une légende ou à la fin des exemples

On met un point final aux légendes et aux exemples seulement si la phrase est complète.

La photo montre le château Frontenac avant les réparations.
La place de la Concorde

Les quatre points cardinaux sont : la droite, la gauche, le haut et le bas.

Point dans un titre

On ne met pas de point final dans un titre ou un sous-titre à l'intérieur d'un journal ou d'une revue. On peut utiliser ou non les guillemets autour de la citation dans un titre.

Tout le monde doit participer
à la prévention, estime le ministre

« Tout le monde doit participer
à la prévention », estime le ministre

Point-virgule ;

Point-virgule et mot suivant

On met un bas-de-casse au premier mot suivant un point-virgule, sauf à un nom propre.

Luc a couru ; Lise l'a suivi

Elle est partie assez tôt ; le soleil brillait.

Point-virgule dans les énumérations horizontales

On met un point-virgule entre chaque partie, puis un point final.

Il faudra considérer : a) le lieu ; b) la date ; c) l'heure.

Point d'exclamation 

On utilise le point d'exclamation seulement si l'exclamation est directe (à gauche).

Quel beau temps !

Je m'émerveille de ce beau temps.

Point d'exclamation et interjection

Une interjection est un mot court (*Ah ! Ho ! Hé !*) qui exprime une émotion. Le point d'exclamation se met après l'interjection et se répète à la fin, si la partie qui suit le premier point d'exclamation est elle aussi exclamative.

Hé ! Loïse !

Ah ! que la vie est belle !

Mais on écrira : Non ! je ne répondrai pas à cette question.

Quand l'interjection est répétée, le point d'exclamation se place après la dernière, et on met une virgule entre les répétitions. Après *hélas,* on peut utiliser soit un point d'exclamation sans virgule, soit une virgule si l'on veut atténuer l'exclamation.

Ah, ah ! vous y êtes arrivé !

Il faudra, hélas, abandonner ce projet.

Significations des interjections

Voici, en général, ce qu'expriment certaines interjections :

Ah !	*douleur*	Ah ! que vous me faites mal !
	joie	Ah ! je suis content de vous voir !
Ha !	*surprise passagère*	Ha ! vous voilà !
Oh !	*admiration, étonnement*	Oh ! que la nature est belle !
Eh !	*surprise*	Eh ! jamais je n'aurais cru ça !
Eh bien,	*dans le sens de* alors	Eh bien, qu'avez-vous à répondre ?
Eh bien !	*étonnement*	Eh bien ! c'est toute une affaire.
Hé !	*pour appeler*	Hé ! Pinard !
Ho !	*pour appeler*	Ho ! venez ici !
Ô	*interpellation*	Ô rage ! ô désespoir !
Hein ?	*interrogation*	Hein ? qu'as-tu dit ?

Point d'interrogation 

On met un point d'interrogation seulement si l'interrogation est directe (à gauche).

Quel temps fait-il ?

Je vous demande quel temps il fait.

Points d'interrogation ou d'exclamation suivis d'une capitale

On écrit ces points seulement s'ils terminent la phrase (premier exemple).

Viendrez-vous au bal ? Je me le demande.
Vous aviez dit : « Je viendrai ! » et vous êtes venue.

Qu'est-ce qu'une phrase qui contient une supposition ? — Une phrase suppositoire.

Points de suspension

Points de suspension avec la virgule

On place la virgule après les points de suspension. Dans l'exemple ci-dessous, le mot *fillette* est une apostrophe rhétorique, donc entre deux virgules. L'auteur veut indiquer que la pause à la seconde virgule est plus longue. On fait les points de suspension en tapant trois fois sur le point (...) et non en utilisant le caractère spécial (…).

> Tu t'amusais, fillette..., tu t'amusais même beaucoup.

Points de suspension avec le point d'interrogation ou d'exclamation

En général, les points de suspension se placent après.

> Qu'est-ce que vous dites ?... La belle affaire !...

Points de suspension pour marquer un effet

On utilise les points de suspension pour marquer une surprise, un doute ou une crainte. Dans ces cas, ils ne prennent pas de capitale après eux.

> J'ai fébrilement ouvert le paquet et j'ai trouvé... un mot.

Points de suspension pour mutisme

Dans un dialogue, ils indiquent au début d'un paragraphe que l'interlocuteur reste muet.

> — Qu'en pensez-vous ?
> — ...

Points de suspension à la place de *etc.*

Ils indiquent qu'une énumération n'est pas finie ; ils ont le même sens que *etc.*

> Les récompenses comprenaient des ballons, des poupées, des jouets...

Points de suspension pour tourner la page

Quand on désire que le lecteur continue à lire sur la page suivante.

> .../...

Tiret long 

Il ne faut jamais appeler un trait d'union *tiret,* et inversement. Le tiret long ou tiret cadratin (—) est utilisé dans un dialogue pour les changements d'interlocuteur. On le trouve dans Word en faisant **Symboles > Caractères spéciaux.** Il sert dans le dialogue à marquer le changement de locuteur. Utilisé à la place des parenthèses, il indique aussi la nullité. Par exemple, dans une liste d'abréviations, si un mot n'en a pas, on met un tiret.

Ponctuation des tirets longs à l'intérieur d'un texte

Les tirets longs se ponctuent de la même façon que les parenthèses, mais le second tiret s'efface s'il se trouve à la fin de la phrase.

> Si vous aimez les émotions (et qui ne les aime pas ?), allez voir la course.
> Si vous aimez les émotions — et qui ne les aime pas ? —, allez voir la course.
>
> Nous nous sommes levés tôt (il faisait à peine jour).
> Nous nous sommes levés tôt — il faisait à peine jour.

Inconvénients de l'emploi de tirets longs dans un texte

- Les tirets étant précédés et suivis d'une espace sécable, le second tiret risque de se trouver au début d'une ligne.
- Comme un tiret ouvrant a la même forme qu'un tiret fermant, on ne peut pas distinguer l'un de l'autre quand ils sont très éloignés.
- Si l'on utilise des tirets sans retour à la ligne pour noter les changements d'interlocuteur, il sera difficile d'utiliser aussi des tirets à la place des parenthèses.

✤ Il vaut donc mieux, dans ce cas, utiliser les parenthèses.

Soudain, la voiture recula pour mieux avancer.

Tiret court 

Le tiret court ou tiret demi-cadratin (–), dans Word : **Symboles > Caractères spéciaux**, est utilisé pour joindre deux éléments dont l'un contient déjà un trait d'union.

la partie Trois-Rivières–Montréal

On peut l'employer quand on le trouve visuellement préférable, comme dans ce livre ou dans un CV.

dans – d'en (voir page 166) Chef de service – Dupont & Cie

En anglais, il peut servir à joindre des patronymes d'auteurs (ici au nombre de trois).

Smith–Jones–Brown are the authors of this excellent book.

Trait d'union 

Espacement du trait d'union

Le trait d'union s'écrit sans espace avant ni après. Il indique :

une relation	le dialogue Canada-France	(*Canada* et *France*)
un affrontement	la guerre Iran-Irak	(*Iran* contre *Irak*)
une distance	le trajet Québec-Montréal	(de *Québec* à *Montréal*)
une durée	ouverture : lundi-vendredi	(de *lundi* à *vendredi*)

Si l'un des éléments comporte déjà un trait d'union, ou s'il s'écrit en plusieurs mots, on met un tiret court entre les éléments.

Saguenay–Lac-Saint-Jean (*toponyme administratif surcomposé*)
Demain aura lieu la partie Trois-Rivières–Le Gardeur. (*tiret court collé*)

Trait d'union dans les horaires de programmes

Dans la méthode de gauche, en traitement de texte, il est très difficile d'aligner les traits d'union de même que les heures et les minutes. On n'utilise pas de 0 (zéro) devant les heures de un chiffre, mais on l'utilise devant les minutes de un chiffre, pour ne pas créer de confusion.

Dans la méthode de droite, on ne se sert pas du symbole **h,** mais du deux-points sans espaces, qui est la marque des soixantièmes. Les heures et les minutes comportent toutes deux chiffres. La méthode de droite est plus facile à composer, plus lisible et internationale.

7 h 05 - 9 h 00	Inscription	07:05 - 09:00	Inscription
13 h 15 - 14 h 05	Conférence	13:15 - 14:05	Conférence

Trait d'union avec les fonctions ou métiers

Si les deux éléments sont d'égale valeur, donc quand l'un ne qualifie pas l'autre, on met un trait d'union entre les deux noms, qui peuvent, tous deux, se mettre au pluriel.

des aides-cuisinières
des boulangers-pâtissiers
des chirurgiens-dentistes
des expertes-comptables
des horlogers-bijoutiers
des ingénieurs-conseils
des linguistes-informaticiennes
des présidents-directeurs généraux

Si l'un des éléments qualifie l'autre, pluriel aux deux éléments et pas de trait d'union.

des apprenties cuisinières
des chefs correcteurs
des directrices adjointes
des gardes forestiers
des présidentes fondatrices
des médecins assistants

Trait d'union et nom avec capitale

On met une capitale à chacun des éléments quand il s'agit d'une règle d'emploi de la capitale, par exemple un nom d'habitants. Sinon, le deuxième élément reste en bas-de-casse.

les Sud-Américains Secrétaire-trésorière : Lise Dupont

Noms en apposition attachée

Avec trait d'union	**Singulier**	**Pluriel**
bénéfice	déjeuner-bénéfice	déjeuners-bénéfice
cadeau	bon-cadeau	bons-cadeaux
»	chèque-cadeau	chèques-cadeaux
»	emballage-cadeau	emballages-cadeaux
»	idée-cadeau	idées-cadeaux
»	paquet-cadeau	paquets-cadeaux
causerie	diner-causerie [dîner-c.]	diners-causeries
choc	argument-choc	arguments-chocs
débat	petit-déjeuner–débat	petits-déjeuners–débats
hésitation	valse-hésitation	valses-hésitations
orchestre	homme-orchestre	hommes-orchestres
ressource	personne-ressource	personnes-ressources
spectacle	souper-spectacle	soupers-spectacles
surprise	cadeau-surprise	cadeaux-surprises
valise	mot-valise	mots-valises
vedette	article-vedette	articles-vedettes
Sans trait d'union		
aiguille	talon aiguille	talons aiguilles
bidon	élection bidon	élections bidon
butoir	date butoir	dates butoirs
cible	auditeur cible	auditeurs cibles
clé	mot clé *ou* mot-clé	mots clés *ou* mots-clés
couleur	photo couleur	photos couleurs
couverture	page couverture	pages couverture
éclair	guerre éclair	guerres éclair
étudiant	prêt étudiant	prêts étudiants
fantaisie	lettre fantaisie	lettres fantaisie
fantôme	ville fantôme	villes fantômes
foire	prix foire	prix foire
frontière	poste frontière	postes frontière
limite	vitesse limite	vitesses limites
maison	tarte maison	tartes maison
matin	dimanche matin	dimanches matin
mère	maison mère	maisons mères
ministre	bureau ministre	bureaux ministres
minute	clé minute	clés minute
miroir	œuf miroir	œufs miroir
modèle	maison modèle	maisons modèles
mystère	mot mystère	mots mystères
nature	grandeur nature	grandeurs nature
photo	appareil photo	appareils photo
pilote	projet pilote	projets pilotes
réclame	panneau réclame	panneaux réclames
record	profit record	profits records
reine	épreuve reine	épreuves reines
sœur	âme sœur	âmes sœurs
soir	samedi soir	samedis soir
sport	veste sport	vestes sport
standard (*adj.*)	pièce standard	pièces standards
suicide	attentat suicide	attentats suicides
synthèse	rapport synthèse	rapports synthèses
témoin	lampe témoin	lampes témoins
type	exemple type	exemples types

Une racine carrée est une racine dont les quatre angles sont égaux.

Trait d'union dans les prénoms

S'il s'agit d'un prénom composé, on met un trait d'union. S'il s'agit de deux prénoms, distincts, on ne met pas de trait d'union. Si les deux prénoms distincts sont abrégés, on met une espace insécable entre eux (à droite).

Anne-Marie Benoit *ou* A.-M. Benoit — Aurel Maximin Ramat *ou* A. M. Ramat

Trait d'union entre le prénom et le nom dans un spécifique

On met un trait d'union entre le prénom et le nom dans les dénominations suivantes.

Bâtiments	l'aréna Maurice-Richard
Enseignement	le cégep André-Laurendeau
Menus de restaurant	le consommé Christophe-Colomb
Récompenses	le prix Émile-Nelligan
Sociétés	la galerie Michel-Duc *ou* la galerie Michel Duc
Sports	la Coupe Jules-Rimet
Textes juridiques	la loi Frédéric-Falloux
Toponymie	le boulevard René-Lévesque

Trait d'union avec les verbes à l'impératif

L'impératif est joint par un trait d'union au pronom personnel qui le suit et le complète, même si ce pronom précède un infinitif. Noter à droite l'écriture avec **en** et **y.**

Chante-moi un air.	Laissez-le partir.	Vas-y.	Parles-en.
Parlez-leur en français.	Laissez-vous faire.	Va-t'en.	Parle-m'en.

On omet le trait d'union si le pronom se rattache au verbe infinitif qui suit.

Va le chercher. — Venez le voir. — Veuillez lui dire cela.

Si deux pronoms personnels distincts se rattachent à l'impératif, on met deux traits d'union.

Allez-vous-en.	Parlez-lui-en.	Donnez-nous-en deux.
Donnez-le-moi.	Faites-le-lui faire.	Mettez-vous-y.

Les mots *le, la, les* précèdent toujours les mots *moi, toi, nous, vous, lui, leur.*

Donnez-le-moi. (*et non :* Donnez-moi-le.)

Si le second pronom se rattache à l'infinitif qui le suit, on ne met pas de trait d'union.

Regardez-la en prendre. — Laissez-moi vous dire merci.

Trait d'union avec *né*

Dans le mot composé avec *né,* on met un trait d'union entre les deux éléments, qui s'accordent ensemble, sauf *nouveau* (mis pour *nouvellement*).

des chanteurs-nés — une artiste-née — des nouveau-nées

Trait d'union avec un chiffre

En principe, on ne met pas de trait d'union entre un chiffre et un nom (à gauche). Toutefois si tous deux forment ensemble un nom, on met un trait d'union (à droite). La règle est la même si le chiffre est en lettres.

Il a couru les 100 mètres en 9,77 s.	Il a participé au 100-mètres des Jeux.
Ce journal comprend 24 pages.	Ce journal est un 24-pages.
Ce maillot de bain a deux pièces.	Ce maillot de bain est un deux-pièces.

(*Mais pas :* le 100-m *ni* un 24-p.)

Trait d'union pour nommer des préfixes et des suffixes

On met un trait d'union après le préfixe nommé, et un trait d'union avant le suffixe.

auto- (*de soi-même*) : autodidacte — -algie (*douleur*) : névralgie

Virgule 

élément explicatif ou déterminatif

Un élément explicatif est entre deux virgules, il explique (1re ligne des exemples).
Un élément déterminatif est sans virgules, il restreint (2e ligne des exemples).

qui
Les enfants, qui avaient faim, mangèrent (tous les enfants mangèrent).
Les enfants qui avaient faim mangèrent (seuls ceux qui avaient faim).

que
Les enfants, que je connaissais, ont obéi (tous les enfants).
Les enfants que je connaissais ont obéi (seuls ceux que je connaissais).

dont
Les enfants, dont je savais le nom, sont sortis (tous les enfants).
Les enfants dont je savais le nom sont sortis (seuls ceux dont je savais le nom).

où
Les phrases, où j'ai hésité, étaient difficiles (toutes les phrases).
Les phrases où j'ai hésité étaient difficiles (seules les phrases où j'ai hésité).

participe passé
Les enfants, épuisés, se sont assis (tous les enfants).
Les enfants épuisés se sont assis (seuls ceux épuisés).

participe présent
Les enfants, souffrant du mal de mer, sont descendus (tous les enfants).
Les enfants souffrant du mal de mer sont descendus (seuls ceux en souffrant).

adjectif
Les enfants, très intelligents, ont compris (tous les enfants).
Les enfants très intelligents ont compris (seuls ceux très intelligents).

nom
Les enfants, philosophes, ont accepté (tous les enfants).
Les enfants philosophes ont accepté (seuls les enfants philosophes).

entre le sujet et le verbe

On ne met pas de virgule seule entre le sujet et le verbe. Il peut y en avoir deux.

Celui qui a les dents longues ne doit pas avoir la vue courte.
Celui qui a les dents longues, en général, ne doit pas avoir la vue courte.
(Et non : Celui qui a les dents longues, ne doit pas avoir la vue courte.)

entre le verbe et le complément d'objet direct

On ne met pas de virgule entre le verbe et son complément d'objet direct. Le mot *Marie,* dans l'exemple de gauche, est complément d'objet direct. Si l'on ajoute une virgule, il devient une apostrophe rhétorique (personne à qui l'on s'adresse).

Est-ce que tu entends Marie ? Est-ce que tu entends, Marie ?

entre le nom et le prénom

Dans une bibliographie ou une liste, on met une virgule entre le nom et le prénom.

ROBERT, Guy. *Une histoire vraie...* Tchaïkovski, Petr Ilitch

ellipse

Une ellipse est une suppression de mot qui évite une répétition (dans l'exemple qui suit, le mot *préfère*). On met une virgule à l'endroit de l'ellipse dans un cas comme ci-dessous.

François préfère le football ; Georges, le rugby.

Watt est l'inventeur du coton hydrophile.

apostrophe rhétorique

Je la nomme ainsi pour la distinguer du mot *apostrophe* tout court, qui désigne le signe « **'** » servant à indiquer une élision. L'apostrophe rhétorique (l'être ou la chose personnifiée à qui l'on s'adresse) se place entre deux virgules, sauf si elle commence ou termine la phrase.

Bonjour, Chantal, comment vas-tu ?	Chantal, ouvre la fenêtre.
Le directeur veut te voir, Chantal.	Viens-tu, Chantal ?

apposition ou épithète détachée

Un nom ou un adjectif est détaché quand il est placé à côté d'un nom (propre ou commun) pour l'expliquer. L'élément détaché est entre deux virgules, sauf s'il termine ou commence la phrase. La virgule subsiste devant *et* (dernier exemple).

Guy Mauve, poète, a récité des vers.
La séance a été levée par le docteur Max Hilaire, dentiste.
Décorateur, Alain Térieur a dessiné sa maison.
Jean Rougy, timide, ne s'est pas prononcé.
« Je ne fais pas de promesses », a répondu la ministre, prudente.
Assoiffée, Daisy Dratey a bu un grand verre d'eau.
Claire Delune, astronome, et Tony Truant, chanteur, étaient présents.

nom propre en apposition

Un nom propre est en apposition quand il peut se retrancher de la phrase et que celle-ci reste précise. Il est alors entre virgules (exemple de gauche). À gauche, nous n'avons qu'une fille. À droite, nous avons plusieurs filles, et c'est Élise qui est venue.

Notre fille, Élise, est venue.	Notre fille Élise est venue.

Voici deux exemples avec une ou deux virgules :

Selon l'adjointe à la directrice Ève Dubé, il faut agir. (*Ève Dubé est la directrice.*)
Selon l'adjointe à la directrice, Ève Dubé, il faut agir. (*Ève Dubé est l'adjointe.*)

inversion du sujet

On ne met pas de virgule quand il y a inversion du sujet.

Après l'automne, les grands froids arrivèrent.	(*sujet non inversé*)
Après l'automne arrivèrent les grands froids.	(*sujet inversé*)

complément circonstanciel

Une virgule suit un complément circonstanciel placé avant la principale, dont le sujet est devant le verbe. Si ce complément est très court (*hier*), on peut supprimer la virgule.

Quand on est parti de zéro pour arriver à rien, on n'a de merci à dire à personne.
Mais : Dans le champ de mon voisin poussaient de nombreux iris versicolores.
Hier j'ai lu toute la journée.

subordonnée participiale

Virgule après une participiale (introduite par un participe présent ou passé). Le sujet de la participiale doit être le même que celui de la principale. Dans le premier exemple ci-dessous, la même personne *espère* et *adresse*. La seconde phrase est fautive, car elle laisse entendre que c'est le juge qui est coupable.

Espérant une réponse favorable, je vous adresse une demande d'emploi.
(*Et non :* Reconnu coupable, le juge condamne l'inculpé à deux ans de prison.)

redondance expressive

Ces constructions sont des redondances expressives. Bien noter la virgule.

J'en veux, du café !	Ce gars-là, je l'ai vu au cinéma.
J'y vais, au restaurant.	Moi, j'aime le thé.

Si je lui ai cassé une dent, c'est parce qu'il me cassait les pieds.

incise – incidente

L'incise (verbe indiquant qu'on rapporte des paroles) et l'incidente (intervention personnelle) sont entre deux virgules, mais l'une des virgules s'efface si elle est précédée d'un point d'interrogation ou d'exclamation, ou bien suivie de la ponctuation finale (incises à gauche, incidentes à droite).

> «Je crois, dit-elle, que c'est vrai.»
> «Quoi ? s'étonna-t-il, vous êtes ici ?»
> «Bravo ! s'écria-t-elle, je te félicite.»
> «Il faut, je pense, prendre cette voie.»
> «J'aimais, t'en souviens-tu ? chanter...»
> «Je suis d'accord, bien entendu.»

incise avec guillemets

L'incise est isolée par deux virgules. Si elle est longue (elle contient deux verbes ou plus), on ferme les guillemets de citation avant elle et on les rouvre après.

> «Il va pleuvoir, dit l'éléphant, j'ai reçu une goutte sur le dos.»
> «Il va pleuvoir», dit l'éléphant en italien et en colère parce qu'il était polyglotte et qu'il avait la peau douce, «j'ai reçu une goutte sur le dos.»

points d'interrogation et d'exclamation

En principe, on ne met pas de virgule après ces points. Mais, dans le cas suivant, on mettra une virgule pour bien distinguer les titres d'œuvres. On notera que le mot *etc.* comporte toujours une virgule avant lui.

> Je vous conseille de lire *Aimez-vous Brahms ?, Faut le faire !,* etc.

ainsi que – avec – de même que

Avec deux virgules : le verbe est au singulier. Pas de virgules : le verbe est au pluriel.

> La politesse, ainsi que la sincérité, est une grande vertu.
> La politesse ainsi que la sincérité sont deux grandes vertus.
> Gisèle, de même que sa cousine, fait l'élevage de chats.
> Gisèle de même que sa cousine font l'élevage de chats.
> Le monsieur, avec son chien noir, est arrivé en voiture.
> Le monsieur avec son chien noir sont arrivés en voiture.

car – mais

On met une virgule devant. Si le terme suivant *mais* est court, pas de virgule.

> Les plages sont pleines, car tout le monde y va en été.
> J'aimerais passer la soirée à la discothèque, mais je n'ai plus un sou.
> Le temps est beau mais froid. Elle procède lentement mais efficacement.

c'est

On met une virgule avant *c'est* quand il y a redondance, comme dans l'exemple suivant :

> La jeunesse, c'est de refuser la place qu'on vous offre dans le métro.

c'est-à-dire

On met une virgule avant *c'est-à-dire* quand on veut donner une explication.

> Il est champion de triathlon, c'est-à-dire la compétition formée de trois épreuves.

sinon

On met une virgule avant cette conjonction, qui s'écrit en un seul mot.

> Venez nous voir dimanche, sinon vous le regretterez.

soit

On met une virgule dans les cas suivants :

Quand *soit* veut dire *d'accord* → Soit, j'accepte votre proposition.
Quand *soit* veut dire *c'est-à-dire* → Il pèse un kilogramme, soit 2,2 livres.
Quand *soit* veut dire *ou bien* → Je viendrai soit lundi, soit mardi.

J'avais un verre dans le nez, et elle m'a tiré les vers du nez.

index

Dans un index, la virgule signale une inversion.

tiret court, emplois du style, créer un

de – avec

Dans les exemples suivants, pour éviter des imprécisions, il faut ajouter une virgule après les mots *grenouille* et *Allen.* Sans virgule, Paul Cuistot sauterait bien loin. Sans virgule, Woody Allen et Mia Farrow ont réalisé ensemble la comédie ; avec la virgule, Mia Farrow était l'actrice seulement.

J'ai adoré les cuisses de grenouille, de l'apprenti cuisinier Paul Cuistot.
C'est une comédie réalisée par Woody Allen, avec Mia Farrow.

et – et ce

Énumération : la virgule entre les deux derniers termes est remplacée par *et.*

Il vaut mieux être beau, riche et jeune que laid, pauvre et vieux.

On met une virgule avant *et* pour rompre l'énumération ou s'il y a risque d'ambigüité.

Enfin cessèrent la pluie et le vent, et le soleil revint.
Lise adore cuisiner, et faire la vaisselle l'ennuie.
Jean a acheté des ampoules, et une scie pour couper un arbuste.

On encadre *et ce* de virgules.

Nous allons changer les règlements, et ce, dès demain matin.

ni – ou

Avec des *ni* rapprochés, on ne met pas de virgule, sauf quand il y a trois éléments énumérés ou plus. La même règle s'applique pour *ou.*

Ce repas n'est ni bon ni mauvais. Il n'y a ni vin, ni saucisse, ni boudin.
Météo : ou il pleut ou il neige. Météo : ou il pleut, ou il neige, ou il vente.

***que* et e élidé**

On met deux virgules ou l'on n'en met aucune dans l'exemple suivant. (Il serait aussi permis de mettre une virgule après *jour,* dans la deuxième ligne, où il y a élision.)

J'espère que, un jour, quelqu'un inventera la ficelle à lier les sauces.
J'espère qu'un jour quelqu'un inventera la ficelle à lier les sauces.

autrement dit

On met une virgule avant cette locution, mais on n'en met pas après, sauf si elle est au début de la phrase.

Je veux participer à ce débat, autrement dit j'irai à la réunion.
Je veux participer à ce débat. Autrement dit, j'irai à la réunion.

tête de phrase

En général, on met une virgule après les locutions ci-dessous quand elles commencent la phrase.

Ainsi,	D'une part,	Du reste,	Ensuite,	Par exemple,
Aussi,	D'autre part,	En fait,	Néanmoins,	Pourtant,
Cependant,	De plus,	En outre,	Or,	Puis,
Certes,	Donc,	Enfin,	Par ailleurs,	Toutefois,

parenthèses

Pour isoler un membre de phrase, on a trois possibilités dans cet ordre croissant de force : les virgules, les parenthèses, les tirets longs. On ne met jamais la virgule avant la parenthèse ouvrante. Au besoin, on la met après la parenthèse fermante.

Quand on vit à crédit (au-dessus de ses moyens), les ardoises sont des tuiles.

La Fontaine a écrit les fables de multiplication.

Plusieurs ponctuations de suite

Ponctuations non permises

Fautif		Exemples corrects
.»,	*Le point final de la citation s'en va.*	«Je suis content d'être ici», dit-il.
,(	*La virgule juste avant* **(** *s'efface.*	Hier (lundi), nous sommes sortis.
(,	*La virgule juste après* **(** *s'efface.*	Hier (lundi), nous sommes sortis.
,)	*La virgule juste avant* **)** *s'efface.*	Hier (lundi), nous sommes sortis.
!).»,	*Le point final de la citation s'en va.*	«J'ai réussi (quel bonheur!)», dit-elle.
!,	*Le point d'exclamation annule la virgule,*	— Bonjour! dit-il.
!»,	*même s'il y a un guillemet.*	«Bonjour!» dit-elle.
!.	*Le point final s'efface.*	Il a réussi, quel exploit!
!».	*Même chose avec guillemet.*	Elle a crié : «Quelle chance!»
! :	*Le point d'exclam. avant* **:** *s'efface.*	J'oubliais les présentations : Jean...
!»!	*Choisir la ponctuation la plus utile.*	Vive celle qui a crié «Bravo!»
!»?	*Choisir la ponctuation la plus utile.*	Qui donc a crié «Hélas»?
?,	*Le point d'interr. annule la virgule,*	— Pourquoi? demanda-t-il.
?»,	*même s'il y a un guillemet.*	«Pourquoi?» demanda-t-elle.
?.	*Le point final s'efface.*	Il a réussi, t'en rends-tu compte?
?».	*Même chose avec guillemet.*	Elle a demandé : «Qui viendra!»
? :	*Le deux-points après le* **?** *s'efface.*	Sais-tu? tu as une très belle voix.
?»!	*Choisir la ponctuation la plus utile.*	Arrêtez donc de crier «Pourquoi?»
?»?	*Choisir la ponctuation la plus utile.*	Qui a demandé : «Quel temps fait-il?»

Ponctuations permises

Correct		Exemples corrects
!).	*La parenthèse ne supprime rien.*	J'ai réussi (quel bonheur!).
),	*La virgule après* **)** *subsiste.*	Hier (lundi), nous sommes sortis.
!).»	*La parenthèse ne supprime rien.*	«J'ai gagné la partie (quelle chance!).»
!,	*«Ah!» est en italique.*	Ses *Ah!*, ses *Oh!* et ses *Euh!* les font rire.
...).	*La parenthèse ne supprime rien.*	J'ai réussi (quel bonheur...).
...»,	*Les points de suspension subsistent.*	«Je suis content d'être ici...», dit-il.
...».	*Les points de suspension subsistent.*	Il dit que «les gens sont fous...».
?).	*La parenthèse ne supprime rien.*	J'ai réussi (qui l'eût cru?).
?),	*La parenthèse ne supprime rien.*	J'ai réussi (qui l'eût cru?), mais de peu.
?)!	*La parenthèse ne supprime rien.*	J'ai réussi (qui l'eût cru?)!
?».	*Le mot «quoi» est en bas-de-casse.*	Il a intercalé de nombreux «quoi?».
?,	*«Qui?» est une œuvre, en italique.*	Dans le film *Qui?,* Romy jouait Marina.
?).»	*La parenthèse ne supprime rien.*	«J'espère qu'il viendra (mais quand?).»
etc.».	*Le point abréviatif subsiste.*	Je dis «qu'il faut vivre, aimer, etc.».

Les ambidextres sont des gens qui ont dix doigts à chaque main.

Quelques principes typographiques

- On ne peut jamais avoir deux points d'exclamation ou d'interrogation de suite, même s'ils sont séparés par un guillemet fermant. On ne peut pas non plus avoir **!?** ni **?!** ensemble. Il faut choisir un seul signe, le plus important selon le sens que l'on veut.

  Tant de fois ! Combien de fois ?

- On applique les mêmes règles aux crochets qu'aux parenthèses.

  Quand il est parti [sic], il était joyeux. Viendra-t-il avec Luce [...] ? Je le crois.

- On ne peut jamais avoir trois points d'exclamation ou d'interrogation de suite.

  Que me dites-vous là ? (*et non :* Que me dites-vous là ? ? ?)

- On ne peut jamais avoir deux points ni quatre points de suite.

  Elle avait apporté beaucoup de fruits : des pommes, des poires, des raisins, etc.

- La ponctuation subsiste toujours entre les mots du texte qui est entre des parenthèses.

  Julie était accompagnée de deux personnes (son frère, il me semble, et sa cousine).

- Les points d'exclamation et d'interrogation subsistent toujours devant la parenthèse fermante.

  Elle a gagné (quelle chanceuse !). Elle a gagné (qui l'aurait cru ?).
  Quelle chance (l'aurait-on cru ?) !

- Les points d'exclamation et d'interrogation ne peuvent jamais être suivis d'un point, même quand ils sont en italique.

  Romy Schneider a joué dans le film *Qui ?* (*et non :* Elle a joué dans le film *Qui ?.*)
  On entendait seulement des *Ah !* (*et non :* On entendait seulement des *Ah !.*)

- Le point abréviatif subsiste devant toute ponctuation, excepté devant le point final et les points de suspension, avec lesquels il se confond.

  Henri II : roi de France au XVIe s. Ouvrage de 2 vol., 4 t., 420 p...

- On ne doit pas mettre deux espaces de suite après une ponctuation finale.

  Hier, il était très joyeux. Ce soir, un peu moins. S'en est-elle aperçue ? Je ne sais pas.

- Afin d'éviter trop de ponctuations, il vaut mieux rédiger la phrase autrement.

  Hier, lundi, Paul, son ami, est parti. → Hier (lundi), son ami Paul est parti.

- Dans un dialogue, l'incise, comme *dit-il,* peut être :

  à l'intérieur (entre deux virgules) → « Vous avez, dit-il, de jolis yeux. »
  si longue, deux verbes, (entre **»,** et **,«**) → « Vous avez », dit-il en soupirant, « de... ».
  à la fin (précédée d'une virgule) → « Vous avez de jolis yeux », dit-il.
  précédée d'un **! »** (pas de virgule) → « Vous avez de si jolis yeux ! » dit-il.
  précédée d'un **? »** (pas de virgule) → « Voulez-vous m'épouser ? » demanda-t-il.

Ponctuation et sens

Ces phrases changent de sens si les virgules sont déplacées ou supprimées.

« L'animateur, dit ce spectateur, est gentil. »
L'animateur dit : « Ce spectateur est gentil. »

Avez-vous du filet mignon ?
Avez-vous du filet, mignon ?

Vu que c'est un imbécile, comme vous je crois qu'il faudra sévir.
Vu que c'est un imbécile comme vous, je crois qu'il faudra sévir.

Comme je vous l'ai dit cet après-midi, je verrai votre père.
Comme je vous l'ai dit, cet après-midi je verrai votre père.

Il est interdit de jouer au ballon avec les pieds, sur la plage.
Il est interdit de jouer au ballon, avec les pieds sur la plage.

J'essaie de comprendre, ce qui, je l'espère, arrivera un jour ou l'autre.
J'essaie de comprendre ce qui, je l'espère, arrivera un jour ou l'autre.

Je vous prie d'excuser Mireille, qui a été malade, d'avoir manqué la classe.
Je vous prie d'excuser Mireille, qui a été malade d'avoir manqué la classe.

La dame dit aux invités : « Venez manger, mes amis. »
La dame dit aux invités : « Venez manger mes amis. »

Le bateau glissait sur le canal, muet.
Le bateau glissait sur le canal muet.

Le poète n'est pas mort, comme on l'a dit.
Le poète n'est pas mort comme on l'a dit.

Ma chère amie, la pluie n'a cessé de tomber.
Ma chère amie la pluie n'a cessé de tomber.

La municipalité tiendra ses engagements, en partie grâce à votre concours.
La municipalité tiendra ses engagements en partie, grâce à votre concours.

Un record : en une heure seulement, neuf kilomètres.
Un record : en une heure, seulement neuf kilomètres.

Le directeur, lui, rendra compte de sa gestion.
Le directeur lui rendra compte de sa gestion.

Qu'est-ce qu'on mange, papa ?
Qu'est-ce qu'on mange : papa ?

Si vous faites cela encore une fois, vous serez puni.
Si vous faites cela, encore une fois vous serez puni.

Un homme entra, sur la tête un chapeau de paille, aux pieds des souliers vernis, à la main un vrai bouquet de fleurs.
Un homme entra sur la tête, un chapeau de paille aux pieds, des souliers vernis à la main : un vrai bouquet de fleurs.

Les Québécoises, qui savent parler le chinois, sont peu nombreuses.
Les Québécoises qui savent parler le chinois sont peu nombreuses.

Une ligne droite devient rectiligne quand elle tourne.

Typographie anglaise

Abrégé de grammaire anglaise

Règles générales. Certaines peuvent comporter des exceptions.

Nom (*noun*)

pluriel régulier	on ajoute *-s*	→	book/books, hat/hats
-x, -o	on ajoute *-es*	→	box/boxes, potato/potatoes
-sh, -ch, -ss	on ajoute *-es*	→	dish/dishes, watch/watches, glass/glasses
-fe	devient *-ves*	→	knife/knives, life/lives
-y	voyelle avant, ajout *-s*	→	boy/boys, valley/valleys
-y	consonne avant : *-ies*	→	lady/ladies, fly/flies
noms propres	on ajoute *-s*	→	Henry/Henrys, Smith/Smiths
-s, -sh, -ch	on ajoute *-es*	→	the Joneses, the Nashes, the Lynches
irréguliers	voir dictionnaire	→	man/men, child/children, foot/feet
genre des êtres	animés : m. ou f.	→	man/woman, actor/actress, lion/lioness
des choses	neutre	→	car, ball, house

Adjectif (*adjective*)

invariable	se place devant	→	a good boy, two good boys
comparatif	une syllabe : *-er*	→	small/smaller, smart/smarter
comparatif	deux syllabes ou plus	→	more beautiful, more different
superlatif	une syllabe : *-est*	→	small/smallest, smart/smartest
superlatif	deux syllabes ou plus	→	most beautiful, most different
possessif	genre du possesseur	→	a boy with his hat, a girl with her hat

Adverbe (*adverb*)

règle générale	on ajoute *-ly* à l'adjectif	→	poor/poorly, nice/nicely

Verbe (*verb*)

indic. présent	*-s* à la 3e pers. sing.	→	I beg, you beg, he begs, we beg . . .
passé simple	*-ed* partout	→	I walked, you walked, he walked . . .
part. passé	*-ed,* invariable	→	they are surprised
part. présent	*-ing,* invariable	→	bringing, beating

Quelques verbes irréguliers

	Infinitive	**Past**	**Past participle**	**Present participle**
apporter	to bring	brought	brought	bringing
attraper	to catch	caught	caught	catching
avoir	to have	had	had	having
boire	to drink	drank	drunk	drinking
briser	to break	broke	broken	breaking
choisir	to choose	chose	chosen	choosing
commencer	to begin	began	begun	beginning
couper	to cut	cut	cut	cutting
donner	to give	gave	given	giving
écrire	to write	wrote	written	writing
être	to be	was	been	being
faire	to do	did	done	doing
faire	to make	made	made	making
laisser	to leave	left	left	leaving
obtenir	to get	got	gotten	getting
permettre	to let	let	let	letting
prendre	to take	took	taken	taking
quitter	to leave	left	left	leaving
trouver	to find	found	found	finding
venir	to come	came	come	coming
voir	to see	saw	seen	seeing

Règles typographiques anglaises

Pour plus de précisions, consultez le livre *The Canadian Style,* Dundurn Press, Toronto.

Abréviations

La ponctuation des abréviations en anglais ne tient pas compte de la présence de la dernière lettre du mot entier : les abréviations anglaises prennent toutes un point abréviatif. La plupart sont invariables. La tendance est de ne pas mettre en italique les mots latins.

account	acct.
and others	et al.
and so on	etc.
avenue	Ave.
boulevard	Blvd.
brothers	Bros.
building	bldg.
captain	Capt.
chapter, chapters	ch.
commander	Cmdr.
company	Co.
continued	cont.
doctor	Dr.
doctors	Drs.
each	ea.
east	E.
for example	e.g.
general manager	G.M.
incorporated	Inc.
limited	Ltd.
madam/miss	Ms.
messieurs	Messrs.
mister	Mr.
north	N.
number (quantity)	Nb.
number (rank)	No.
numbers (ranks)	Nos.
page, pages	p.
place	Pl.
quantity	qty.
reverend	Rev.
road	Rd.
section	s.
sections	ss.
south	S.
street	St.
that is	i.e.
west	W.
year	yr.
years	yrs.

Sigles et acronymes en anglais

Comme en français, les sigles se prononcent lettre par lettre, et les acronymes se prononcent comme un nom. Ils s'écrivent en capitales, sans espaces, sans traits d'union et sans points abréviatifs. Quand les dénominations sont citées au long, elles prennent une capitale à chaque mot, sauf aux articles, aux prépositions, aux pronoms et aux conjonctions.

Sigles (*Initialisms*)

CNIB Canadian National Institute for the Blind

Acronymes (*Acronyms*)

NATO North Atlantic Treaty Organization

Mois et jours en anglais

Quand ils se trouvent **dans un texte** courant, les mois et les jours prennent une capitale, ainsi que leurs abréviations.

January	Jan.	July	July	Sunday	Sun.
February	Feb.	August	Aug.	Monday	Mon.
March	March	September	Sept.	Tuesday	Tues.
April	April	October	Oct.	Wednesday	Wed.
May	May	November	Nov.	Thursday	Thurs.
June	June	December	Dec.	Friday	Fri.
				Saturday	Sat.

Heure

10 a.m. *ou* 10:00 a.m. 10 p.m. *ou* 10:00 p.m. (22 h, en français)

Provinces et territoires du Canada en anglais

Dans un texte, les abréviations finissent par un point. Le symbole postal a deux lettres.

	Texte	Postal		Texte	Postal
Alberta	Alta.	AB	Nunavut	—	NU
British Columbia	B.C.	BC	Ontario	Ont.	ON
Manitoba	Man.	MB	Prince Edward Island	P.E.I.	PE
New Brunswick	N.B.	NB	Quebec	Que.	QC
Newfoundland & Labr.	N.L.	NL	Saskatchewan	Sask.	SK
Northwest Territories	N.W.T.	NT	Yukon Territory	Y.T.	YT
Nova Scotia	N.S.	NS			

États américains en anglais

Dans un texte, les abréviations finissent par un point. Le symbole postal a deux lettres.

	Texte	Postal		Texte	Postal
Alabama	Ala.	AL	Montana	Mont.	MT
Alaska	—	AK	Nebraska	Nebr.	NE
Arizona	Ariz.	AZ	Nevada	Nev.	NV
Arkansas	Ark.	AR	New Hampshire	N.H.	NH
California	Calif.	CA	New Jersey	N.J.	NJ
Colorado	Colo.	CO	New Mexico	N.M.	NM
Connecticut	Conn.	CT	New York	N.Y.	NY
Delaware	Del.	DE	North Carolina	N.C.	NC
Florida	Fla.	FL	North Dakota	N.D.	ND
Georgia	Ga.	GA	Ohio	—	OH
Hawaii	—	HI	Oklahoma	Okla.	OK
Idaho	—	ID	Oregon	Ore.	OR
Illinois	Ill.	IL	Pennsylvania	Pa.	PA
Indiana	Ind.	IN	Rhode Island	R.I.	RI
Iowa	—	IA	South Carolina	S.C.	SC
Kansas	Kan.	KS	South Dakota	S.D.	SD
Kentucky	Ky.	KY	Tennessee	Tenn.	TN
Louisiana	La.	LA	Texas	Tex.	TX
Maine	Me.	ME	Utah	—	UT
Maryland	Md.	MD	Vermont	Vt.	VT
Massachusetts	Mass.	MA	Virginia	Va.	VA
Michigan	Mich.	MI	Washington	Wash.	WA
Minnesota	Minn.	MN	West Virginia	W. Va.	WV
Mississippi	Miss.	MS	Wisconsin	Wis.	WI
Missouri	Mo.	MO	Wyoming	Wyo.	WY
			(District of Columbia	D.C.	DC)

Système international d'unités (SI) en anglais

Les symboles de base de l'*International System of Units* (SI) sont les mêmes qu'en français. Par contre, dans les nombres, on utilise le point décimal au lieu de la virgule.

Système impérial en anglais

Les abréviations du système impérial prennent un point abréviatif et sont invariables.

cubic foot	cu. ft.	inch	in.	pound	lb.
cubic inch	cu. in.	mile	mi.	square foot	sq. ft.
cubic yard	cu. yd.	mile per hour	mph.	square inch	sq. in.
foot	ft.	ounce	oz.	square yard	sq. yd.
gallon	gal.	pint	pt.	yard	yd.

Adresse en anglais

À l'extérieur du Québec, on ne met pas de virgule après le numéro de la voie publique. Le générique (*Blvd.*) prend une capitale et se place après le spécifique. La province (*ON*) est précédée d'une virgule. Au Québec, l'adresse reste en français.

À l'extérieur du Québec	**Au Québec**
Mr. Robert Jones	Mr. Robert Jones
123 Smith Blvd.	400, rue De Rigaud
Toronto, ON X2L 3P5	Montréal (Québec) H2L 4S9

Saint ou *Sainte* en anglais

L'abréviation prend un point abréviatif, n'a pas de trait d'union ni de féminin.

St. Patrick's Church   the St. Lawrence River   St. Catherine Street

Date en anglais

Les jours et les mois prennent une capitale. Ces éléments sont séparés par une virgule. On n'utilise pas de *st, nd, rd, th,* sauf quand ils sont précédés de l'article défini (voir l'exemple à droite). Ils peuvent aussi s'écrire en lettres supérieures.

Monday, March 12, 2012   the 12th of March, 2012   the meeting of 12 March 2012

Capitales

L'anglais utilise beaucoup plus les capitales que le français.

Adjectif dérivé d'un nom propre	→	the French culture
Bâtiments et lieux publics	→	the White House, the Statue of Liberty
Écoles	→	Champlain College
Langues	→	two languages: French and English
Organismes	→	the Ministry of Education
Partis politiques	→	the Liberal Party, the Parti québécois
Religions	→	the Catholicism
Sigles	→	Canadian Automobile Association (CAA)
Sociétés	→	the Bell Telephone Company
Textes juridiques	→	the Treaty of Versailles
Titres suivis d'un nom propre	→	Prime Minister Jones
Patronymes	→	John F. Kennedy, John W. Bush

Coupures

Dans les exemples, les coupures sont marquées par ⌊.

Pas après la première lettre d'un mot	→	*pas* i⌊tinerary, *mais* iti⌊ne⌊rary
Pas entre deux voyelles (sauf étymol.)	→	*pas* appe⌊arance, *mais* re⌊appear
Pas avant ou après une apostrophe	→	*pas* Father⌊'⌊s Day, *mais* Father's⌊Day
Pas ailleurs qu'au trait d'union	→	*pas* long-last⌊ing, *mais* long-⌊lasting
Pas avant les deux dernières lettres	→	*pas* walk⌊ed *ni* strick⌊en
Il est permis de diviser avant *-ing*	→	land⌊ing, walk⌊ing, *mais* kid⌊ding

✤ Ne pas diviser : again, enough, even, every, often, only, people, some, woman…

Italique

Insistance sur un certain mot	→	He *must* attend the meeting.
Journal	→	We read *The Gazette* and *La Presse*.
Mot étranger	→	This dress is very *chic*.
Nom de bateau, d'avion, de véhicule	→	They travelled on the *Normandy*.
Titre d'œuvre	→	Shakespeare wrote *Hamlet*.
Mot latin	→	*idem, infra, passim, sic, supra, vide* (les autres mots latins sont en romain)

J'ai été accidenté lors de la rentrée de la sortie.

Nombres

En lettres jusqu'à neuf	→	He scored three goals yesterday.
En chiffres à partir de 10	→	He scored 60 goals during the last season.
Le point décimal au lieu de la virgule	→	This country has 2.3 million inhabitants.
La virgule au lieu de l'espace insécable	→	This town has 2,300 inhabitants.
$ avant le nombre au lieu d'après	→	The house is for sale at $225,000.

Ponctuation

Espacement (*spacing*)

Jamais d'espace entre le signe de ponctuation et le mot qui le touche, sauf pour les points de suspension (voir plus bas).

Apostrophe (*apostrophe*)

Le possesseur est au singulier	→	the professor's hat
Le pluriel se termine en *s*	→	the professors' hats
Le pluriel ne se termine pas en *s*	→	the women's dresses
Noms propres se terminant en *s*	→	John Lewis's car

Deux-points (*colon*)

Appel dans une lettre	→	Dear Sir:

Guillemets anglais (*quotation marks*)

Virgule devant, au lieu du deux-points	→	He said, "I am happy."
Ponctuation finale toujours à l'intérieur	→	He said that "he was happy."
Virgule avant le guillemet fermant	→	"I am ready to answer," said the man.
Guillemets simples pour incluse	→	He said, "I am 'very' happy."
Si incluse à la fin, point intérieur	→	He said, "I am 'very happy.'"

Tiret long (*dash*)

Pas d'espace avant ni après	→	We must—always—be honest.

Points de suspension (*ellipsis dots*)

Espace insécable entre eux	→	I would like to go, but . . .

Trait d'union (*hyphen*)

Adjectif composé placé avant le nom	→	A well-dressed woman
Placé après, pas de trait d'union	→	A woman well dressed
Pour éviter les confusions	→	re-cover (*cover again*), recover (*regain*)

Virgule (*comma*)

Fin d'une énumération, devant *and*	→	She likes dancing, reading, and playing.
Avant et après *etc.*	→	A sale of beds, chairs, etc., took place.
Entre nom et prénom dans bibliographie	→	Smith, John. *The Book of Seasons.*
Après une interjection légère	→	Oh, I am glad to see you.
Pour les tranches de 3 chiffres	→	The price of this house is $2,300,000.
Avant la province dans une adresse	→	London, ON.
Avant parole citée	→	He said, "Give me the bread."

Parenthèses (*parentheses*)
Point (*period*). Jamais deux espaces après la ponctuation finale d'une phrase.
Point d'exclamation (*exclamation mark*)
Point d'interrogation (*question mark*)
Point-virgule (*semicolon*)

Ces cinq derniers signes suivent les mêmes règles d'emploi qu'en français.

✤ Dans un texte en français, quand on cite des textes en anglais, on doit garder l'espacement de la ponctuation anglaise, c'est-à-dire que toutes les ponctuations sont collées au mot qui précède dans le texte anglais cité : *Is it possible?* (pas d'espace avant le **?**).

Exercices

Exercices

Abc de typographie ***Cochez seulement les lignes qui semblent correctes.***

1. ☐ Le corps des lettres est déterminé en points et en fractions de point.
2. ☐ Ligne de base : trait imaginaire longeant la base des lettres sans jambage.
3. ☐ Le *maigre italique* est une des faces possibles d'une police.
4. ☐ Le Verdana semble plus gros que le Garamond : leur œil est différent.
5. ☐ L'échelle (ou chasse) est la largeur d'un caractère.
6. ☐ En typographie, on utilise souvent le soulignement.
7. ☐ Le mot *espace* est féminin quand il désigne l'espace entre les mots.
8. ☐ L'espace fine est sécable.
9. ☐ En général, on utilise le gras pour les titres.
10. ☐ Un bourdon est l'omission d'un mot ou d'un passage entier.
11. ☐ On a un doublon quand deux parties d'un texte ont été, par erreur, omises.
12. ☐ Un encart est un feuillet ou carton inséré à l'intérieur d'une publication.
13. ☐ Un exergue est un texte mis en évidence au début d'un ouvrage ou d'article.
14. ☐ La gouttière est l'espace blanc séparant les colonnes de journal.
15. ☐ La quadrichromie contient quatre couleurs : vert, violet, jaune et noir.
16. ☐ Un alinéa est un paragraphe avec un retrait positif de première ligne.
17. ☐ La catégorie grammaticale des parties d'une énumération peut varier.
18. ☐ L'appel de note se place toujours avant la ponctuation.
19. ☐ Le mot *folio* est synonyme de *numéro de page.*
20. ☐ Pour aligner du texte, il est préférable d'utiliser la barre d'espacement.
21. ☐ En général, si les lettres *o* et *e* sont voisines, on doit utiliser la ligature *œ*.
22. ☐ On peut finir un titre par un point d'interrogation ou d'exclamation.
23. ☐ Une orpheline est la dernière ligne d'un paragraphe au sommet d'une page.

Abréviations ***Cochez seulement les lignes qui semblent correctes.***

24. ☐ t. (tome) — tjs (toujours) — qqn. (quelqu'un) — qqch. (quelque chose)
25. ☐ n. m. — dr. pén. — p. ex.
26. ☐ 1ère — 2ième — n°
27. ☐ Nous notons le lieu, la date, etc...
28. ☐ app. (appartement) — boul. (boulevard) — éd. (édition)
29. ☐ max. (maximum) — s. (siècle) — tél. (télécopieur)
30. ☐ Le lundi 09 avril
31. ☐ Les réunions ont eu lieu le jeudi 8 mars 2012 à 9 H et à 16 H à la mairie.
32. ☐ La course a duré 6 h.
33. ☐ J'ai rencontré madame la directrice.
34. ☐ OQLF — HEC — NASA — cegep
35. ☐ La première fois qu'on emploie un sigle, il faut donner sa signification.
36. ☐ 3 h 20 min 40 s — Ce tissu mesure 1,75 m en tout. — 25 cm — 10 Kg
37. ☐ Go (gigaoctet) — km/h (kilomètre par heure) — kWh (kilowattheure)
38. ☐ 6 G$ ou 6 GCAD = 6 000 000 000 $ = 6 milliards de dollars
39. ☐ Certains mots se mettent en italique : *idem, ibidem, etc.*
40. ☐ Plomberie Paul enr. — Coiffures Lafrise inc. — Menuiserie Dubois ltée
41. ☐ Les bulletins nos 7 et 8 sont ici. — J'habite au numéro 6.

Anglicismes

Cochez seulement les lignes qui semblent correctes.

42. ☐ On appelle «faux ami» une traduction littérale de l'anglais.
43. ☐ L'expression *aller sous presse* est un anglicisme.
44. ☐ Dans le sens de «inquiet», *anxieux* est un anglicisme.
45. ☐ L'ordre des mots est bien français dans *les derniers trois jours.*

Capitales

Cochez seulement les lignes qui semblent correctes.

46. ☐ Le bas-de-casse (bdc) désigne la minuscule.
47. ☐ le Ministère des transports — l'avenue du Mont-Royal
48. ☐ Raison sociale : la Nouvelle Société des amis des chats
49. ☐ J'ai visité le Centre sportif de Saint-Yves. Ce Centre sportif est très actif.
50. ☐ L'appel dans un courriel s'écrit de cette façon : Bonjour Paul,
51. ☐ On écrit un numéro de téléphone ainsi : (514) 123-4567
52. ☐ 3, rue Ste-Catherine ouest
53. ☐ Menus : Terrine de fruits de mer — Pêche Melba
54. ☐ 1, édifice place Ville-Marie — station Place-des-Arts
55. ☐ Je vais au 24, Dupont.
56. ☐ le lac des Deux Montagnes — la ville de Deux-Montagnes
57. ☐ Je connais le Sud-Est du Québec. — Je vais en vacances dans le Sud-Est.
58. ☐ la Cour internationale de justice — la Haute Cour de justice
59. ☐ Le toit du cégep André-Laurendeau. — L'entrée de l'Université McGill.
60. ☐ B.A. : baccalauréat ès arts — B. Sc. pol. : baccalauréat en sciences politiques
61. ☐ l'école du Lac des Deux-Montagnes
62. ☐ Nous prions sainte Justine. — Il travaille à l'hôpital Sainte-Justine.
63. ☐ les Jutras, les Juno, les Oscars, les Oliviers, les Masques
64. ☐ la guerre de 1914-1918 — la première Guerre mondiale
65. ☐ Nous avons lu dans la *Gazette* que les envoyés du *Spiegel...*
66. ☐ Signes du zodiaque : les Poissons — Mon ami est un poisson.
67. ☐ l'art canadien-français — les Canadiens-Français
68. ☐ les néo-Canadiens — les Néozélandais
69. ☐ un coup d'État — un État totalitaire — un état de siège
70. ☐ la fête des Mères — la période des Fêtes — les Noëls de mon enfance
71. ☐ le nouveau Parti démocratique — le Parti vert du Canada
72. ☐ Bibliographies : DURAND, Pierre. — Durand, Pierre.

Coupures

Cochez seulement les lignes qui semblent correctes.

73. ☐ Coupures possibles : atmo|sphère — extra|ordinaire
74. ☐ Il n'y a aucun endroit où l'on peut couper les mots *lexique* et *croyance.*
75. ☐ On ne peut pas couper les mots *tendu* et *blanche.*
76. ☐ On peut couper *expliqua-t-elle* aux deux traits d'union.
77. ☐ On ne doit pas séparer les éléments des dates.

Informatique

Cochez seulement les lignes qui semblent correctes.

78. ☐ On peut écrire : «Je navigue sur l'Internet.»
79. ☐ Noms de logiciels : AdobeReader — PowerPoint
80. ☐ En HTML, il est impossible de faire des apostrophes typographiques.
81. ☐ On aligne à droite les chiffres d'une liste numérotée.

Italique ***Cochez seulement les lignes qui semblent correctes.***

82. ☐ le parfum *Chanel nº 5* — le chemisier *Petit Prince*
83. ☐ l'ouragan *Nargis* en Birmanie — Voir le chapitre Abréviations.
84. ☐ deux *Boeing* — des camemberts — des sudokus
85. ☐ La capsule *Apollo* — la navette *Columbia*

Nombres ***Cochez seulement les lignes qui semblent correctes.***

86. ☐ ¾ : trois quart — 25/100 : vingt-cinq centièmes
87. ☐ Quantité : quatre-vingt-un — Rang : soixante-dixième
88. ☐ quatre-vingts pages — la page quatre-vingts
89. ☐ George Sand passa sa jeunesse à Nohant entre quatre et 14 ans.
90. ☐ 23 234,78 $ — 2 678 kg *ou* 2678 kg — 12345, rue Dupont
91. ☐ le neuf de carreau — la classe de quatrième
92. ☐ Il a fait 26,7° aujourd'hui. — Il a fait 26,7° C aujourd'hui.
93. ☐ Horaires : 12:15 *ou* 1215 (midi et quart)
94. ☐ 50 % — 12 ½ % — 6,125 % — 3,5 p. 100 — dix pour cent
95. ☐ un gain de 100 $ à 150 $ — un gain de 100 à 150 $
96. ☐ le XXe siècle — LE XXE SIÈCLE — le 20e siècle — le vingtième siècle

Orthographe ***Cochez seulement les lignes qui semblent correctes.***

97. ☐ Lui, toi et moi les verront.
98. ☐ Est-ce toi qui as frappé ?
99. ☐ Les gouvernements fédéral et provinciaux sont représentés.
100. ☐ des robes bleues claires
101. ☐ Je les en ai informé.
102. ☐ Elle s'est achetée une robe.
103. ☐ Vous vous êtes téléphonés.
104. ☐ La rumeur qu'il y a eu était exagérée.
105. ☐ Les feuilles que j'ai vu ramasser.
106. ☐ Elle s'est faite entendre.
107. ☐ Il a neigé pendant l'heure qu'il a courue.
108. ☐ Les reines se sont succédées.
109. ☐ Il faut que vous croyiez en l'avenir.
110. ☐ Nous avons cueilli les pommes, excepté les vertes.
111. ☐ Aucun effort n'a été épargné, et il n'y aura aucun frais.
112. ☐ Le cinéma comme le théâtre me plaisent beaucoup.
113. ☐ Je l'estime d'avantage chaque jour.
114. ☐ La réunion a duré deux heures et demie.
115. ☐ cette robe-là — cette robe d'été-là
116. ☐ Je les leurs donne.
117. ☐ les garçons mêmes — ceux-là-mêmes — eux-mêmes
118. ☐ Les hommes même sont mortels.
119. ☐ Elle découvrit un paquet de lettres qui était bien ficelé.
120. ☐ On attend pas d'invités.
121. ☐ Un choc physique ou une émotion peut lui être fatals.
122. ☐ Ces pêches n'ont pas de noyau. — Cette pomme est sans pépin.

Orthographe (*suite*) ***Cochez seulement les lignes qui semblent correctes.***

123.☐ les Tremblay — des Picassos — les Amériques — deux Chevrolet
124.☐ Plus d'un élève furent étonnés.
125.☐ Nous ferons le moins de fautes possible.
126.☐ J'ai cueilli quelque soixante pommes.
127.☐ Quoi que tu en penses, je viendrai.
128.☐ On se rappelle son enfance.
129.☐ J'irais avec toi si tu le voudrais.
130.☐ Répond-elle souvent ? — Va-t-en.
131.☐ Un animal telle la girafe a un long cou. — Un animal tel que la girafe...
132.☐ Elle est tout attristée. — Elle est toute contente.
133.☐ les enseignant(e)s
134.☐ crèmerie [crémerie] — ambigüe [ambiguë]
135.☐ ruissèle [ruisselle] — dissout [dissous]

Ponctuation ***Cochez seulement les lignes qui semblent correctes.***

136.☐ Ponctuations basses : point, virgule et point-virgule.
137.☐ Espacements du deux-points : espace insécable avant et sécable après.
138.☐ jusqu'alors — quelqu'un — puisque ici
139.☐ Les chevrons simples signifient plus petit (6 < 9) et plus grand (10 > 4).
140.☐ Je pense que « marcher fait du bien. Rire aussi). »
141.☐ Nous avons pris le train du matin. (J'avais réservé les places.)
142.☐ Librairie Jean Durand & Filles ltée — Ceintures et sacs de cuir inc.
143.☐ Il faudra considérer : a) le lieu ; b) la date ; c) l'heure.
144.☐ Qu'est-ce que vous dites... ?
145.☐ la partie Trois-Rivières-Montréal
146.☐ des idées-cadeaux — des mots-valises — des tartes maison
147.☐ Vas-y. — Parle-m'en. — Allez-vous-en.
148.☐ Laissez-le partir. — Venez-le voir. — Donnez-le-moi.
149.☐ Les enfants, qui avaient faim, mangèrent (tous les enfants mangèrent).
150.☐ Celui qui a les dents longues, ne doit pas avoir la vue courte.
151.☐ Le directeur veut te voir, Chantal.
152.☐ Jean Rougy, timide, ne s'est pas prononcé.
153.☐ Notre fille Élise est venue. (Nous n'avons qu'une fille.)
154.☐ Après l'automne arrivèrent les grands froids.
155.☐ J'en veux du café !
156.☐ « Bravo ! s'écria-t-elle, je vous félicite. »
157.☐ « J'aimais, t'en souviens-tu ? chanter... »
158.☐ J'aimerais passer la soirée à la discothèque mais je n'ai plus un sou.
159.☐ Enfin cessèrent la pluie et le vent et le soleil revint.
160.☐ Nous allons changer les règlements, et ce, dès demain matin.
161.☐ « Bonjour ! », dit-elle. — J'ai réussi (quel bonheur !).
162.☐ Qui a demandé : « Quel temps fait-il ? »
163.☐ On ne peut jamais avoir deux points de suite.
164.☐ On doit mettre deux espaces après une ponctuation finale.

Corrigé des exercices

Abc de typographie *Ces lignes sont sans fautes. Corrections en gras.* PAGE

1. ☑ Le corps des lettres est déterminé en points et en fractions de point. **10**
2. ☑ Ligne de base : trait imaginaire longeant la base des lettres sans jambage. **10**
3. ☑ Le *maigre italique* est une des faces possibles d'une police. **11**
4. ☑ Le Verdana semble plus gros que le Garamond : leur œil est différent. **11**
5. ☑ L'échelle (ou chasse) est la largeur d'un caractère. **11**
6. ☐ En typographie, on utilise **très rarement** le soulignement. **11**
7. ☑ Le mot *espace* est féminin quand il désigne l'espace entre les mots. **12**
8. ☐ L'espace fine est **insécable.** **12**
9. ☑ En général, on utilise le gras pour les titres. **13**
10. ☑ Un bourdon est l'omission d'un mot ou d'un passage entier. **14**
11. ☐ On a un doublon **quand un texte a** été, par erreur, **composé deux fois.** **15**
12. ☑ Un encart est un feuillet ou carton inséré à l'intérieur d'une publication. **15**
13. ☑ Un exergue est un texte mis en évidence au début d'un ouvrage ou d'article. **15**
14. ☑ La gouttière est l'espace blanc séparant les colonnes de journal. **16**
15. ☐ La quadrichromie contient quatre couleurs : **cyan, magenta,** jaune et noir. **17**
16. ☑ Un alinéa est un paragraphe avec un retrait positif de première ligne. **25**
17. ☐ La catégorie grammaticale des parties d'une énumération **est la même.** **26**
18. ☑ L'appel de note se place toujours avant la ponctuation. **27**
19. ☑ Le mot *folio* est synonyme de *numéro de page*. **29**
20. ☐ Pour aligner du texte, il est préférable d'utiliser **une tabulation.** **31**
21. ☑ En général, si les lettres *o* et *e* sont voisines, on doit utiliser la ligature *œ*. **31**
22. ☑ On peut finir un titre par un point d'interrogation ou d'exclamation. **32**
23. ☐ Une **veuve** est la dernière ligne d'un paragraphe au sommet d'une page. **33**

Abréviations *Ces lignes sont sans fautes. Corrections en gras.* PAGE

24. ☐ t. (tome) — tjs (toujours) — **qqn** (quelqu'un) — qqch. (quelque chose) **36**
25. ☐ **n.m.** — dr. pén. — p. ex. **37**
26. ☐ **1re — 2e — n^{o}** **37**
27. ☐ Nous notons le lieu, la date, **etc.** **37**
28. ☑ app. (appartement) — boul. (boulevard) — éd. (édition) **38**
29. ☐ max. (maximum) — s. (siècle) — **téléc.** (télécopieur) **39**
30. ☐ Le lundi **9** avril **40**
31. ☐ Les réunions ont eu lieu le jeudi 8 mars 2012 à 9 **h** et à 16 **h** à la mairie. **41**
32. ☐ La course a duré **six heures.** **41**
33. ☑ J'ai rencontré madame la directrice. **42**
34. ☐ OQLF — HEC — NASA — **cégep** **44**
35. ☑ La première fois qu'on emploie un sigle, il faut donner sa signification. **44**
36. ☐ 3 h 20 min 40 s — Ce tissu mesure 1,75 m en tout. — 25 cm — 10 **kg** **46**
37. ☑ Go (gigaoctet) — km/h (kilomètre par heure) — kWh (kilowattheure) **48**
38. ☑ 6 G$ ou 6 GCAD = 6 000 000 000 $ = 6 milliards de dollars **54**
39. ☐ Certains mots se mettent en italique : *idem, ibidem,* **etc.** **56**
40. ☑ Plomberie Paul enr. — Coiffures Lafrise inc. — Menuiserie Dubois ltée **57**
41. ☑ Les bulletins n°s 7 et 8 sont ici. — J'habite au numéro 6. **58**

Anglicismes	***Ces lignes sont sans fautes. Corrections en gras.***	**PAGE**
42. ☐	On appelle « **calque** » une traduction littérale de l'anglais.	**62**
43. ☑	L'expression *aller sous presse* est un anglicisme.	**62**
44. ☐	Dans le sens de «**impatient**», *anxieux* est un anglicisme.	**62**
45. ☐	L'ordre des mots est bien français dans *les* **trois derniers** *jours.*	**65**

Capitales	***Ces lignes sont sans fautes. Corrections en gras.***	**PAGE**
46. ☑	Le bas-de-casse (bdc) désigne la minuscule.	**77**
47. ☐	le **ministère** des **Transports** — l'avenue du Mont-Royal	**77**
48. ☑	Raison sociale : la Nouvelle Société des amis des chats	**79**
49. ☐	J'ai visité le Centre sportif de Saint-Yves. Ce **centre** sportif est très actif.	**79**
50. ☐	L'appel dans un courriel s'écrit ainsi : **Bonjour, Paul.**	**80**
51. ☐	On écrit un numéro de téléphone ainsi : **514** 123-4567 **ou 514**-123-4567	**81**
52. ☐	3, rue **Sainte**-Catherine **Ouest**	**82**
53. ☑	Menus : Terrine de fruits de mer — Pêche Melba	**83**
54. ☐	1, édifice **Place**-Ville-Marie — station Place-des-Arts	**84**
55. ☐	Je vais au **24, rue** Dupont.	**85**
56. ☑	le lac des Deux Montagnes — la ville de Deux-Montagnes	**85**
57. ☐	Je connais le **sud-est** du Québec. — Je vais en vacances dans le Sud-Est.	**88**
58. ☑	la Cour internationale de justice — la Haute Cour de justice	**89**
59. ☑	Le toit du cégep André-Laurendeau. — L'entrée de l'Université McGill.	**92**
60. ☑	B.A. : baccalauréat ès arts — B. Sc. pol. : baccalauréat en sciences politiques.	**92**
61. ☐	l'école du **Lac-des-Deux**-Montagnes	**93**
62. ☑	Nous prions sainte Justine. — Il travaille à l'hôpital Sainte-Justine.	**96**
63. ☐	les **Jutra,** les Juno, les Oscars, les **Olivier,** les Masques	**98**
64. ☐	la guerre de 1914-1918 — la **Première** Guerre mondiale	**98**
65. ☑	Nous avons lu dans la *Gazette* que les envoyés du *Spiegel...*	**101**
66. ☐	Signes du zodiaque : les Poissons — Mon ami est un **Poissons.**	**105**
67. ☐	l'art canadien-français — les **Canadiens français**	**106**
68. ☑	les néo-Canadiens — les Néozélandais	**106**
69. ☑	un coup d'État — un État totalitaire — un état de siège	**107**
70. ☐	la fête des Mères — la période des **fêtes** — les Noëls de mon enfance	**108**
71. ☐	le **Nouveau** Parti démocratique — le Parti vert du Canada	**109**
72. ☑	Bibliographies : DURAND, Pierre. — Durand, Pierre.	**110**

Coupures	***Ces lignes sont sans fautes. Corrections en gras.***	**PAGE**
73. ☑	Coupures possibles : atmo|sphère — extra|ordinaire	**112**
74. ☑	Il n'y a aucun endroit où l'on peut couper les mots *lexique* et *croyance.*	**112**
75. ☑	On ne peut pas couper les mots *tendu* et *blanche.*	**113**
76. ☐	On peut couper *expliqua-t-elle* **seulement après le premier** trait d'union.	**113**
77. ☑	On ne doit pas séparer les éléments des dates.	**114**

Informatique	***Ces lignes sont sans fautes. Corrections en gras.***	**PAGE**
78. ☐	On peut écrire : « Je navigue sur **Internet ou l'internet.** »	**118**
79. ☐	Noms de logiciels : **Adobe Reader** — PowerPoint	**118**
80. ☐	En HTML, il est **possible** de faire des apostrophes typographiques.	**120**
81. ☑	On aligne à droite les chiffres d'une liste numérotée.	**124**

Italique	***Ces lignes sont sans fautes. Corrections en gras.***	**PAGE**
82. ☑	le parfum *Chanel n° 5* — le chemisier *Petit Prince*	**135**
83. ☐	l'ouragan *Nargis* en Birmanie — Voir le chapitre ***Abréviations.***	**137**
84. ☐	deux **Boeing** — des camemberts — des sudokus	**137**
85. ☑	La capsule *Apollo* — la navette *Columbia*	**138**

Nombres	***Ces lignes sont sans fautes. Corrections en gras.***	**PAGE**
86. ☐	¾ : trois **quarts** — 25/100 : vingt-cinq centièmes	**140**
87. ☑	Quantité : quatre-vingt-un — Rang : soixante-dixième	**140**
88. ☐	quatre-vingts pages — la page **quatre-vingt**	**141**
89. ☐	George Sand passa sa jeunesse à Nohant entre **4** et 14 ans.	**142**
90. ☑	23 234,78 $ — 2 678 kg *ou* 2678 kg — 12345, rue Dupont	**143**
91. ☑	le neuf de carreau — la classe de quatrième	**143**
92. ☐	Il a fait 26,7° aujourd'hui. — Il a fait **26,7 °C** aujourd'hui.	**144**
93. ☑	Horaires : 12:15 *ou* 1215 (midi et quart)	**144**
94. ☑	50 % — 12 ½ % — 6,125 % — 3,5 p. 100 — dix pour cent	**145**
95. ☑	un gain de 100 $ à 150 $ — un gain de 100 à 150 $	**145**
96. ☐	le XXe siècle — LE **XXe** SIÈCLE — le 20e siècle — le vingtième siècle.	**146**

Orthographe	***Ces lignes sont sans fautes. Corrections en gras.***	**PAGE**
97. ☐	Lui, toi et moi les **verrons.**	**150**
98. ☑	Est-ce toi qui as frappé ?	**150**
99. ☑	Les gouvernements fédéral et provinciaux sont représentés.	**151**
100. ☐	des robes **bleu clair**	**151**
101. ☐	Je les en ai **informés.**	**152**
102. ☐	Elle s'est **acheté** une robe.	**152**
103. ☐	Vous vous êtes **téléphoné.**	**152**
104. ☑	La rumeur qu'il y a eu était exagérée.	**153**
105. ☑	Les feuilles que j'ai vu ramasser.	**153**
106. ☐	Elle s'est **fait** entendre.	**153**
107. ☐	Il a neigé pendant l'heure qu'il a **couru.**	**153**
108. ☐	Les reines se sont **succédé.**	**155**
109. ☑	Il faut que vous croyiez en l'avenir.	**156**
110. ☑	Nous avons cueilli les pommes, excepté les vertes.	**164**
111. ☐	Aucun effort n'a été épargné, et il n'y aura **aucuns** frais.	**164**
112. ☑	Le cinéma comme le théâtre me plaisent beaucoup.	**166**
113. ☐	Je l'estime **davantage** chaque jour.	**166**
114. ☑	La réunion a duré deux heures et demie.	**167**
115. ☐	cette robe-là — cette robe **d'été là**	**169**
116. ☐	Je les **leur** donne.	**169**
117. ☐	les garçons mêmes — **ceux-là mêmes** — eux-mêmes	**170**
118. ☑	Les hommes même sont mortels.	**170**
119. ☑	Elle découvrit un paquet de lettres qui était bien ficelé.	**170**
120. ☐	On **n'attend** pas d'invités.	**171**
121. ☐	Un choc physique ou une émotion **peuvent** lui être fatals.	**171**
122. ☐	Ces pêches n'ont pas de noyau. — Cette pomme est sans **pépins.**	**172**

Orthographe (*suite*)	***Ces lignes sont sans fautes. Corrections en gras.***	**PAGE**
123. ☑	les Tremblay — des Picassos — les Amériques — deux Chevrolet	**172**
124. ☐	Plus d'un élève **fut étonné.**	**173**
125. ☑	Nous ferons le moins de fautes possible.	**173**
126. ☑	J'ai cueilli quelque soixante pommes.	**173**
127. ☑	Quoi que tu en penses, je viendrai.	**174**
128. ☑	On se rappelle son enfance.	**174**
129. ☐	J'irais avec toi si tu le **voulais.**	**174**
130. ☐	Répond-elle souvent ? — **Va-t'en.**	**174**
131. ☑	Un animal telle la girafe a un long cou. — Un animal tel que la girafe...	**175**
132. ☑	Elle est tout attristée. — Elle est toute contente.	**175**
133. ☐	les enseignant(e)s (*à éviter*) — les **enseignants et enseignantes**	**176**
134. ☑	crèmerie [crémerie] — ambigüe [ambiguë]	**182**
135. ☑	ruissèle [ruisselle] — dissout [dissous]	**183**

Ponctuation	***Ces lignes sont sans fautes. Corrections en gras.***	**PAGE**
136. ☐	Ponctuations basses : point, virgule et **points de suspension.**	**190**
137. ☑	Espacements du deux-points : espace insécable avant et sécable après.	**191**
138. ☑	jusqu'alors — quelqu'un — puisque ici	**192**
139. ☑	Les chevrons simples signifient plus petit (6 < 9) et plus grand (10 > 4).	**193**
140. ☐	Je pense que « marcher fait du bien. Rire **aussi ».**	**194**
141. ☑	Nous avons pris le train du matin. (J'avais réservé les places.)	**196**
142. ☑	Librairie Jean Durand & Filles ltée — Ceintures et sacs de cuir inc.	**196**
143. ☑	Il faudra considérer : a) le lieu ; b) la date ; c) l'heure.	**197**
144. ☐	Qu'est-ce que vous **dites ?...**	**198**
145. ☐	la partie Trois-**Rivières–Montréal**	**199**
146. ☑	des idées-cadeaux — des mots-valises — des tartes maison	**200**
147. ☑	Vas-y. — Parle-m'en. — Allez-vous-en.	**201**
148. ☐	Laissez-le partir. — **Venez le** voir. — Donnez-le-moi.	**201**
149. ☑	Les enfants, qui avaient faim, mangèrent (tous les enfants mangèrent).	**202**
150. ☐	Celui qui a les dents **longues ne** doit pas avoir la vue courte.	**202**
151. ☑	Le directeur veut te voir, Chantal.	**203**
152. ☑	Jean Rougy, timide, ne s'est pas prononcé.	**203**
153. ☐	Notre **fille, Élise,** est venue. (Nous n'avons qu'une fille.)	**203**
154. ☑	Après l'automne arrivèrent les grands froids.	**203**
155. ☐	J'en **veux, du** café !	**203**
156. ☑	« Bravo ! s'écria-t-elle, je vous félicite. »	**204**
157. ☑	« J'aimais, t'en souviens-tu ? chanter... »	**204**
158. ☐	J'aimerais passer la soirée à la **discothèque, mais** je n'ai plus un sou.	**204**
159. ☐	Enfin cessèrent la pluie et le **vent, et** le soleil revint.	**205**
160. ☑	Nous allons changer les règlements, et ce, dès demain matin.	**205**
161. ☐	**« Bonjour ! »** dit-elle. — J'ai réussi (quel bonheur !).	**206**
162. ☑	Qui a demandé : « Quel temps fait-il ? »	**206**
163. ☑	On ne peut jamais avoir deux points de suite.	**207**
164. ☐	On **ne doit pas** mettre deux espaces après une ponctuation finale.	**207**

Annexes

Époques et périodes

Ères de l'histoire de la Terre

il y a 4 milliards d'années		**Précambrien** vestiges rares d'êtres vivants
de -540 à -245 Ma	300 Ma	**Primaire** (Ma = million d'années) vertébrés, poissons, batraciens
de -245 à -65 Ma	200 Ma	**Secondaire** reptiles, mammifères, oiseaux
de -65 à -1,5 Ma	64 Ma	**Tertiaire** les êtres humains
de -1,5 Ma	1,5 Ma	**Quaternaire** flores et faunes actuelles

Périodes de l'évolution de l'humanité

900 000 ans avant Jésus-Christ	**Âge de la pierre taillée** l'être humain se sert de pierres pour chasser
400 000 ans avant Jésus-Christ	**Âge du feu** il découvre le feu en frottant deux pierres dures
2000 ans avant Jésus-Christ	**Âge du bronze** il chauffe le cuivre et l'étain, et il obtient du bronze
800 ans avant Jésus-Christ	**Âge du fer** le fer est plus solide que le bronze pour les armes

Époques historiques

jusqu'à 3300 ans av. J.-C.		**Préhistoire** de l'apparition de l'être humain à celle de l'écriture
de -3300 à 476	3800 ans	**Antiquité** de l'écriture à la chute de l'Empire romain
de 476 à 1453	1000 ans	**Moyen Âge** de la chute de l'Empire à la prise de Constantinople
de 1453 à auj.	600 ans	**Temps modernes** de la prise de Constantinople jusqu'à nos jours

Histoire de l'écriture

de -3300 à -3150	150 ans	**L'écriture cunéiforme** en Mésopotamie : signes sur des tablettes d'argile
de -3150 à -1100	2000 ans	**Les hiéroglyphes** gravures sacrées inventées par les Égyptiens
de -1100 à -800	300 ans	**L'alphabet phénicien** les Phéniciens inventent le premier alphabet
de -800 à auj.	2800 ans	**L'alphabet grec** en -800, puis **romain** en -100

Elle entra dans la chambre et, quand elle vit le lit vide, elle le devint.

Périodes d'art architectural

de 457 à 751	300 ans	**Art mérovingien** de Childéric jusqu'à Pépin le Bref exemple : la tombe du roi franc Childéric, à Tournai
de 751 à 987	200 ans	**Art carolingien** de Pépin le Bref jusqu'à Hugues Capet exemple : la chapelle palatine d'Aix-la-Chapelle
de 987 à 1163	200 ans	**Art roman** de Hugues Capet jusqu'à l'église Notre-Dame exemple : l'église abbatiale de Cluny
de 1163 à 1380	200 ans	**Art gothique** de l'église Notre-Dame jusqu'à Charles V exemple : l'église Notre-Dame de Paris
de 1380 à 1560	200 ans	**Renaissance** de Charles V jusqu'à Charles IX exemple : la basilique de Saint-Pierre du Vatican
de 1560 à 1643	100 ans	**Baroque** de Charles IX jusqu'à Louis XIV exemple : le baldaquin de Saint-Pierre
de 1643 à 1715	100 ans	**Classicisme** de Louis XIV jusqu'à Louis XV exemple : le château de Versailles
de 1715 à 1824	100 ans	**Néoclassicisme** (style Empire) de Louis XV jusqu'à Charles X exemple : le Panthéon, l'Arc de triomphe
de 1824 à auj.	200 ans	**Art éclectique** de Charles X à nos jours exemple : l'Opéra de Paris (œuvre de Garnier)

Langues françaises parlées

Jusqu'à 58 avant Jésus-Christ		**Dialecte gaulois** jusqu'à l'invasion de la Gaule par les Romains
de -58 à 843	900 ans	**Latin vulgaire** de la conquête romaine jusqu'au traité de Verdun
de 843 à 1328	500 ans	**Roman** du traité de Verdun jusqu'à Philippe VI
de 1328 à 1589	300 ans	**Moyen français** de Philippe VI jusqu'à Henri IV
de 1589 à 1789	200 ans	**Langue classique** de Henri IV jusqu'à la révolution de 1789
de 1789 à auj.	200 ans	**Français moderne** de la révolution de 1789 jusqu'à nos jours

Histoire du Canada et du Québec

1534 Jacques Cartier prend possession du Canada au nom de François Ier.

1608 Samuel de Champlain fonde la ville de Québec.

1642 Paul de Chomedey de Maisonneuve fonde Ville-Marie, le futur Montréal.

1642 Jeanne Mance installe à Ville-Marie le premier hôpital du Canada.

1653 Marguerite Bourgeoys, sœur française, crée la première école à Montréal.

1665 Jean Talon donne un élan à la Nouvelle-France. Les Français sont 7000.

1713 Traité d'Utrecht : dans ce traité, les Français perdent la baie d'Hudson, l'Acadie et l'essentiel de Terre-Neuve.

1759 Bataille des Plaines d'Abraham. Le général anglais Wolfe défait le général français Montcalm. Wolfe meurt au combat ; Montcalm, le lendemain.

1760 Les Anglais prennent Montréal.

1763 Traité de Paris : la France cède le Canada à la Grande-Bretagne, qui crée la province de Québec.

1774 Acte de Québec : il délimite la province de Québec, admet les catholiques aux fonctions publiques et rétablit les anciennes lois françaises.

1784 Le Nouveau-Brunswick est créé.

1791 Division du Québec en deux : le Haut-Canada (aujourd'hui l'Ontario) et le Bas-Canada (aujourd'hui le Québec).

1812 Lors de la guerre entre les États-Unis et la Grande-Bretagne, le Haut-Canada et le Bas-Canada font bloc du côté de la Grande-Bretagne. L'opposition est conduite par Louis-Joseph Papineau au Bas-Canada, et par William Mackenzie au Haut-Canada. Ils exigent un régime parlementaire.

1837 Le refus de Londres provoque une rébellion dans les deux colonies.

1840 La révolte écrasée, le gouvernement britannique réunit les deux Canada en une même province, le Canada-Uni, sous un même parlement, et il impose l'anglais comme langue unique.

1848 Le français est restauré au rang de langue officielle.

1867 L'Acte de l'Amérique du Nord britannique instaure la Confédération du Canada, qui regroupe quatre provinces : l'Ontario (anc. Haut-Canada), le Québec (anc. Bas-Canada), la Nouvelle-Écosse et le Nouveau-Brunswick.

1870 Le Manitoba entre dans la Confédération, après la révolte des Métis qui est conduite par Louis Riel.

1871 La Colombie-Britannique entre dans la Confédération.

1873 L'Île-du-Prince-Édouard entre dans la Confédération.

1905 La Saskatchewan et l'Alberta entrent dans la Confédération.

1914 Le Canada déclare la guerre à l'Allemagne (Première Guerre mondiale).

1931 Statut de Westminster : la Conférence impériale reconnait l'indépendance du Canada au sein du Commonwealth.

1940 Le Canada déclare la guerre à l'Allemagne (Seconde Guerre mondiale).

1949 Terre-Neuve entre dans la Confédération.

1976 Le Parti québécois, parti indépendantiste conduit par René Lévesque, remporte les élections.

1977	La loi 101 instaure le français comme la langue officielle du Québec.
1980	Référendum sur l'indépendance du Québec. Le *non* l'emporte par 60 %.
1982	Trudeau obtient le rapatriement de la constitution canadienne. Le Québec refuse d'adhérer à cette loi constitutionnelle.
1990	L'échec du projet d'accord constitutionnel, dit « du lac Meech », destiné à satisfaire les demandes minimales du Québec, ouvre une crise politique.
1992	Un nouveau projet de réforme constitutionnelle, dit « de Charlottetown », est rejeté par référendum.
1993	Après la démission de Brian Mulroney, Kim Campbell lui succède. Aux élections générales, leur parti connait la défaite. Arrivé en deuxième position, le Bloc québécois, parti indépendantiste, constitue l'opposition.
1995	Référendum sur la souveraineté du Québec. Les partisans du maintien de la province dans l'ensemble canadien l'emportent de justesse (50,58 %).
1999	Les Territoires du Nord-Ouest voient leur partie orientale se détacher et former le Nunavut, dont le peuple est formé majoritairement d'Inuits.
2006	Le Québec obtient au fédéral le statut de « nation au sein d'un Canada uni ».
2012	Pour une première fois au Québec, une femme est élue à la tête du Gouvernement.

Premiers ministres du Canada

1867-1873	John Macdonald
1873-1878	Alexander Mackenzie
1878-1891	John Macdonald
1891-1892	John Abbott
1892-1894	John Thompson
1894-1896	Mackenzie Bowell
1896-1896	Charles Tupper
1896-1911	Wilfrid Laurier
1911-1920	Robert Borden
1920-1921	Arthur Meighen
1921-1930	William Mackenzie-King
1930-1935	Richard Bennett
1935-1948	William Mackenzie-King
1948-1957	Louis Saint-Laurent
1957-1963	John Diefenbaker
1963-1968	Lester Pearson
1968-1979	Pierre Elliott Trudeau
1979-1980	Joe Clark
1980-1984	Pierre Elliott Trudeau
1984-1984	John Turner
1984-1993	Brian Mulroney
1993-1993	Kim Campbell
1993-2003	Jean Chrétien
2003-2006	Paul Martin
2006-	Stephen Harper

Premiers ministres du Québec

1867-1873	Pierre-Olivier Chauveau
1873-1874	Gédéon Ouimet
1874-1878	Charles-Eugène Boucher
1878-1879	Henri-Gustave Joly
1879-1882	Joseph-Adolphe Chapleau
1882-1884	Joseph-Alfred Mousseau
1884-1887	John Jones Ross
1887-1887	Louis-Olivier Taillon
1887-1891	Honoré Mercier
1891-1892	Charles-Eugène Boucher
1892-1896	Louis-Olivier Taillon
1896-1897	Edmund Flynn
1897-1900	Félix-Gabriel Marchand
1900-1905	Simon-Napoléon Parent
1905-1920	Lomer Gouin
1920-1936	Louis-Alexandre Taschereau
1936-1939	Maurice Duplessis
1939-1944	Adélard Godbout
1944-1959	Maurice Duplessis
1959-1960	Paul Sauvé
1960-1960	Antonio Barrette
1960-1966	Jean Lesage
1966-1968	Daniel Johnson père
1968-1970	Jean-Jacques Bertrand
1970-1976	Robert Bourassa
1976-1985	René Lévesque
1985-1985	Pierre-Marc Johnson
1985-1994	Robert Bourassa
1994-1994	Daniel Johnson fils
1994-1996	Jacques Parizeau
1996-2001	Lucien Bouchard
2001-2003	Bernard Landry
2003-2012	John James (Jean) Charest
2012-	Pauline Marois

Histoire de la France

	Carolingiens	
751-768	Pépin le Bref	à 35 ans, épouse Berthe au grand pied, 23 ans
768-814	Charlemagne	à 30 ans, épouse Hildegarde de Vintzgau, 15 ans
814-840	Louis Ier le Pieux	à 41 ans, épouse Judith de Bavière, 24 ans
840-877	Charles II le Chauve	à 24 ans, épouse Ermentrude d'Orléans, 22 ans
877-879	Louis II le Bègue	à 22 ans, épouse Adélaïde de Frioul, 15 ans
879-882	Louis III	à 19 ans, meurt célibataire
882-884	Carloman	à 20 ans, meurt célibataire
884-887	Charles III le Gros	à 23 ans, épouse Richarde de Souabe, 17 ans
888-898	Eudes	à 24 ans, épouse Théodrate de Troyes, 16 ans
898-923	Charles III le Simple	à 40 ans, épouse Edwige d'Angleterre, 16 ans
922-923	Robert Ier	à 28 ans, épouse Béatrice de Vermandois, 23 ans
923-936	Raoul	à 27 ans, épouse Emma de France, 27 ans
936-954	Louis IV d'Outremer	à 28 ans, épouse Gerberge de Germanie, 24 ans
954-986	Lothaire	à 24 ans, épouse Emma d'Italie, 17 ans
986-987	Louis V le Fainéant	à 14 ans, épouse Adélaïde d'Anjou, 34 ans
	Capétiens	
987-996	Hugues Ier Capet	à 31 ans, épouse Adélaïde d'Aquitaine, 25 ans
996-1031	Robert II le Pieux	à 32 ans, épouse Constance d'Arles, 19 ans
1031-1060	Henri Ier	à 44 ans, épouse Anne de Kiev, 27 ans
1060-1108	Philippe Ier	à 19 ans, épouse Berthe de Hollande, 16 ans
1108-1137	Louis VI le Gros	à 34 ans, épouse Adélaïde de Savoie, 15 ans
1137-1180	Louis VII le Jeune	à 40 ans, épouse Adèle de Champagne, 20 ans
1180-1223	Philippe II Auguste	à 15 ans, épouse Isabelle de Hainaut, 10 ans
1223-1226	Louis VIII le Lion	à 13 ans, épouse Blanche de Castille, 12 ans
1226-1270	Louis IX (Saint Louis)	à 20 ans, épouse Marguerite de Provence, 13 ans
1270-1285	Philippe III le Hardi	à 17 ans, épouse Isabelle d'Aragon, 19 ans
1285-1314	Philippe IV le Bel	à 16 ans, épouse Jeanne de Navarre, 11 ans
1314-1316	Louis X le Hutin	à 26 ans, épouse Clémence de Hongrie, 22 ans
1316-1322	Philippe V le Long	à 14 ans, épouse Jeanne de Bourgogne, 16 ans
1322-1328	Charles IV le Bel	à 31 ans, épouse Jeanne d'Évreux, 18 ans
	Valois	
1328-1350	Philippe VI de Valois	à 20 ans, épouse Jeanne de Bourgogne, 20 ans
1350-1364	Jean II le Bon	à 31 ans, épouse Jeanne de Boulogne, 30 ans
1364-1380	Charles V le Sage	à 12 ans, épouse Jeanne de Bourbon, 12 ans
1380-1422	Charles VI le Bienaimé	à 17 ans, épouse Isabeau de Bavière, 14 ans
1422-1461	Charles VII	à 19 ans, épouse Marie d'Anjou, 18 ans
1461-1483	Louis XI	à 28 ans, épouse Charlotte de Savoie, 6 ans
1483-1498	Charles VIII	à 21 ans, épouse Anne de Bretagne, 15 ans
1498-1515	Louis XII	à 52 ans, épouse Marie d'Angleterre, 18 ans
1515-1547	François Ier	à 20 ans, épouse Claude de France, 15 ans
1547-1559	Henri II	à 14 ans, épouse Catherine de Médicis, 14 ans
1559-1560	François II	à 14 ans, épouse Marie Stuart, 16 ans
1560-1574	Charles IX	à 20 ans, épouse Élisabeth d'Autriche, 16 ans
1574-1589	Henri III	à 24 ans, épouse Louise de Lorraine, 22 ans
	Bourbons	
1589-1610	Henri IV	à 47 ans, épouse Marie de Médicis, 27 ans
1610-1643	Louis XIII le Juste	à 14 ans, épouse Anne d'Autriche, 14 ans
1643-1715	Louis XIV le Roi Soleil	à 22 ans, épouse M.-Thérèse d'Autriche, 22 ans
1715-1774	Louis XV le Bienaimé	à 15 ans, épouse Marie Leszczynska, 15 ans
1774-1791	Louis XVI	à 16 ans, épouse Marie-Antoinette, 15 ans

	Première République	
1792-1795	Convention	Assemblée qui succéda à la Législative
1795-1799	Directoire	Conseil de 5 membres chargé du pouvoir exécutif
1799-1804	Consulat	Régime issu du coup d'État, 18 brumaire an VIII
	Premier Empire	
1804-1814	Napoléon Ier	Époux de Joséphine de Beauharnais
1815	Les Cent-Jours	Napoléon Ier est au pouvoir pour 100 jours
	Restauration	
1814-1824	Louis XVIII	Époux de Marie-Joséphine de Savoie
1824-1830	Charles X	Époux de Marie-Thérèse de Savoie
	Monarchie de Juillet	
1830-1848	Louis-Philippe Ier	Époux de Marie-Amélie de Bourbon-Sicile
	Deuxième République	
1848-1852	Louis N. Bonaparte	Empereur sous le nom de Napoléon III en 1852
	Second Empire	
1852-1870	Napoléon III	Époux d'Eugénie de Montijo
	Troisième République	
1871-1873	Adolphe Thiers	Réorganise la France vaincue à la guerre de 1870.
1873-1879	Mac-Mahon	Établit un régime d'ordre moral.
1879-1887	Jules Grévy	École primaire gratuite, obligatoire jusqu'à 13 ans.
1887-1894	Sadi Carnot	Assassiné à Lyon en 1894 par Casério.
1894-1895	Jean Casimir-Perier	Démissionne devant l'opposition de gauche.
1895-1899	Félix Faure	Meurt subitement lors d'un rendez-vous galant.
1899-1906	Émile Loubet	Exposition de Paris en 1900. Affaire Dreyfus.
1906-1913	Armand Fallières	Séparation de l'Église et de l'État en 1906.
1913-1920	Raymond Poincaré	Déclare la guerre à l'Allemagne le 28 juillet 1914.
1920-1920	Paul Deschanel	Santé perturbée après être tombé d'un train.
1920-1924	Alexandre Millerand	Démissionne devant le Cartel des gauches.
1924-1931	Gaston Doumergue	Gouvernement d'Union nationale.
1931-1932	Paul Doumer	Meurt assassiné à Paris par le Russe Gorgulov.
1932-1940	Albert Lebrun	Accords : semaine de 40 heures, congés payés.
	État français	
1940-1944	Philippe Pétain	Vainqueur de Verdun, 1916. Collaboration en 40.
	Gouvernement provisoire	
1944-1946	Charles de Gaulle	Se désigne chef du gouvernement provisoire.
1946-1947	Gouin, Bidault, Blum	Gouin, 5 mois. Bidault, 5 mois. Blum, 2 mois.
	Quatrième République	
1947-1954	Vincent Auriol	Il y a eu 14 gouvernements durant son septennat.
1954-1959	René Coty	Demande le retour du général de Gaulle.
	Cinquième République	
1959-1969	Charles de Gaulle	Met fin à la guerre d'Algérie.
1969-1974	Georges Pompidou	Passionné d'art moderne.
1974-1981	V. Giscard d'Estaing	Légalisation de l'avortement en 1975.
1981-1995	François Mitterrand	Premier secrétaire du Parti socialiste.
1995-2007	Jacques Chirac	Suspension du service militaire en 1996.
2007-2012	Nicolas Sarkozy	Épouse Carla Bruni, d'origine italienne, en 2008.
2012-	François Hollande	Propose « soixante engagements pour la France ».

Littérature de langue française

	NEUVIÈME SIÈCLE	
881	Abbaye de Saint-Amand	*Cantilène de sainte Eulalie*
	DIXIÈME SIÈCLE	
950	Composée à Autun	*Vie de saint Léger*
	ONZIÈME SIÈCLE	
1040	Auteur inconnu	*Vie de saint Alexis*
	DOUZIÈME SIÈCLE	
1100	Turoldus	*La chanson de Roland*
	TREIZIÈME SIÈCLE	
1230	Guillaume de Lorris	*Le roman de la rose*
	QUATORZIÈME SIÈCLE	
1364-1430	Christine de Pisan	*Épitre au dieu d'amours*
	QUINZIÈME SIÈCLE	
1431-1463	François Villon	*Ballade des pendus*
	SEIZIÈME SIÈCLE	
1494-1553	François Rabelais	*Pantagruel, Gargantua*
1496-1544	Clément Marot	*Adolescence Clémentine*
1522-1560	Joachim du Bellay	*Heureux qui comme Ulysse...*
1524-1585	Pierre de Ronsard	*Mignonne, allons voir si la rose...*
1533-1592	Michel de Montaigne	*Essais*
	DIX-SEPTIÈME SIÈCLE	
1555-1628	François de Malherbe	*Odes, poésies*
1596-1650	René Descartes	*Discours de la méthode*
1606-1684	Pierre Corneille	*Le Cid, Horace, Cinna, Polyeucte*
1613-1680	F. de La Rochefoucauld	*Maximes*
1621-1695	Jean de La Fontaine	*Fables*
1622-1673	Molière	*Le misanthrope, L'avare, Tartufe*
1623-1662	Blaise Pascal	*Pensées, Les provinciales*
1626-1696	Madame de Sévigné	*Lettres de Madame de Sévigné*
1627-1704	Jacques-Bénigne Bossuet	*Sermons, Oraisons funèbres*
1634-1693	Madame de Lafayette	*La princesse de Clèves*
1636-1711	Nicolas Boileau	*L'art poétique, Épitres*
1639-1699	Jean Racine	*Andromaque, Britannicus, Bérénice*
1645-1696	Jean de La Bruyère	*Les caractères*
	DIX-HUITIÈME SIÈCLE	
1688-1763	Pierre de Marivaux	*Le jeu de l'amour et du hasard*
1689-1755	Charles de Montesquieu	*L'esprit des lois, Lettres persanes*
1694-1778	Voltaire	*Candide, Zadig, Lettres philosophiques*
1697-1763	L'abbé Prévost	*Manon Lescaut, Histoire gén. des voyages*
1712-1778	Jean-Jacques Rousseau	*Émile, Le contrat social, Confessions*
1713-1784	Denis Diderot	*Encyclopédie, Le neveu de Rameau*
1732-1799	Beaumarchais	*Le barbier de Séville, Le mariage de Figaro*

Étudiant cherche blanchisseuse pour repasser ses leçons.

	DIX-NEUVIÈME SIÈCLE	
1766-1817	Madame de Staël	*Delphine, De l'Allemagne*
1867-1830	Benjamin Constant	*Adolphe, Journal intime, Cécile*
1768-1848	René de Chateaubriand	*Le génie du christianisme, René, Atala*
1783-1842	Stendhal	*La chartreuse de Parme, Le rouge et le noir*
1790-1869	Alphonse de Lamartine	*Méditations poétiques, Jocelyn*
1797-1863	Alfred de Vigny	*Cinq-Mars, Stello, Les destinées*
1799-1850	Honoré de Balzac	*Eugénie Grandet, Le colonel Chabert*
1802-1885	Victor Hugo	*Les misérables, Notre-Dame de Paris*
1802-1870	Alexandre Dumas père	*Les trois mousquetaires, La reine Margot*
1804-1876	George Sand	*La mare au diable, La petite Fadette*
1808-1855	Gérard de Nerval	*Aurélia, Les filles du feu*
1810-1857	Alfred de Musset	*On ne badine pas avec l'amour*
1811-1872	Théophile Gautier	*Le capitaine Fracasse, Émaux et camées*
1821-1867	Charles Baudelaire	*Les fleurs du mal, Curiosités esthétiques*
1821-1880	Gustave Flaubert	*Madame Bovary, Bouvard et Pécuchet*
1824-1895	Alexandre Dumas fils	*La dame aux camélias, Le fils naturel*
1840-1902	Émile Zola	*La bête humaine, J'accuse, Germinal*
1844-1896	Paul Verlaine	*Poèmes saturniens, Fêtes galantes*
1844-1924	Anatole France	*Les dieux ont soif, Le lys rouge*
1850-1893	Guy de Maupassant	*Bel-Ami, La maison Tellier*
1854-1891	Arthur Rimbaud	*Le bateau ivre, Une saison en enfer*
	VINGTIÈME SIÈCLE	
1866-1944	Romain Rolland	*Jean-Christophe, Théâtre de la révolution*
1868-1918	Edmond Rostand	*Cyrano de Bergerac, L'aiglon*
1868-1955	Paul Claudel	*Le soulier de satin, L'échange, L'otage*
1869-1951	André Gide	*Les nourritures terrestres, La porte étroite*
1871-1922	Marcel Proust	*À la recherche du temps perdu*
1871-1945	Paul Valéry	*La soirée avec M. Teste, Charmes*
1873-1954	Gabrielle Colette	*Le blé en herbe, Chéri, Gigi*
1880-1913	Louis Hémon	*Maria Chapdelaine, Monsieur Ripois*
1880-1918	Guillaume Apollinaire	*Le poète assassiné, Calligrammes*
1882-1844	Jean Giraudoux	*La folle de Chaillot, Ondine*
1885-1972	Jules Romains	*Les hommes de bonne volonté, Knock*
1885-1970	François Mauriac	*Thérèse Desqueyroux, Les malaimés*
1889-1963	Jean Cocteau	*La belle et la bête, Orphée*
1893-1968	Germaine Guèvremont	*Le survenant, En pleine terre*
1900-1944	Antoine de Saint-Exupéry	*Le petit prince, Terre des hommes*
1903-1987	Marguerite Yourcenar	*Mémoires d'Hadrien, L'œuvre au noir*
1905-1980	Jean-Paul Sartre	*Les mains sales, Le mur, Huis clos*
1908-1986	Simone de Beauvoir	*Le deuxième sexe, La force des choses*
1909-1983	Gabrielle Roy	*Bonheur d'occasion, La petite poule d'eau*
1911-1996	Hervé Bazin	*Vipère au poing, La tête contre les murs*
1913-1960	Albert Camus	*L'étranger, La peste, La chute*
1915-1983	Yves Thériault	*Aaron, Agaguk, Ashini, Cul-de-sac*
1916-2000	Anne Hébert	*Kamouraska, Les fous de Bassan*
1920-1959	Boris Vian	*L'écume des jours, L'arrache-cœur*
1929	Antonine Maillet	*Pélagie-la-Charrette*
1930	Marcel Dubé	*Le temps des lilas, Médée, Pauvre amour*
1935-2004	Françoise Sagan	*Bonjour tristesse, Château en Suède*
1939	Marie-Claire Blais	*La belle bête, Le sourd dans la ville*
1941	Yves Beauchemin	*L'enfirouapé, Le matou*
1942	Michel Tremblay	*Les belles-sœurs, Parlez-nous d'amour*
1950	Marie Laberge	*Sans rien ni personne, L'homme gris*
1973-2009	Nelly Arcan	*Putain, Folle*

Table des matières

page

ABC DE TYPOGRAPHIE 7
Abrégé historique 8
Glossaire de la typographie 10
- Famille de caractères 10
- Police ou fonte 10
- Taille ou corps 10
- Ligne de base 10
- Interligne 10
- Style ou face 11
- Œil du caractère 11
- Échelle ou chasse 11
- Espacement ou approche 11
- Mesures typographiques 11
- Justification 11
- Soulignement 11
- Cadre 11
- Cadratin et demi-cadratin 12
- Espaces sécables et insécables 12
- Espace sécable 12
- Espace insécable 12
- Espace fine 12
- Paragraphe 13
- Mise en forme de caractères 13
- Mise en forme de paragraphes 13
- Hiérarchie des subdivisions 13
- Retrait (renfoncement) 13

Glossaire de l'imprimerie 14
Correction d'épreuves 18
- Corrections à l'encre 18
- Corrections au crayon 18
- Place des signes de correction 18
- Nombre de lectures en correction 18
- Relecture des passages corrigés 18
- Indications à l'auteur 18
- Vérification des pages et des notes 18
- Vérification des hors-textes 18
- Vérification des énumérations 19
- Vérification des dates 19
- Vérifications diverses 19
- Uniformité des abréviations 19
- Les noms propres 19
- Les capitales 19
- Soulignement sous les mots 19
- Lecture attentive du texte 19
- Correction d'un mot 19
- Doute et humilité 19

Correction d'épreuves : signes 20

page

Alignement des paragraphes 24
Énumérations verticales 26
Notes et appels de note 27
Livre 28
Saisie 31
Mise en page 32
- La maquette de l'imprimé 32
- Choix de la famille de caractères 32
- Choix de la police 32
- Choix de l'œil de la police 32
- Graphiques et photos 32
- Texte dans la mise en page 32
- Titres dans la mise en page 32
- Choix du corps 32
- Annonces encadrées 33
- Alignement des sous-titres 33
- Alignement des tabulations 33
- Colonnes dans un journal 33
- Répartition des blancs 33
- Aspect visuel des pages 33
- Texte en fin de chapitre 33
- Titre en fin de page 33
- Blanc entre les paragraphes 33
- Veuve et orpheline 33

Marche 34

ABRÉVIATIONS 35
Règles des abréviations 36
- Définition de l'abréviation 36
- Emplois des abréviations 36
- Formation des abréviations 36
- Accents sur les capitales 36
- Casse des abréviations 36
- Points abréviatifs 36
- Espacement des abréviations 37
- Lettres supérieures ou exposants 37
- Pluriel et féminin des abréviations 37
- Ponctuation des abréviations 37

Abréviations courantes 38
Dates 40
Heures 41
Madame, mademoiselle, monsieur 42
Sigles et acronymes 44
Système international d'unités 46
Symboles du système international 48
Symboles de chimie 49
Symboles des pays et des monnaies 50
Pays de l'Union européenne (UE) 53

Sommes d'argent 54
Cas particuliers d'abréviations 55
- Compagnie 55
- Docteur 55
- Maitre [Maître] 55
- Professeur 55
- Prénom 55
- etc. 56
- Mois et jours 56
- Recettes de cuisine 56
- Nuages 56
- enr. – inc. – ltée 57
- Provinces et territoires du Canada 57
- Grades militaires canadiens 57
- Numéro 58
- Livres bibliques 58
- Abréviations des féminins 58
- Troncations 58

Symboles du système impérial 59
- Mesures de longueur 59
- Mesures de superficie 59
- Mesures de volume 59
- Mesures de masse 59
- Mesures de liquide 59
- Mesures de température 59
- Exemples de conversion 59

Perles précieuses 60

ANGLICISMES 61

Liste d'anglicismes 62
Perles en traduction 74
Publications malencontreuses 74

CAPITALES 75

Définitions 77
Règles des capitales 78
- Règle 78
- Personne physique ou morale 78
- Enseignes et couvertures de livres 78
- Capitales accentuées 78
- Adjectif placé avant 78
- Ponctuation finale 78
- Noms propres 78
- Titre et paragraphe en capitales 79
- Raison sociale 79
- Dénomination elliptique 79
- Dénomination et article 79
- Dénomination trompeuse 79

Lettre d'affaires 80
Adresse postale 82
Menus de restaurant 83
Toponymie 84
Toponymie : règles 85
Toponymie : odonymes à Montréal 86
Toponymes à retenir 87
Points cardinaux 88
Cas particuliers des capitales 89
- Organismes 89
- Réunions de personnes 90
- Bâtiments et lieux publics 91
- Enseignement 92
- Diplômes et grades 92
- Écoles 93
- Sports 93
- Sociétés et commerces 94
- Sociétés au nom spécial 94
- Accord des noms de sociétés 95
- Services administratifs 95
- Serv. internes, unités administratives 95
- Saint ou sainte 96
- Prières 96
- Dieu 97
- Église 97
- Dénominations historiques 97
- Récompenses 98
- Guerres 98
- Stations de métro 99
- Arrondissements 99
- Télévision et radio 100
- Histoire et régimes 100
- Journaux et revues 101
- Époques 101
- Doctrines et collectivités 101
- Particules 102
- Décorations 102
- Citations et noms d'auteurs 102
- Textes juridiques 103
- Manifestations commerciales 103
- Maladies 103
- Fonctions et titres divers 104
- Antonomases 104
- Unités militaires canadiennes 105
- Subdivisions militaires ou policières 105
- Signes du zodiaque 105
- Allégories ou personnifications 105
- Astres 106
- Planètes 106
- Habitants, civilisations et races 106
- Jardin 106
- Styles artistiques 107
- Logiciels et polices 107
- Animaux 107
- État 107
- Fêtes et pratiques 108

- Systèmes 108
- Accents sur les capitales 108
- Surnoms 108
- Partis politiques 109
- Vents 109
- Capitales des 50 États américains 109

Petites capitales 110
- Règle 110
- Articles de lois 110
- Bibliographies 110
- Capitale initiale 110
- Pièces de théâtre en vers 110
- Pages liminaires 110
- Notes de bas de page 110

Lettrine 110

COUPURES 111

Définitions 112
- Trait d'union 112
- Trait d'union conditionnel 112
- Trait d'union insécable 112

Coupures de mots 112
- Coupure syllabique 112
- Coupure étymologique 112
- Deux voyelles 112
- Lettres *x* et *y* 112
- Une consonne 112
- Deux consonnes 113
- Consonnes *l* et *r* 113
- Deux consonnes pour un seul son 113
- Trois consonnes et plus 113
- Noms propres 113
- Apostrophe 113
- Un ou deux traits d'union 113
- Syllabe finale 113
- Abréviations 113
- Malsonnantes 113
- Première lettre 113
- Mathématiques 114
- Nombres en chiffres 114
- Sigles et acronymes 114
- Mots coupés de suite 114
- Fin de par., de page ou de colonne 114

Séparations de mots 114
- Noms de famille 114
- Dates 114
- Chiffres 114
- Abréviations et symboles 114

INFORMATIQUE 115

Définitions 116

Écriture 118

Pages web 119

Révision et correction à l'écran 122

Touches et boutons 123

Word facile 124
- Alignement des chiffres à droite 124
- Barres 124
- Calcul 124
- Centrage vertical 124
- Espacement entre les paragraphes 125
- Ligne de rappel 125
- Liste des commandes 125
- Modèles 125
- Points de suite 125
- Raccourci pour un caractère 125
- Ruban 125
- Sections et colonnes 126
- Sélection verticale 126
- Style 126
- Table des matières et index 126
- Tabulations 126
- Taille des marges 127
- Titres 127
- Tri 127
- Vocabulaire informatique 128

ITALIQUE 129

Latin 130

Titres d'œuvres 132

Cas particuliers de l'italique 135
- Bibliographie 135
- Créations commerciales 135
- Devise, maxime et proverbe 135
- Indications aux lecteurs 135
- Italique dans ce livre 135
- Italique et guillemets en opposition 136
- Italique dans italique 136
- Langue étrangère 136
- Lettres de l'alphabet 136
- Loi 136
- Mise en valeur de mots 137
- Notes de musique 137
- Ouragan ou cyclone 137
- Pages liminaires d'un livre 137
- Produits, jeux et spécialités 137
- Renvoi 137
- Séminaires, cours, concours, etc. 138
- Théâtre et jeux de scène 138
- Véhicules 138
- Villas 138

NOMBRES 139

Écriture des nombres en lettres 140
- Trait d'union 140
- Chiffres et lettres mélangés 140
- Noms sans traits d'union 141
- Les noms *million* et *milliard* 141

Accord de *cent* 141
Accord de *quatre-vingt* 141
Le mot *un* 141
Emplois des nombres 142
Historique 142
Travaux juridiques 142
Travaux littéraires 142
Travaux scientifiques 142
Travaux ordinaires 142
Chiffres arabes 143
Nombre signifiant une quantité 143
Nombre signifiant un rang 143
Début d'une phrase 143
Âges 143
Cartes à jouer 143
Classes d'école 143
Densité 143
Statistiques 143
Proverbes 143
Degré 144
Longitude, latitude, angles plans 144
Degré d'alcool 144
Degré de température 144
Horaires 144
Poésies 144
Votes 144
Vitamines 145
Pourcentages et fractions 145
Répétition de symboles 145
Nombres négatifs 145
Nombres en lettres dans les années 145
Chiffres romains 146
Alignement 146
Acte de théâtre 146
Chapitre, tome, volume 146
Concile 146
Manifestation commerciale 146
Millénaire 146
Monument 146
Régime politique 146
Siècle 146
Souverain 146
ORTHOGRAPHE 147
Nomenclature simplifiée 148
Fonctions du nom 149
Propositions 149
Accords 150
Accord du participe passé 152
Modes et temps 156
Conjugaison 157
Genres à retenir 160
Orthographes à retenir 161
Noms et adjectifs composés 162
Rhétorique 163
Difficultés orthographiques 164
Féminisation des textes 176
Féminisation des fonctions 178
Préfixes des mots 180
Nouvelle orthographe : règles 182
Nouvelle orthographe : liste 184
PONCTUATION 189
Faces de la ponctuation 190
Espacements de la ponctuation 191
Cas particuliers de la ponctuation 192
Accolades { } 192
Apostrophe ' 192
Arobas et *a* commercial @ 192
Astérisque * 193
Barre oblique / 193
Chevrons simples < > 193
Crochets [ ] 194
Deux-points : 194
Guillemets « » “ ” " " 194
Parenthèses ( ) 196
Perluète & 196
Point 196
Point-virgule ; 197
Point d'exclamation ! 197
Point d'interrogation ? 197
Points de suspension 198
Tiret long — 198
Tiret court – 199
Trait d'union - 199
Virgule , ... 202
Plusieurs ponctuations de suite 206
Ponctuation et sens 208
TYPOGRAPHIE ANGLAISE 209
Abrégé de grammaire anglaise 210
Règles typographiques anglaises 211
Abréviations 211
Capitales 213
Coupures 213
Italique 213
Nombres 214
Ponctuation 214
EXERCICES 215
ANNEXES 225
Époques et périodes 226
Histoire du Canada et du Québec 228
Histoire de la France 230
Littérature de langue française 232
Table des matières 235
Index 241
Tableaux 252

Index

1. Les mots qui gardent toujours leurs capitales sont notés avec ces capitales : la Belle Époque ; 2. Les deux ou trois lettres qui suivent la virgule sont les dernières de chaque élément quand le mot est au pluriel : aller-retour, s s = allers-retours ; 3. Abréviations : t.a. (toponyme administratif) ; t.n. (toponyme naturel) ; t.u. (trait d'union).

	page
A	
à demi, inv. et sans t.u.	167
à la provençale	83
à nouveau - de nouveau	166
abrégé historique	8
abréviations	35
— accents sur les cap.	36
— casse	36
— coupures des	113
— début de phrase	36
— définition	36
— des féminins	58
— emplois des	36
— en anglais	211
— espacement	37
— formation	36
— liste alphabétique	38
— pluriel et féminin	37
— points abréviatifs	36
— ponctuation	37
— règles	36
— texte en capitales	37
académie (enseign.)	92
académie (organisme)	89
accents en français	164
accents sur les cap., ex.	108
accents sur les capitales	78
accès POP	116
accolades, emplois des	192
accord (texte juridique)	103
accord de l'adjectif	150
— comme adverbe	151
— de couleur	151
— deux adjectifs	151
— noms de genre diff.	150
— noms de même genre	150
— noms unis par *de*	151
— qualificatif	150
— un seul des noms	150
accord des sociétés	95
accord du part. passé	152
accord du titre d'œuvre	134
accord du verbe	150
— adverbe de quantité	150
— avec le sujet	150
— avec une proposition	150
— pronom relatif *qui*	150
— pronoms différents	150
accusation (à la cour)	161
Acfas	45
achevé d'imprimer	14
acronymes devenus noms	45
acronymes et sigles	44
acronymes, coupure des	114
acronymes, exemples	45
acte de théâtre (chiffres)	146
adjectif avant le nom	78
adjectif, définition	148
adjectifs composés, plur.	162
ADN, acide	45
adresse courriel	118
adresse de site web	118
adresse en anglais	213
adresse postale	82
adresse Twitter	118
adresse URL	118
adverbe, définition d'	148
aéroport (bâtiment)	91
âge (écriture des nbres)	143
âge, pér. de l'humanité	226
agence (organisme)	89
agence (société)	94
aide-	164
aide (texte juridique)	103
aide juridique, sociale	95
aiguille, sans t.u., var.	200
ainsi que - avec	204
alignement des chiffres	124
alignement des paragr.	24
alignement des tabul.	33
alinéa, définition d'	25
allée (t.a.)	84
allégorie, personnification	105
aller-retour, s s	162
alliance (organisme)	89
allitération (rhétorique)	163
allophones	101
Altesse Royale	80
ambassade	95
Amour (allégorie)	105
ampère, A	48
an quarante	145
anagramme (rhétorique)	163
anglais, grammaire en	210
angles plans	144
anglicanisme	101
anglicisme en italique	136
anglicismes	62
anglophones	101
Anik, les Anik	98
animaux, races d'	107
année, en lettres	145
année, numéro d'ordre d'	143
année-lumière, a.l.	38
année-lumière, s e	162
annonces encadrées	33
anti-	180
antonomase (rhétorique)	163
antonomase dans menu	83
antonomases, liste des	104
apocope ou troncation	58
apologue (rhétorique)	163
apostrophe	192
— coupure avant	113
— dans les années	145
— dev. guillemet ouvrant	192
— dev. mot en évidence	192
— devant un nom propre	192
— élision avec ces mots	192
— en langage familier	192
— espacement	191
— et chiffre	192
— inutile	192
— pas pour le temps	88
— typographique	192
— typographique ds web	120
apostrophe (rhétorique)	163
appartement, app.	82
appel dans un courriel	80
appel dans une lettre	80
appel de note	27
appel de note dans titre	27
appel de note, face de l'	27
application (logiciel)	116
apposition attachée	149
apposition détachée	149
appositions att., liste d'	200
apprentie cuisinière	199
approche de paire	11
approche ou espacement	11
apr. J.-C.	38
après que - avant que	165
Arabie Heureuse	87
Arabie saoudite	87
arc (bâtiment)	91
arc-en-ciel, s n l	162
archi-	180
Arctique	87
aréna (bâtiment)	91
armée, subdiv. militaire d'	105
arobas et *a* commercial	192
arrêt (t.a.)	84
arrêté (texte juridique)	103
arrière-saison, e s	162
arrondissement (t.a.)	84
arrondissement, écriture d'	99
article dans périodique	135
article de loi (texte jurid.)	103
article de loi en chiffres	143
article de loi (petites cap.)	110
article devant dénomin.	44
article, définition de l'	148
Asie Mineure	87
aspect visuel des pages	33
assemblée (organisme)	89
assemblée (réunion)	90
assemblée (nom collectif)	170
association (société)	94
associés, avec perluète	196
assombrissement (impr.)	14
assurance vie, etc.	95

assurances (société) 94
astérisque, appel de note 27
astérisque, emplois de l' 193
astres, casse des 106
attaché-case, s s 162
attendu (préposition) 164
atto- (préfixe décimal a) 47
attribut de mise en forme 13
au- 180
auberge (société) 94
aucun 164
aussi tôt – aussitôt 164
Australie-Méridionale 87
auto- 180
autochtones 101
auto-infection, o s 162
autoroute (t.a.) 84
autoroute 20 Est 88
av. J.-C. 38
avant que – après que 165
avant-centre, s s 162
avant-coureur, t s 162
avant-dernier, t s 162
avant-poste, t s 162
avant-propos 137
avenue (t.a.) 84
avenue, abrév. av. 38
avion-cargo, s s 162
avion-citerne, s s 162
avions, face des noms d' 138
avoir l'air 165
ayons, ayez, jamais de *i* 161

B

baccalauréat 92
baie (t.n.) 84
baie James (t.n.) 87
Baie-James (t.a.) 87
bain-marie, s e 162
balise, écriture de la 118
balise fermante (HTML) 119
balise ouvrante (HTML) 119
balises HTML, liste de 120
ballet (œuvre) 133
bande (nom collectif) 170
bande-annonce, s s 162
bande-son, s n 162
banque (organisme) 89
banque (société) 94
barre d'espac. en saisie 31
barre oblique, emplois de 193
barreau 95
barres dans Word 124
bas de vignette 16
bas du fleuve (t.n.) 87
Bas-du-Fleuve (t.a.) 87
bas Saint-Laurent (t.n.) 87
Bas-Saint-Laurent (t.a.) 87
Bas-Canada (t.a.) 87
bas-de-casse, minuscule 77
basilique (bâtiment) 91
Basse-Côte-Nord (t.a.) 87
Basse-Ville (t.a.) 87
Bassin parisien 87
bataille (guerres) 98
bataillon 105
bateaux, face des 138
bâtiments, casse des 91
Baton Rouge (Louisiane) 87
bâtons (caractères) 10
beaucoup, accord avec 150
Belle Époque (1890-1914) 101
belle-de-nuit, s e t 162
bénéfice, avec t.u., inv. 200
bérets rouges 79
bi- 180
Bible et livres bibliques 58
bibliographie 135
bibliographies, petites cap. 110
bibliothèque (organisme) 89
bibliothèque (société) 94
bidon, sans t.u., inv. 200
Bien, Mal, personnif. 105
biennale (manif. artist.) 103
billet de loterie 143
bio- 180
blanc entre les paragr. 33
blanc ou espace 12
blanchir (imprimerie) 14
blancs dans un livre 29
blancs, répartition des 33
bleus ou tierce 14
bloc-notes, s s 162
blogue 116
Boeing, des Boeing 137
Bois-des-Filion (t.a.) 87
Bois-Francs (t.a.) 87
bon à tirer 14
bordure ou filet 11
bouche-à-bouche, inv. 162
Bouclier canadien 87
bouddhisme 101
boulevard, boul. ou bd 38
bourdon 14
bourse (organisme) 89
bourse (aide financière) 98
boutique (société) 94
bouton-pression, s n 162
bracelet-montre, s s 162
bric-à-brac, inv. 162
brigade 105
Brigades internationales 161
bulletin-réponse, s e 162
bureau (organisme) 89
bureau (réunion) 90
bureau dans adresse, bur. 82
bureau de vote 95
butoir, sans t.u., var. 200

C

ça, çà, ç'a 165
cabinet 95
cadeau, avec t.u., var. 200
cadratin 12
cadre 11
café (commerce) 94
cahiers d'un livre 28
caisse (organisme) 89
calcul dans Word 124
calques (anglicismes) 62
camion-citerne, s s 162
Canada dans une adresse 82
canton (t.a.) 84
cap (t.n.) 84
Cap-Breton (t.a.) 87
Cap-Rouge (t.a.) 87
cap de la Madeleine (t.n.) 87
Cap-de-la-Madeleine (t.a.) 87
cap Vert (t.n.) 87
Cap-Vert (t.a.) 87
capitales 75
capitales accentuées 78
capitales canadiennes 57
capitales des États amér. 109
capitales en anglais 213
capitales ou majuscules 77
capitales, règles des 78
capsule *Apollo* (véhicule) 138
caractères spéciaux HTML 120
caravane (nom collectif) 170
cardinal (fonction) 104
cardinal et ordinal 140
carmélites 101
carnaval (manif. artist.) 103
carte-lettre, s s 162
carte-réponse, s e 162
cartes à jouer (nombres) 143
cartésianisme 101
case postale, C.P. 82
Casques bleus 79
casse après la ponct. 190
casse, définition 77
cathédrale (bâtiment) 91
catholicisme 101
caucus (réunion) 90
causerie (réunion) 90
causerie, avec t.u., var. 200
ceci, cela, ça, çà, ç'a 165
cédille 165
cégep (enseignement) 92
cégep (acronyme) 44
c'en 165
censé – sensé 165
cent mètres, course de 201
cent, accord du chiffre 141
centi- (préfixe décimal c) 47
centigramme, cg 48
centilitre, cl 48
centimètre, cm 48
centrage vertical 124
centre (bâtiment) 91
centre (organisme) 89
centre (société) 94
centre (point cardinal) 88
centre-ville, s s 162
certificat en 92
César, les César 98
c'est – ce sont 165
c'est moi, c'est toi qui 150
c'est moi, c'est vous qui 173
c'était – s'était 165
césure 112
chaines de télévision 100
chambre (organisme) 89
chambre de commerce 95
chambre dans adresse 82
champ en informatique 14
championnat (sports) 93

chancelier (fonction) 104
chapeau, dans un journal 15
chapelle (bâtiment) 91
chapitre et entête 29
chapitre (chiffres rom.) 146
charia, loi islamique 101
charte (texte juridique) 103
chasse ou échelle 11
château (bâtiment) 91
chats, races de 107
chef, en chef 165
chef-d'œuvre, s e 162
chemin (t.a.) 84
chemin de fer 15
cheminées (aspect visuel) 33
Chemises noires 79
cheval-vapeur, aux r 162
chevau-lèger, u s 162
chevaux, races de 107
Chevrolet, des Chevrolet 137
chevrons 194
chevrons simples 193
chez, avec ou sans t.u. 165
chiens, races de 107
chiffre et mot séparés 114
chiffres arabes 143
chiffres romains 146
chiffres, lettres mélangés 140
chiite, chiites 101
chimie, symboles de 49
choc, avec t.u., var. 200
chou-fleur, x s 162
christ, casse de 97
christianisme 101
ci – là 169
ci-annexé – ci-inclus 166
ci-joint 166
cible, sans t.u., var. 200
cime (t.n.) 84
cimetière (bâtiment) 91
cinéma (société) 94
circa (anglicisme) 145
circonscription 95
circulaire en chiffres 143
circulaire (petites cap.) 110
citation avec guillemets 195
citation en italique 102
citation en retrait 102
citation et nom d'auteur 102
civilisations 106
clarisses 101
classes d'école, de train 143
classicisme 101
clavier et accents, saisie 31
clé, av. ou sans t.u., var. 200
club (société) 94
co- 180
code (organisme) 89
code (texte juridique) 103
code barres 15
code des mois, des jours 56
code HTML 119
code postal dans adresse 82
codes HTML, liste de 120
col (t.n.) 84
col du Mont-Cenis (t.n.) 87
collectif, accord avec 170
collection ds bibliographie 135
collectivités et doctrines 101
collège (enseignement) 92
colline parlementaire 161
colloque (manif. artist.) 103
colonne (bâtiment) 91
colonne de journal 33
colonnes et sections 126
colophon 14
cols blancs, cols bleus 79
combien, accord avec 150
comédie music. (œuvre) 133
comité (organisme) 89
comité (réunion) 90
comité (nom collectif) 170
commandes ou opérations 118
commandes Word, racc. 118
comme 166
commerces et sociétés 94
commission (organisme) 89
commission (réunion) 90
commission scol. (ens.) 92
communauté (organisme) 89
commune (t.a.) 84
compagnie (société) 94
compagnie, abréviation 55
comparaison 163
compl. d'objet direct 149
compl. d'objet indirect 149
complexe (bâtiment) 91
compris – non compris 166
compris – y compris 166
compte-chèque, s s 162
compte-rendu, s s 162
comte (fonction) 104
comté (t.a.) 84
concert (manif. artistique) 103
concile (réunion) 90
concile, chiffres romains 146
conclave (réunion) 90
concours (manif. sportive) 103
concours, titres de 138
conditionnel 156
conférence (manif. éduc.) 103
conférence (réunion) 90
congrès (manifestation) 103
congrès (réunion) 90
conjonction, définition de 148
conjugaison 157
conjugaison démodée 156
conseil (organisme) 89
conseil (réunion) 90
conseil de guerre 98
conseil, majuscule ou non 90
conseil, t.u. avant 199
consul (fonction) 104
consulat 95
conte (œuvre) 133
continuer *à* ou *de* 166
contraste d'image 15
convenir 166
coordonnées ds sites web 120
copie d'un auteur 31
coptes 101
coq-à-l'âne, inv. 162
coquille 15
Cordillère centrale 87
cordillère des Andes 87
corps ou taille 10
corps, choix du 32
correction à l'écran 122
correction d'épreuves 17
correction sur PDF, JPEG 123
correction, signes de 20
correction sur PDF 122
correction : texte corrigé 23
correspondance, lettre 80
corrigeur ou corrigeuse 18
cortège (nom collectif) 170
côte (t.n.) 84
côte atlantique 87
Côte d'Azur 87
Côte d'Ivoire 87
Côte-d'Or 87
côte nord du fleuve (t.n.) 87
Côte-Nord (t.a.) 87
côte Ouest 88
Côte Vermeille 87
Côtes-d'Armor 87
couche-tard, inv. 162
cou-de-pied, s d 162
couleur, adjectif de 151
couleur, sans t.u., var. 200
coupe (sports) 93
coupon-réponse, s e 162
coupure en fin de page 114
coupure en fin de paragr. 114
coupure malsonnante 113
coupures dans page web 120
coupures de mots 112
coupures en anglais 213
cour (organisme) 89
cour municipale 95
Couronne, à la cour 161
courriel, adresse 81
courriel, définition 116
cours, titres de 138
court-circuit, s s 162
court-métrage, s s 162
court-vêtu, t s 162
court-vêtue, t s 162
couverture, sans t.u., inv. 200
couverture de livre 29
couverture livre, casse de 78
création commerciale 135
crénage 11
croc-en-jambe, s n e 162
crochets, emplois des 194
crochets, espacement 191
crochets, face des 190
croisade 98
cubisme 101
cuillère à café, c. à c. 56
cuillère à soupe, c. à s. 56
cuillère à thé, c. à t. 56
cul-de-lampe, s e e 162
cul-de-lampe (vignette) 15
cul-de-sac, s e c 162
curatelle publique 95
curateur public (fonction) 104
curé (fonction) 104

curriculum vitae, CV 38
curseur 31
cyber- 180
cyclone ou ouragan 137

D

dans – d'en 166
date en anglais 213
date en chiffres, en lettres 40
dates, séparation des 114
davantage – d'avantage 166
de même que 167
de nouveau – à nouveau 166
de toute 175
de un, d'un 141
de, du, des, nom propre 102
de, noms liés par 166
débat (réunion) 90
débat, avec t.u., var. 200
déca- (préfixe décimal da) 47
déci- (préfixe décimal d) 47
décibel, dB 48
déclaration (texte jurid.) 103
décorations, casse des 102
décret (texte juridique) 103
décret (petites cap.) 110
défaite (guerres) 98
défense, dans un procès 161
degré Celsius, °C 48
degré d'alcool 144
degré de température 144
degré, signe de 144
déjà-vu, inv. 162
déjeuner 167
déléatur 15
délibération (réunion) 90
delta-plane, a s 162
demi, avec un nom 167
demi-cadratin 12
demi-ton ou simili 15
démocrates 109
démocratie 101
dénomination 77
dénomination au pluriel 79
dénomination elliptique 79
dénomination et article 79
dénomination trompeuse 79
dénominations historiques 97
densité 143
département, serv. int. 95
député (fonction) 104
des mieux 167
des plus, des moins 167
des, du, de, nom propre 102
dessin au trait 15
dessous-de-plat, inv. 162
dessus-de-lit, inv. 162
destinataire dans adresse 82
déterminant, définition 148
détourage (imprimerie) 15
deux espaces de suite 207
deux espaces en anglais 214
Deux Montagnes, lac des 85
Deux-Montagnes, ville de 85
deux-pièces, inv. 162
deux-points, deux fois 194
deux-points, emplois du 194
deux-points (espacement) 191
deux-points, face du 190
deux-points, inv. 162
deuxième - second 174
devise, maxime 135
dialogue et ponctuation 207
dialogue, casse du 43
dialogue, guillemets dans 195
diaspora 101
dieu, casse du mot 97
différent – différend 167
difficultés orthogr. 164
diplômes 92
directeur (fonction) 104
direction, service admin. 95
Directoire, style 107
disc-jockey, c s 162
discussion (réunion) 90
division, service interne 95
docteur, abrév. et casse 55
doctorat 92
doctrines et collectivités 101
dollar canadien 54
domaine (Internet) 116
dont – d'on 167
dos d'un livre 29
dos-d'âne, inv. 162
double, accord de 167
double-croche, s s 162
doublon 15
doyen (fonction) 104
drapeau, alignement en 24
Droits de l'homme 103
du, de, des, nom propre 102
duc (fonction) 104
duché (histoire) 100

E

é – er, part. passé, inf. 167
e muet 156
échappé belle 167
échapper 167
échelle ou chasse 11
éclair, sans t.u., inv. 200
écoles, nouveaux noms des 93
édit (texte juridique) 103
éditeur HTML 116
éditions (société) 94
église, casse 97
ellipse 202
ellipse (rhétorique) 163
elliptique, dénomination 79
Éminence, dans lettre 80
empagement 29
empattements 10
empereur (fonction) 104
empire (histoire) 100
Empire, style 107
en – en n' 168
en chef, chef 165
en dedans, en dessous 180
encart 15
enregistrée, enr. 57
enseigne et panneau 78
enseignement 92
ensemble (nom collectif) 170
entête 29
entête aux chapitres 29
entités HTML (liste) 120
entretien (réunion) 90
énumér. horizontales 197
énumér. verticales 26
énumération secondaire 26
énumération, séparation 114
épicurisme 101
épine d'un livre 29
époques 101
époques et périodes 226
époques historiques 226
EPUB 116
équipe (nom collectif) 170
ère atomique 101
ères de la Terre 226
escadre 105
espac.de ponctuation 191
espace au féminin 12
espace fine 12
espace fine (pages web) 121
espace insécable 12
espace inséc. (pages web) 120
espace sécable (just.) 12
espacement de la ponct. 191
espacement entre paragr. 125
espacement ou approche 11
esperluette ou perluète 196
essai (œuvre) 133
est, ouest, point cardinal 88
et commercial 196
et surtout 168
et/ou 168
établissements (société) 94
étage dans adresse, ét. 82
étant donné 168
état, casse du mot 107
État, nation 100
États amér. en anglais 212
États amér., capitales des 109
etc. 56
étudiant, sans t.u., var. 200
euphémisme (rhétorique) 163
évêque (fonction) 104
ex- 180
excepté (préposition) 164
exercices (corrigé) 220
exercices (questions) 216
exergue 15
existentialisme 101
expert-comptable, s s 162
explicatif ou restrictif 202
exposant 37
exposition (manifestation) 103
expositions, titres d' 138
extra- 180
extra-utérin, a s 162
extrême droite 109
Extrême-Nord 88
Extrême-Orient 87

F

face ou style 11
face de la ponctuation 190

face-à-face, inv. 162
Facebook 116
faculté (enseignement) 92
fait-divers, s s 162
famille de caract., choix de 32
famille de caractères 10
fan-club, s s 162
fantaisie, sans t.u., inv. 200
fantôme, sans t.u., var. 200
fascisme 101
faux, faux- 168
faux amis (anglicismes) 62
favori dans navigateur 117
fax, télécopieur 81
fédération (sports) 93
Femina, les Femina 98
féminins dans une liste 58
féminisation des textes 176
féminisation des fonctions 178
femto- (préfixe décimal f) 47
fer à droite, fer à gauche 25
FERR 45
festival (manif. artist.) 103
fête (manif. commerciale) 103
fêtes autres 108
fêtes et pratiques 108
fier-à-bras, s à s 162
filet ou bordure 11
filet vertical 16
fils, filles, perluète avec 196
fin (adverbe) 168
fins de lignes en saisie 31
fleurs, en 168
fleuve (t.n.) 84
fleuve Jaune 87
flexe, accent circonflexe 164
floralies (manif. artist.) 103
foire (manif. commerciale) 103
foire, sans t.u., inv. 200
folios 29
folios de chapitres 17
fonction du destinataire 80
fonction publique, la 161
fonctions au féminin 178
fonctions du nom 149
fonctions et titres divers 104
fond perdu 16
fonds (organisme) 89
fontaine (bâtiment) 91
fonte ou police 10
Forêt-Noire 87
format (informatique) 118
forum (réunion) 90
foule (nom collectif) 170
fournisseur d'Internet 116
fractions (espacement) 145
français courant 156
franco- 180
francophones 101
franc-parler, s s 162
franc-tireur, s s 162
frappe au kilomètre 31
frère, religieux 104
frère, sœur, perluète avec 196
front commun 161
frontière, sans t.u., inv. 200

G

gabarit web (marche) 121
galaxie, planète 106
galerie (bâtiment) 91
galerie (société) 94
gare (bâtiment) 91
gare (t.a.) 84
Gazette, la 101
Gémeaux, inv., avec cap. 98
générique administratif 84
générique naturel 84
générique, définition de 77
Génie, les Génies 98
génito-urinaire, o s 162
genre non marqué 168
genres à retenir 160
gentilés ou habitants 106
giga- (préfixe décimal G) 47
gigadollar, milliard, G$ 54
gigaoctet, Go 48
gloses 27
glossaire de l'imprimerie 14
glossaire de la typo 10
golfe (t.n.) 84
golfe Persique 79
Goncourt, les Goncourt 98
gothique, style 107
gouttière, définition de 16
gouttière, déterminer la 126
gouvernement 95
gouverneur (fonction) 104
gradation (rhétorique) 163
grades milit. canadiens 57
grades universitaires 92
grammaire anglaise 210
gramme, g 48
Grammy, les Grammy 98
Grand Canyon 87
Grand Lac Salé 87
Grand Nord 87
Grand Rapids 87
grand, accord 168
grandes invasions 98
grand-guignolesque, d s 162
grand-mère, (s) s 162
grand-père, s s 162
Grands Lacs 87
gravure (œuvre) 133
groupe (organisme) 89
groupe (nom collectif) 170
Guatemala 87
Guatémaltèques, les 51
guerre du Golfe 79
guerres 98
guet-apens, s s 162
guillemets 194
— anglais 194
— anglais, emploi des 195
— avec incise 204
— citations 195
— de répétition 195
— dialogue 195
— doute 194
— droits 194
— droits, emploi des 195
— espacement des 191
— et autres ponctuations 206
— et interlocuteur 195
— et italique opposés 136
— et mots étrangers 136
— et ponctuation finale 194
— face des 190
— limites des 195
— ou italique 196
— titres de subdivision 195

H

habillage (imprimerie) 16
habitants ou gentilés 106
Haut-Canada (t.a.) 87
haut-commissaire, s s 162
Haute-Côte-Nord (t.a.) 87
Hautes-Laurentides (t.a.) 87
hauteur de page 29
Haute-Ville (t.a.) 87
haut-fourneau, s x 162
hébergement site web 116
HEC, sigle de 45
hecto- (préfixe décimal h) 47
hélas, non exclamatif 197
hémisphère Sud 87
hésitation, avec t.u., inv. 200
heure, écriture de l' 41
heure en anglais 211
heure, h 48
hiérarchie des titres 13
hindouisme 101
Hispaniques, les 87
histoire (œuvre) 133
histoire de la France 230
histoire de l'écriture 226
histoire du Canada 228
histoire du Québec 228
histoire et régimes 100
Holocauste 100
homme-grenouille, s s 162
homme-sandwich, s s 162
Honda, des Honda 137
hôpital (société) 94
horaires de programmes 199
horaires de transports 144
hors, hors- 168
hors-d'œuvre, inv. 162
hors-la-loi (n.), inv. 162
hors-texte 16
hôtel (société) 94
hôtel de ville (bâtiment) 91
Hôtel de Ville, côté moral 91
HTML, écriture du code 118
HTML, langage 119
hymne (œuvre) 133
hyper- 180
hyperbole (rhétorique) 163
hypertextes (hyperliens) 119
hypo- 180

I

idem, ibidem 56
ile d'Anticosti (t.n.) 87
Île-d'Anticosti (t.a.) 87
ile de Montréal (t.n.) 87
Île-de-Montréal (t.a.) 87

ile des Sœurs (t.n.) 87
Île-des-Sœurs (t.a.) 87
ile Perrot (t.n.) 87
Île-Perrot (t.a.) 87
iles de la Madeleine (t.n.) 87
Îles-de-la-Madeleine (t.a.) 87
image (rhétorique) 163
image vectorielle 16
immeuble (bâtiment) 91
impasse (t.a.) 84
impératif, terminaison d' 156
impératif, trait d'union ds 201
importe (qu') 172
imposition (imprimerie) 16
impressionnisme 101
imprimerie (société) 94
imprimerie, glossaire 14
Imprimerie nationale 43
incidente, incise (ponct.) 204
incise et incidente, déf. d' 149
incorporée, inc. 57
indications à l'auteur 18
indications aux lecteurs 135
indice 37
infinité (nom collectif) 170
ingénieur-conseil, s s 162
initiales dans une lettre 81
Inquisition, époque 101
insectes, races d' 107
insertion dans une saisie 31
inspection (organisme) 89
institut (enseignement) 92
institut (organisme) 89
inter- 180
interjection, définition d' 148
interjections, signif. d' 197
interligne 10
Internet, adresse d' 118
intra- 180
intransitif 149
introduction d'un livre 137
Inuits, gentilé 106
invasion (guerres) 98
inversion (rhétorique) 163
islam 101
ISO 45
Israéliens, gentilé 106
israélites 101
italique 129
— autonymes 137
— dans ce livre 135
— dans italique 136
— et guillemets opposés 136
— mot étranger 136
— mot familier 137
— italique en anglais 213
— italique ou guillemets 196

J

jambage inférieur 10
jansénisme 101
jaquette (imprimerie) 16
jardin (t.a.) 84
jardin, écriture du mot 106
jésuites 101
jeux de société (italique) 137
jeux (sports) 93
jour, j ou d 48
journaux, revues 101
jours et mois, abrév. de 56
JPEG 116
judaïsme 101
juif, de religion judaïque 106
Juifs, commun. israélite 106
Juno, les Juno 98
jupe-culotte, s s 162
Jupiter, les Jupiter 98
jusqu'au-boutiste, u s 162
jusque, élision dans 192
justification 11
Jutra, les Jutra 98

K

kilo- (préfixe décimal k) 47
kilodollar, mille dollars, k$ 54
kilogramme, kg 48
kilohertz, kHz 48
kilomètre, km 48
kilooctet, ko 48
kilowatt, kW 48

L

là – ci 169
la plupart, pluriel avec 169
La Prairie, municipalité 87
La, Le, Les, nom propre 102
lac (t.n.) 84
lac Beauport (t.n.) 87
Lac-Beauport (t.a.) 87
lac Drolet (t.n.) 87
Lac-Drolet (t.a.) 87
laissé-pour-compte, s r e 162
laisser-aller, inv. 162
laissez-passer, inv. 162
langage HTML 119
langue, casse du nom de 106
langues étrangères 136
langues fr. parlées 227
LaSalle, station de métro 99
latin francisé ou non 130
latitude, longitude 144
Le Gardeur (t.a.) 87
le mieux 169
le moins... que 169
le peu de 169
le plus – le moins 169
le plus... que 169
le premier qui 169
le seul qui 169
Le, La, Les, nom propre 102
Le, La, Les, titre d'œuvre 134
lecteur électronique 116
légende 16
légendes, point dans les 196
Les Éboulements (t.a.) 87
Les Escoumins (t.a.) 87
Les Méchins (t.a.) 87
lettre *a),* avec parenthèse 26
lettre d'affaires 80
lettres de l'alphabet 136
lettres semblables à la fin 32
lettre supérieure 37
lettrine 110
leur – leurs 169
leur – son 169
lève-tôt, inv. 162
lézardes (aspect visuel) 33
libéralisme 101
libéraux 109
librairie (société) 94
Libye 87
licence en 92
lien hypertexte 117
lieu-dit, x s 162
lieux publics, casse des 91
ligatures en saisie 31
ligne creuse, ligne pleine 12
ligne de base 10
ligne de rappel ds Word 125
ligne séparatrice 16
ligne (fortification) 98
ligue (organisme) 89
liminaires, définition de 137
liminaires, folios des 110
limite, sans t.u., var. 200
limitée, ltée 57
linéales, famille de caract. 10
LinkedIn 117
liste commandes Word 125
liste verticale, ponct. dans 26
litote (rhétorique) 163
litre, l ou L 48
littérature en français 232
livre (mesure) 59
livre blanc, le 161
livre, cahiers, papiers 28
livre numérique 117
livre, subdivisions du 28
livre, terminologie du 29
locomotive véhicule 138
logiciel, écriture du nom 118
logiciels, programmes 107
logotype (logo) 16
loi (texte juridique) 103
loi-cadre, s s 162
loi en italique 136
long-courrier, g s 162
longitude, latitude 144
long-métrage, s s 162
lorsque, élision dans 192
lot (nom collectif) 170
Louis XV, style 107
l'un et l'autre 169
l'un ou l'autre 170
lycée (enseignement) 92

M

Mac, Mc dans nom propre 102
madame, monsieur 42
mademoiselle 42
magasin (société) 94
magazines 101
main-d'œuvre, s e 162
maire (fonction) 104
mairie 95
maison (histoire) 100
maison (société) 94
maison de la culture 95

maison, sans t.u., inv. 200
Maison-Blanche 87
maitre, abrév. et casse de 55
maitrise en 92
majorité (en politique) 109
majorité (nom collectif) 170
majuscule ou capitale 77
maladies, casse des 103
mal-en-point, inv. 162
mandat-carte, s s 162
manifestation commerc. 103
manif. comm. en chiffres 146
maquette de l'imprimé 32
marché (organisme) 89
marche (en typographie) 34
marge extérieure, intér. 29
marges, taille des 127
marines, les 161
Mario, des Mario 137
marque-page (Internet) 117
martini, des martinis 137
marxisme 101
Masque, les Masques 98
masse (nom collectif) 170
massif (t.n.) 84
Massif central 87
massif du Mont-Blanc 87
matérialisme 101
matin, sans t.u., inv. 200
maxime, devise 135
Mecque, La 87
médaille, récompense 98
médecin-conseil, s s 162
méga- 180
méga- (préfixe décimal M) 47
mégadollar, million, M$ 54
mégahertz, MHz 48
mégaoctet, Mo 48
mégapixel, Mpx 48
mégawatt, MW 48
même, accord de 170
menus de restaurant 83
menus de site web 121
mer (t.n.) 84
mer Morte 87
mer Rouge 87
mère, sans t.u., var. 200
messieurs, abrév. MM. 42
mesures typographiques 11
méta- 180
métaphore (rhétorique) 163
métiers, trait d'union ds 199
Métis, race 106
mètre, m 48
métro, stations de 99
meute (nom collectif) 170
mi- 180
micro- 180
micro- (préfixe décimal μ) 47
militaires, unités 105
mille (mesure) 59
millénaire, chiffres rom. 146
milli- préfixe décimal m 47
milliard et million 141
milligramme, mg 48
millilitre, ml 48
millimètre, mm 48
million et milliard 141
millions de dollars 54
mines antipersonnel 161
mini- 180
ministère 95
ministre (fonction) 104
ministre, sans t.u., var. 200
minuscule, bas-de-casse 77
minute d'angle, ' 48
minute d'angle, emploi de 88
minute de temps, min 48
minute, sans t.u., inv. 200
miroir, sans t.u., inv. 200
mise en forme de caract. 13
mise en forme de paragr. 13
mise en page 32
modèle, sans t.u., var. 200
modèles en Word 125
modes et temps 156
moins 145
moins de deux 170
moins-perçu, s s 162
mois et jours en anglais 211
mois et jours, abrév. 56
Molière, les Molière 98
Mongolie-Intérieure 87
monnaies du monde 50
mono- 180
Monseigneur, dans lettre 80
monsieur, madame 42
mont (t.n.) 84
mont Blanc 87
mont Royal (t.n.) 87
Mont-Royal, avenue (t.a.) 87
mont Saint-Hilaire (t.n.) 87
Mont-Saint-Hilaire (t.a.) 87
mont Tremblant (t.n.) 87
Mont-Tremblant (t.a.) 87
Mont-Saint-Michel (t.a.) 87
montagne (t.n.) 84
montagnes Rocheuses 87
montre-bracelet, s s 162
monument (bâtiment) 91
monument, date sur un 146
moral ou physique, sens 78
mortaise 16
Mort (allégorie) 105
mort-né, mort-née, s s 162
mot et chiffre, séparation 114
moteur de recherche 117
mots coupés de suite 114
mots mis en valeur 137
mots semblables de suite 32
mouvement (organisme) 89
Moyen Âge 101
moyen-courrier, n s 162
moyen-métrage, s s 162
Moyen-Orient 87
multi- 181
multiples, sous-multiples 47
multitude (nom collectif) 170
municipalité (t.a.) 84
mur (bâtiment) 91
musée (société) 94
music-hall, c s 162
musulmans 101
mystère, sans t.u., var. 200

N

nano- (préfixe décimal n) 47
Nations Unies 45
Nature, personnification 105
nature, sans t.u., inv. 200
naturisme 101
navette *Columbia* 138
navigateur 117
ne explétif 170
ne... que 170
néo- 106
néodémocrates 109
New York 87
New-Yorkais, les 87
ni – n'y 170
ni... ni 170
nid-d'abeilles, s s 162
nid-de-poule, s e 162
NIP 45
Nobel, les Nobel 98
Noël, casse et pluriel de 108
nom commun, propre 148
nom composé, casse du 199
nom de famille, coupure 113
nom de famille, sépar. 114
nom de quantité 171
nom géographique 84
nom propre, appos. au 203
nom propre, casse du 78
nom propre, séparation 114
nom propre, graphie du 19
nom, définition 148
nombre (nom collectif) 170
nombres 139
— années 145
— de un à neuf inclus 142
— début d'une phrase 143
— emplois des 142
— en chiffres, coupure 114
— en anglais 214
— en lettres 140
— espacement 143
— négatifs 145
nomenclature simplifiée 148
noms composés, plur. des 162
non marqué, genre 168
non seulement..., mais 171
non-dit, inv. 162
nord, sud, point cardinal 88
Nord-Africains, les 87
Nordiques, les 87
nordistes, les 87
notes de musique 137
notes en saisie 31
notes et appels de note 27
notes, petites cap. ds les 110
Notre-Dame 97
nous d'humilité 171
Nouveau Monde 87
Nouveau-Mexique 87
nouveau-né, u s 162
nouveau-née, u s 162
nouvelle (œuvre) 133

nouvelle orth., liste de la 184
Nouvelle-Calédonie 87
Nouvelle-Orléans, La 87
nuages, abrév. et casse de 56
nuée (nom collectif) 170
nue-propriété, s s 162
numérisation 17
numéro d'ordre, rang 143
numéro, n^{o}, emplois de 58
numérotation automat. 124
nu-pieds, inv. 162
nu-propriétaire, s s 162

O

observatoire (bâtiment) 91
Occident, l' 88
Occidentaux, les 87
Occupation (époque) 101
océan (t.n.) 84
océan Atlantique 87
octet, o 48
odonymes à Montréal 86
œ, ligature dans sigle 44
œil du caractère 11
œil, choix 32
œil-de-perdrix, s e x 162
office (organisme) 89
Office québécois... (OQLF) 45
oiseau-mouche, x s 162
oiseaux, races d' 107
Olivier, les Olivier 98
omni- 181
on – on n' 171
on, accord avec 171
once (mesure) 59
on-dit, inv. 162
opéra-comique, s s 162
opérations informatiques 118
opposition, en politique 109
orang-outan, s s 162
oratoire (bâtiment) 91
ordinal et cardinal 140
ordonnance (texte jurid.) 103
ordre (société) 94
organisation 89
organisme ou réunion 90
organismes 89
Orient, l' 88
Orientaux, les 87
orpheline et veuve 33
orthographe 147
orthographes à retenir 161
Oscar, les Oscars 98
ou, accord avec 171
ou – où 171
ouragan ou cyclone 137

P

pacte (texte juridique) 103
page, espac. du folio 143
page, séparation du mot 114
page impaire, belle page 29
page paire, fausse page 29
pages de garde 29
pages liminaires 137
pages web 119
— règles particulières 119
— règles typographiques 120
pagination 17
paix 98
palais (bâtiment) 91
palais de justice 95
palier – pallier 171
palindrome (rhétorique) 163
pan- 181
panneau et enseigne 78
pape (fonction) 104
papier-émeri, s i 162
papier-filtre, s s 162
papiers d'impression 28
paquet (nom collectif) 170
par- 181
par ce que – parce que 171
par, accord avec 171
para- 181
paragraphe dans Word 13
paragraphe tout en cap. 79
paragraphe, § 39
paragraphes, blanc entre 33
paragraphes, espac. entre 125
parenthèses 196
— casse à l'intérieur 196
— espacement 191
— et autres ponct. 206
— face 190
— pour les prénoms 196
— s'adresser au lecteur 196
Parlement (organisme) 89
paroisse (t.a.) 84
participe passé, accord du 152
participes passés invar. 154
particule nobil. étrangère 102
particule nobil. française 102
partis politiques 109
pas, pluriel avec 172
pas-de-porte, inv. 162
pas-grand-chose, inv. 162
passage (t.a.) 84
passé (préposition) 172
patronyme 96
pause-café, s s 162
pavé, en 24
Pays basque 87
pays de Galles 87
pays du monde 50
PDF 117
peinture ou tableau 132
péninsule (t.n.) 84
péninsule Ibérique 87
pensées (œuvre) 133
péquistes 109
père, religieux 104
périodes d'art archit. 227
périodes de l'humanité 226
périodes géologiques 101
perle 15
perles en traduction 74
perles précieuses 60
perluète ou esperluette 196
personne 172
personne morale, physique 78
personne-ressource, s s 162
personnification, allégorie 105
péta- (préfixe décimal P) 47
petit-beurre, s e 162
Petit-Champlain (t.a.) 87
petites capitales 110
petit-four, s s 162
pétrolière – pétrolifère 172
peu, accord avec 150
peu importe – qu'importe 172
peut – peu 172
peut-être – peut être 172
pharmacie (société) 94
photo, sans t.u., inv. 200
photoroman, s 162
photos, mise en page 32
physique ou moral, sens 78
pica typographique 11
pico- (préfixe décimal p) 47
pied (mesure) 59
pied-à-terre, inv. 162
pied-de-mouche 13
pied-de-poule (adj.), inv. 162
pied-de-poule (n.), s e e 162
pilote, sans t.u., var. 200
pis-aller, inv. 162
piscine (bâtiment) 91
pixel, px 48
place (immeuble) 84
place (t.a.) 84
Place-Bonaventure 84
Place-des-Arts 84
plan (texte juridique) 103
planètes 106
Plateau-Mont-Royal (t.a.) 87
plein 172
plein-temps, s s 162
pléonasme (rhétorique) 163
plupart, pluriel avec la 169
pluriel d'un nombre 143
pluriel des adj. composés 162
pluriel des noms comp. 162
pluriel des noms propres 172
pluriel en *-als* 172
plus d'un 173
plusieurs capitales 103
plusieurs ponctuations 206
plutôt – plus tôt 173
plutôt que 173
poésie (œuvre) 133
poésie, nombre dans 144
poignée (nom collectif) 170
point 196
— avec tiret long 196
— dans les exemples 196
— dans les légendes 196
— dans un titre 197
— de suite 196
— espacement 191
— face 190
point d'exclamation 197
— casse après 197
— espacement 191
— et interjection 197
— face et casse après 190
— virgule ou point après 197
point d'insertion 31

point d'interrogation 197
— casse après 197
— espacement 191
— face et casse après 190
point typographique 11
pointe (t.n.) 84
points cardinaux 88
points de conduite 196
points de suite 125
points de suspension 198
— à la place de *etc.* 198
— casse après 198
— espacement 191
— et virgule 198
— point d'interrogation 198
— pour marquer un effet 198
— pour tourner la page 198
point-virgule 197
— énumér. horizontales 197
— espacement 191
— et mot suivant 197
point-virgule, s s 162
poissons, races de 107
pôle Nord, pôle Sud 87
police ou fonte 10
police, choix 32
polices, écriture des 107
poly- 181
polyvalente (enseign.) 92
ponctuation 189
— basse 190
— double 190
— en anglais 214
— en saisie 31
— espacements 191
— face 190
— finale, casse après 78
— finale, une espace 196
— haute 190
— plusieurs de suite 206
— sens 208
pont (bâtiment) 91
pont-l'évêque, des 137
porte (bâtiment) 91
porte dans une adresse 82
porte-à-porte, inv. 162
possible 173
post- 181
postscriptum, PS 39
postscriptum, ponct. 194
pot-au-feu, inv. 162
pot-de-vin, s e n 162
pouce (mesure) 59
pour cent 173
pourcentage, nombre 145
pourparlers (réunion) 90
pourquoi – pour quoi 173
pré- 181
préface 137
préfixe dev. préf. symb. 47
préfixe *e* (informatique) 118
préfixe *i* (informatique) 118
préfixes des mots 180
préfixes des symboles 47
premier min. (fonction) 104
premier, 1er, Ier 39
premiers min. Canada 229
premiers min. Québec 229
prénom, abréviation de 55
prénom abrégé, espace 201
préposition, définition 148
près – prêt 173
président (fonction) 104
président-directeur gén. 39
presque, élision dans 192
prêt-à-manger, s à r 162
prêt-à-porter, s à r 162
prières en italique 96
prince (fonction) 104
prison (bâtiment) 91
prix (sports) 93
prix et récompenses 98
pro- 181
proche-oriental, adj. 87
procureur (fonction) 104
produits et spécialités 137
professeur, abrév. et casse 55
programmes, logiciels 107
programmes, titres de 138
projet de loi, numéro 143
pronom, définition de 148
pronominaux, verbes 156
propositions 149
— circonstancielle 149
— incise ou incidente 149
— participiale 149
— relative explicative 149
— relative déterminative 149
propre-à-rien, s n 162
protecteur du citoyen 104
protocole de composition 34
Provençal, un 87
proverbe, devise 135
proverbes, nombre dans 143
pro-vie, inv. 162
pro-vie, pro-choix 181
provinces can. en anglais 212
provinces canadiennes 57
provincial, un 87
PS, CC, PJ, NB 37
pseudo- 181
puce verticale, ponct. 26
puisque, élision dans 192
punching-ball, g s 162
pur-sang, inv. 162

Q

QC, symbole de Québec 82
quadrichromie 17
quai (t.a.) 84
quant à – tant qu'à 173
quantité, espacement ds 143
quantité (nom collectif) 170
quartier (t.a.) 84
quartier Latin 87
quasi- 181
quatre-saisons, inv. 162
quatre-vingt, accord de 141
que et *e* élidé 205
quelque – quel que 173
quelque, élision dans 192
quelquefois 173
quelques fois 173
queue-de-cheval, s e l 162
qui après pronom pers. 173
quoique – quoi que 174
quoique, élision dans 192

R

raccourci en Word 125
raccourcis de commandes 125
races 106
radio- 181
radio et télévision 100
raison sociale, casse de la 79
raison sociale, nouv. orth. 79
rallye (manif. sportive) 103
ramadan, pratique relig. 108
rang, numéro de 143
rappeler (se) 174
raz-de-marée, inv. 162
re-, ré- 181
réalisme 101
recettes de cuisine 56
récit (œuvre) 133
réclame, sans t.u., var. 200
récompenses et prix 98
record, sans t.u., var. 200
recteur (fonction) 104
rectifications orthogr. 182
reçu, accord de 174
redondance expressive 203
réduction 58
REER 45
régie (organisme) 89
régime politique 100
régime politique, chiffres 146
régiment 105
régimes et histoire 100
région (t.a.) 84
règlement (texte jurid.) 103
règlement, petites cap. 110
règles typo anglaises 211
reine, sans t.u., var. 200
religieux (personnes) 101
religion, termes religieux 97
remercier *de* ou *pour* 174
Renaissance, style 107
renfoncement ou retrait 13
renvoi en italique 137
repérage (imprimerie) 17
repères (imprimerie) 17
répétition de symboles 145
reptiles, races de 107
république (régime pol.) 100
réseau social 117
ressource, avec t.u., var. 200
restaurant (société) 94
retrait ou renfoncement 13
retraite (guerres) 98
rétro- 181
réunions de personnes 90
Révérend Père 80
révision à l'écran 122
révision avec Word 122
révolution (histoire) 100
revues, journaux 101
rez-de-chaussée, inv. 162

rhétorique 163
rive (t.n.) 84
rive sud du fleuve, la 87
Rive-Sud (t.a.) 87
Riviera, la 87
rivière (t.n.) 84
rivière des Mille Îles 87
Rocheuses, les 87
roi (fonction) 104
romain (face de caractère) 11
roman (œuvre) 133
roman, la langue romane 8
roman, style 107
roman-feuilleton, s s 162
romantisme 101
route (t.a.) 84
royaume (histoire) 100
ruban (Word) 125
rue (t.a.) 84
rue dans une adresse 82
Ruée vers l'or 101
rues, aspect visuel 33

S

saint en anglais 213
saint ou sainte 96
saint-honoré, inv. 162
saisie 31
saisie-exécution, s s 162
salon (manif. artist.) 103
salon rouge 161
salutation, dans une lettre 81
sans- 181
sans, pluriel avec 172
saut de page 17
saut de ligne 13
saut-de-lit, s e t 162
second – deuxième 174
second, seconde, 2d, 2de 48
seconde d'angle, emploi de 88
seconde de temps, s 48
secondes décimales 40
secrétaire général 104
secrétariat (organisme) 89
section, service interne 95
sections et colonnes 126
sélection verticale 126
semi- 181
séminaire (réunion) 90
séminaires, titres de 138
sénat (organisme) 89
sénateur (fonction) 104
sensé – censé 165
séparations de mots 114
séparations de mots (web) 120
série (nom collectif) 170
sérif et sansérif 10
serment (texte juridique) 103
serment de Strasbourg 8
serveur (informatique) 117
service (société) 94
services administratifs 95
services internes 95
shoah, extermin. de juifs 108
si (concordance) 174
si tôt – sitôt 174
sic, romain et crochets 194
Siècle des Lumières 101
siècle, abréviation 39
siècle, chiffres romains 146
Sierra Leone 87
sierra Nevada, la 87
sigles en anglais 211
sigles et acronymes 44
sigles, coupure des 114
signes du zodiaque 105
signes informatiques 123
signet (Internet) 117
signification des signes 30
si + il(s) 174
s'il vous plait, SVP, s.v.p. 39
simili- 181
site ou courriel, coupure 81
site, adresse de 81
site web, adresse de 81
sobriquet 79
société au nom spécial 94
société, abréviation de 39
sociétés et commerces 94
sociétés, accord noms de 95
société, jeux de 137
socio- 181
sœur, sans t.u., var. 200
soi-disant 174
soir, sans t.u., inv. 200
sommaire simple, align. 25
sommes d'argent 54
sommet (organisme) 89
soulignement 11
soulignement en correction 19
soulignement (pages web) 119
sous- 181
soussigné 174
sous-titre en fin de page 33
sous-titre, alignement 33
soustraction 145
soutien-gorge, s e 162
souvenir (se) 174
souverain, chiffres rom. 146
soyons, soyez, pas de *i* 161
spécifique admin., règle 85
spécifique naturel, règle 85
spécifique nouveau 77
spécifique, définition de 77
spectacle, avec t.u., var. 200
sport, sans t.u., inv. 200
sports, casse des noms de 93
sports, écriture des temps 41
square (t.a.) 84
stade (bâtiment) 91
standard, sans t.u., var. 200
stations de métro 99
statistiques de ce livre 34
statistiques, en chiffres 143
statue (bâtiment) 91
statuts, petites cap. 110
stéréo- 181
stoïcisme 101
style, créer un 126
style ou face 11
styles artistiques 107
styles dans une page web 121
sub- 181
subdivisions d'un livre 28
subdivisions en anglais 28
subdivisions militaires 105
subdivisions policières 105
subjonctif, terminaison du 156
sub. participiale, virg. 203
succéder 174
Sud-Est, non suivi de *de* 88
sudistes, les 87
sudoku, des sudokus 137
Sud-Ouest américain 87
suicide, sans t.u., var. 200
suite dans une adresse 82
suite, indication 135
sujet, trouver le 149
sulpiciens 101
sunnite, sunnites 101
super- 181
supérieures 37
supra- 181
sur- 181
sûreté (organisme) 89
surexposition 14
sur-le-champ 174
surnoms 108
surprise, avec t.u., var. 200
surréalisme 101
sus- 181
syllabe muette 156
symboles de chimie 49
symboles des monnaies 50
symboles des pays 50
symboles du syst. impérial 59
symboles du syst. intern. 48
symboles en HTML 120
symboles, emploi des 47
symboles, répétition de 145
symboles, séparation de 114
symbolisme 101
symposium (réunion) 90
syndicat (organisme) 89
synode (réunion) 90
synthèse, sans t.u., var. 200
système impér. en français 59
système impérial anglais 212
système intern. anglais 212
système international 46
systèmes, casse des 108

T

t euphonique 174
table et index, créer 126
tableau ou peinture 132
tablette électronique 117
tabulations 126
taille ou corps 10
talibans 101
talus 10
tant qu'à – quant à 173
tas (nom collectif) 170
tel – tel que – tel quel 175
tel que je 175
tél. cell. 39
télé- 181
télécopieur, fax 81

téléphone 81
téléphone intelligent 117
téléroman (œuvre) 133
télévision et radio 100
témoin, sans t.u., var. 200
température 144
température sous zéro 144
temple (bâtiment) 91
temps des fêtes 108
Temps modernes 226
temps sportifs, écriture de 41
téra- (préfixe décimal T) 47
terre Adélie, la 87
Terre de Feu, la 87
Terre, astre 106
Terre, planète 106
tête-à-tête, inv. 162
texte à corriger 22
texte dans mise en page 32
texte en fin de chapitre 33
textes juridiques 103
théâtre (société) 94
théâtre, italique 138
théâtre, petites cap. 110
tierce (imprimerie) 14
tiers-monde 87
tiers-mondiste 87
timbre-poste, s e 162
tirage 17
tiret court, demi-cadratin 199
tiret court, emplois du 199
tiret long, emplois du 198
tiret long ds énumération 196
tiret long et espacement 191
tiret long et nullité 195
tiret long et ponctuation 198
tiret long, tiret cadratin 198
tiret, énum. verticale 26
titres 13
— courants 29
— créer un style de 127
— d'expositions 138
— d'œuvres à la télé 100
— d'œuvres en gras 134
— d'œuvres, écriture 132
— de civilité 42
— de concours 138
— de cours 138
— de programmes 138
— de séminaires 138
— de subdivision 195
— en fin de page 33
— elliptique 134
— hiérarchie 13
— honorifiques 80
— ponctuation 197
— religieux 80
— subdivisions 28
— tout en capitales 79
tome et volume 29
tonne, t 48
toponyme administratif 84
toponyme naturel 84
toponyme surcomposé 199
toponymes à retenir 87
toponymes, abréviations 85
toponymie 84
toponymie, règles de 85
Tora, bible juive 108
totalité (nom collectif) 170
tour (bâtiment) 91
tour (sports) 93
tour Sud, tour Nord 88
tournoi (sports) 93
tout 175
tout-petit, t s 162
tout-puissant, t s 162
tout-terrain, inv. 162
toute-petite, s s 162
toute-puissante, s s 162
traduction, perles en 74
trains, face des noms de 138
trait d'union 199
— apposition attachée 200
— avec un chiffre 201
— conditionnel 112
— dans un spécifique 201
— dans l'impératif 201
— entre prénom et nom 201
— espacement 199
— et capitale 199
— fonctions et métiers 199
— horaire de programme 199
— insécable 112
— né 201
— noms de peuples 199
— préfixes et suffixes 201
— prénoms 201
— sécable 112
— surnoms 108
— toponymes 85
traité (texte juridique) 103
trait d'union, impératif 201
traité de Verdun 8
tranche d'un livre 29
trans- 181
transitif direct 149
transitif indirect 149
tri dans Word 127
tri- 181
tribunal (organisme) 89
troncation ou apocope 58
tronquées, formes fém. 176
troupe (nom collectif) 170
tsunami, des tsunamis 161
Twitter 117
type, sans t.u., var. 200
typographie anglaise 209
typographie, glossaire de 10

U

ultra- 181
un de ceux qui 175
un des... qui 175
un et une, élision de 141
un quart de un 145
un, trait d'union avec 141
union (organisme) 89
Union européenne 53
unités administratives 95
unités de mesure 48
unités milit. canadiennes 105
université, Université 92
ursulines 101

V

Val-d'Or (t.a.) 87
valise, avec t.u., var. 200
Val-Saint-François 87
vedette, avec t.u., var. 200
vedette dans une lettre 80
véhicules, face 138
Venezuela 87
Vénézuéliens, les 87
vents 109
verbe, définition 148
vérificateur général 104
Vérité (allégorie) 105
Verts, les 161
veuve et orpheline 33
victoire (guerres) 98
Victoire, Victoires, prix 98
Vieille capitale, la 87
Vietnam, le 87
vieux port (endroit) 87
Vieux-Montréal, le 87
Vieux-Port (t.a.) 87
Vieux-Québec, le 87
vignette 16
villas, face des noms de 138
ville (t.a.) 84
ville dans une adresse 82
Ville éternelle 87
Ville lumière 87
Ville reine, la 87
Ville, personne morale 91
villes francisées 175
villes, genre des 175
Virginie-Occidentale 87
virgule 202
— adjectif 202
— adresse 82
— ainsi 205
— ainsi que 204
— apostrophe rhétorique 203
— apposition détachée 203
— aussi 205
— autrement dit 205
— avec 205
— c'est 204
— c'est-à-dire 204
— car 204
— casse après la virgule 190
— cependant 205
— certes 205
— d'autre part 205
— d'une part 205
— de 205
— de plus 205
— décimale, espacement 191
— décimale, non le point 46
— donc 205
— dont 202
— du reste 205
— ellipse 202
— en fait 205
— en outre 205
— enfin 205

— ensuite 205
— entre nom et prénom 202
— entre sujet et verbe 202
— entre verbe et c.o.d. 202
— espacement 191
— et 205
— et autres ponctuations 206
— et ce 205
— face 190
— hélas 197
— incidente 204
— incise 204
— incise avec guillemets 204
— index 205
— inversion du sujet 203
— mais 204
— menus 83
— néanmoins 205
— ni 205
— nom 202
— nom propre apposé 203
— or 205
— ou 205
— où 202
— par ailleurs 205
— par exemple 205
— parenthèses 205
— participe passé 202
— participe présent 202
— point d'exclamation 204
— point d'interrogation 204
— pourtant 205
— puis 205
— que 202
— *que* élidé 205
— qui 202
— redondance express. 203
— sinon 204
— soit 204
— sub. circonstancielle 203
— sub. participiale 203
— tête de phrase 205
— toutefois 205
vitamines 145
vive 175
vodka, des vodkas 137
Voie lactée, astre 106
voir, renvoi 137
volume et tome 29
votes, nombre dans les 144
vous de politesse 175
vu (préposition) 164

W

Web, écriture 118
whisky, des whiskys 137
Word facile 124

Z

zodiaque 105

Tableaux

Abréviations courantes 38
Anglicismes 62
Balises et codes HTML 120
Correction d'épreuves : signes 20
Espacements de la ponctuation 191
États américains en anglais 212
Féminisation des fonctions 178
Genres à retenir 160
Latin, mots francisés 130
Nomenclature simplifiée 148
Noms en apposition attachée 200
Noms et adjectifs composés 162
Nouvelle orthographe : liste 184
Odonymes à Montréal 86
Orthographes à retenir 161
Participes passés invariables 154
Préfixes des mots 180
Signification des signes 30
Symboles de chimie 49
Symboles des pays et des monnaies 50
Symboles du système international 48
Toponymes à retenir 87

Notes

Aussi d'Aurel Ramat

Aurel Ramat, qui est-ce ? Mon autobiographie, Montréal, Aurel Ramat éditeur, 2012, 224 pages.

Achevé d'imprimer en octobre 2012
à l'imprimerie Marquis à Montmagny (Québec)